リミットレス

LIMITLESS

超・超加速学習 [拡張版]

人生を変える「学び方」の授業

Upgrade Your Brain,
Learn Anything Faster,
and **Unlock** Your Exceptional Life

ジム・クウィック[著]
三輪美矢子[訳]

東洋経済新報社

読者の皆さん、生徒の皆さん、
そして皆さんのなかのリミットレスなヒーローたちに。
この本を信頼して、貴重な時間を割いてくださってありがとう。
この本は皆さんに捧げます。

Original Title:
LIMITLESS EXPANDED EDITION
Upgrade Your Brain, Learn Anything Faster,
and Unlock Your Exceptional Life

拡張版のためのまえがき

『LIMITLESS 超加速学習』のオリジナル版は、激動の月と言うべき2020年4月に刊行された［訳注　邦訳は2021年1月刊行］。あのころ、世界は未曾有の困難に追い込まれていた。それでもあの混乱のなかで、オリジナル版は予想をはるかに超える反響を呼んだ。『ニューヨーク・タイムズ』のベストセラーになり、いくつもの言語に翻訳され、数知れない国々の書棚を飾った。地球規模の危機のさなかに、世界じゅうであの本が受け入れられているのを目にでき、また人々の変革の話を耳にできたことは、励みになるとともに身が引き締まる思いでもあった。

なかでも印象的だったのは、ジェインの話だ。ジェインは、経済的に厳しい状況にありながら学業を再開し、一族で初めて大学の学位を取得すると、以前は夢のまた夢だったキャリアに挑戦するまでになった。こうしたジェインの旅は、すべての人に本来備わる能力の大きさを、これ以上ないほど雄弁に物語っている。

この文章を書いている時点で、本書のオリジナル版には、米国アマゾンと書評SNSグッドリーズで総計3万3000件を超える評価がついている。読書の変革を起こす力を擁護することを長年仕事にしている者として、本にどれだけ人生を変える力があるかはよくわかっていたつもりだが、それでもなお、読者から寄せられた数々のインパクトのある話には圧倒された。50歳にして人生で初めて学びたくてたまらなくなったというライアンから、物理学の博士にして一族で初めて大学を出た世代であり、「成し遂げたことはいろいろあるけれど、この本をきっかけに無理だと思っていた分野で能力を発揮できるようになり、最近ようやく自分に自信がもてるようになった」と明かすサンドラまでの、あらゆる人々の変革の物語に。

あれから世界はふたたび息を吹き返し、進化の歩みを続けているが、それにともない日々の生活で、とりわけ仕事の領域である変化が決定的になった。その変化に気づき、僕はこの拡張版に新たな章を加えることにした。その章――第16章――では、新たな仕事の環境に適応して成果を上げるために必要なメンタルツールを紹介している。フルリモートで働く人、リモートとオフィスのハイブリッド方式で働く人、従来どおりのオフィス勤務に戻った人と、どんな環境にある人にも参考になるはずだ。

健康もパンデミック中にあらためて注目を集めた。ブレインフード（脳の働きを良くする食べ物）についてはオリジナル版でも触れたが、本書ではさらに射程を広げて、脳に必要な栄養素について詳述した章を新たに加え、ヌートロピック［訳注　脳機能の向上や調整をサポートする薬品や栄養補助食品等の総称。通称スマートドラッグ］や、認知機能に関する最新の科学的知見も網羅した。

拡張版に加わった情報で一番の目玉と言えるのは、脳のタイプがわかる画期的な診断ツールだろう。この新たな章では、学習スタイル、性格型、脳の機能性に関する知見を組み合わせて、人と世界との関わり方を幅広く説明している。リミットレスな旅の道筋を決めるとき、この強力なツールがきっと役立つはずだ。使ってみた感想もぜひ聞かせてほしい。

拡張版のもう1つの目玉は、人工知能（ＡＩ）を活用して人間の知能（ＨＩ）を強化することに焦点を当てた章だ。急速に進化するこの世界で、ＡＩはもはやただのＳＦではなく現実となった。この章では、人間に生来備わる知能をＡＩで補強する方法や、デジタル時代を生き抜くためのモメンタム（勢い、推進力）の築き方を伝授する。

オリジナル版を読んで活用してくださった方々の興味深い変革の物語も、そのうちのいくつかがこの版に組み込まれ、ページに命を吹き込んでくれた。そうした物語は、本書に奥行きと深みを加えてくれたのはもちろん、リミットレスに向かう旅がともに分かち合えるものであることを再認識させてもくれた。

個人的には、父親という新たな役割を得たことにより、リミットレスな可能性にあふれる未来を作っていきたいという思いがいっそう深まった。わが子のために、読者の子どものために、そして僕ら一人ひとりのために。互いに力を合わせて、それぞれのなかに眠る真の能力を引き出せるような未来を築いていきたい。

最後に、今回の拡張版は、モメンタムの力を使いこなすことを目標に掲げている。ＡＩの影響力が増すパンデミック後の世界ではモメンタムを維持しながら学習し、変化に適応し、仲間を率い、貢献を果たすことが重要になる。そしてそれは、今に限らず、どんなときにも通じることなのだ。

それでは、より大きな意義と、リミットレスなモメンタムに満ちた人生を目指す旅に、いよいよ繰り出そう。

ジム・クウィック

はじめに

「子どものころって、創造力が無限大で、本気で魔法を信じていたりするでしょ？　私は、自分にはスーパーパワーがあると思ってた」

――ミシェル・ファン

誰でも「頭脳のスーパーヒーロー」になれる

あなたの願いを1つ挙げるとしたら、それはなんだろう？　真面目な話、もしも精霊が願いを1つだけ叶えてくれるなら、何を願うだろうか？

それは、もちろん、どんな望みも叶えてもらえること！

では、僕があなたの学習の精霊だとしよう。僕は、あなたの学習にまつわる願いを1つだけ叶えることができる。あなたは何を1つだけ学びたいだろう？　何の科目を、あるいはスキルを学んだら、願い事が無制限に叶うのと同じだけのものを得られるだろうか？

そうだな……学び方を学ぶ、というのはどうかな？

もしもあなたが、より賢く、より速く、より良く学ぶ方法を本当に知っていれば、それはすべてに応用できる。マインドセットやモチベーションの高め方を学んだり、その方法を使って、北京語やマーケティングや音楽や武術や数学をマスターしたりできる。それこそ無制限に！　あなたは頭脳のスーパーヒーローになれる。制限がないのだから、なんだって可能なはずだ。

本書で僕が目指すのは、あなたにその願いを叶えてあげることだ。手始めに、僕があなたをどれだけ尊敬し、すごいと思っているのかを説明しよう。この本を買って、いま読んでいる時点で、あなたは現在の状況や制約を甘んじて受け入れているほとんどの人のはるか先を行っている。あなたは、人生からもっと多くを得たいとただ願うだけでなく、望むものを得るためにやるべきことを厭わずやろうともしている、数少ない人々の1人だ。

言い換えるなら、あなたはこの物語のヒーローであり、冒険への呼びかけに応えたわけだ。自分の能力を最大限まで引き出して実現し、さらにはほかの人を鼓舞して、同じことをする気にさせるという究極の冒険に、僕らは繰り出そうとしている。

制約や限界は「思い込み」に過ぎない

あなたがどんな人生の旅を経てこの本にたどり着いたのか、僕にはわからない。ただ、その旅の少なくともいくらかは、みずから課したか、他人から課された制約のもとにあったのではないだろうか。たとえば、「読むのが遅すぎて必要な情報を追いきれない」とか、「頭の回転が鈍くて仕事で成果を上げられない」とか。「物事をやりきる意欲がない」とか、「エネルギーが足りないので目標をなかなか達成できない」とか。

本書を手にしたあなたには、こうした制約を克服してほしい。その催眠状態を終わらせてほしい。それは、僕らが親やメディアや広告などから学習した一種の集団催眠や嘘であり、そのせいで「自分には限界がある」と思い込まされているだけなのだから。自分なんて能力も足りないし、何も十分にできない、手に入れられない、作り出せない、貢献できないのだと。

自分には限界があるという思い込みは、あなたの最大の夢まで阻んでいるかもしれない——これまではそうだったかもしれない。だが誓って言おう、そうした思い込みは、あなたという存在を本当の意味で制限するものではない。人はだれしも、とてつもなく大きな可能性を、無限のレベルの強さと知力と集中力を秘めている。そのスーパーパワーを解き放つカギは、その人自身の制限、つまりリミットを外すことだ。

僕はこれまで25年以上にわたり、あらゆる年齢や国籍や人種や社会経済的地位や教育水準の人と仕事をしてきた。そしてわかったのは、どこの生まれだろうと、どんな問題を抱えていようと、人には信じられないほどの潜在能力があり、それはただ解き放たれるのを待っている、ということだった。年齢、出自、学歴、性別、経歴に関係なく、すべての人が、自分にふさわしく可能だと思うレベルを超えて進歩できる。あなたもそうだ。僕と一緒に取り組めば、限界なんて古い考えだと思うようになるだろう。

人並み外れた世界への通行手形「リミットレス」

ところで本書では、「スーパーヒーロー」や「スーパーパワー」といった言葉をたびたび持ち出す。なぜか？　まず、僕自身が、その方面の熱心なオタクだという事情がある。幼少期に負った脳損傷がもとで学習困難になった僕は、アメコミの漫画や映画に逃げ込んでつらいときの心の支えにしていた。そのときに気づいたのは、僕の好きな物語はそろって同じパターンをなぞっていることだった。

「英雄(ヒーロー)の旅」というこのパターンは、神話学者のジョーゼフ・キャンベルが見出した古典的な英雄譚の構造であり、名だたる冒険物語のほぼすべてに現れる。『オズの魔法使い』『スター・ウォーズ』『ハリー・ポッター』シリーズ、『食べて、祈って、恋をして』『ハンガー・ゲーム』『ロッキー』『ロード・オブ・ザ・リング』『不思議の国のアリス』『マトリックス』など、ほかにもいろいろある。

あなたの好きな物語か、いま挙げた本または映画のどれか1つを思い浮かべてほしい。こんな筋書きに覚えはないだろうか？　物語の初めに、英雄（たとえばハリー・ポッター）は、平凡な世界、つまりは自分のなじんだ世界にいる。それから、英雄は冒険への呼びかけを耳にする。その声を無視してなじんだ世界にとどまるか、それとも誘いに応じて未知の世界へ踏み入るか、英雄は選択を迫られる。誘いに応じれば（『マトリックス』で主人公のネオが赤い薬を飲んだように）、英雄は（『ベスト・キッド』のミヤギ老人のような）指導者やメンターに会い、その人の手ほどきを受けて障害を乗り越え、新たなレベルの達成を遂げる。と同時に、新たな力や技術も授けられ、かつてなくパワーアップしたその力を使うように促される。さらに自分を縛っていた限界を克服すると、英雄は生まれ変わった自分を受け入れ、やがて大きな試練に立ち向かう。物語の終わりに、英雄は、冒険で得た至高のもの――宝物、強い精神、不屈の体、明晰な知性、深い叡智――を携えてなじみの世界に戻る（カンザスに戻った『オズの魔法使い』のドロシーのように）。そして、学んだことや授かったものをほかの人と分かち合うのだ。

英雄の旅は、あなたの物語に力と目的を与える完璧な構造だ。本書では、あなたがその英雄、つまりスーパーヒーローになる。

僕は、人間の潜在能力はこの世で唯一に近い無限の資源だと、心の底から信じている。ほかのほとんどのものは有限だが、人の頭脳は究極のスーパーパワーだ。人間の創造力、想像力、決断力、思考力、判断力、学習能力に限界はない。もっとも、この資源はまだほとんど開発されていない。人は皆、自分自身の物語の英雄になれるし、その可能性の井戸は毎日汲んでも枯れないのに、そんなふうに人生と向き合っている人はとても少ない。だから、僕はこの本を書いた。あなたがいまどんな状況にあっても、過去にどんな人生を送っていても、自分を自由にして制限から解放へと向かうことは絶対に可能なのだ、と気づいてもらうために。それは、あなたが平凡な世界から非凡な世界へと移るのに必要な、唯一の通行手形（スーパーパワー）なのかもしれない。

本書で僕は、そのスーパーパワーを授けようと思う。この先のページで得られるのは、あなたが現在の制約から自由になるのに役立つ一連のツールだ。

これからあなたは、脳の制限（リミット）を外す方法、意欲の制限（リミット）を外す方法、記憶力や集中力や習慣の制限（リミット）を外す方法を学んでいく。僕があなたの英雄の旅のメンターだとしたら、本書は旅の地図だ。あなたはそれを手がかりに、学び方を学ぶためのマインドセット、モチベーション、メソッドを習得する。そして旅を終えるころには、リミットレスになっている。

「外側からの力で卵が割れたら、命は終わる。内側からの力で割れたら、命は始まる。偉大なことは、つねに内側から始まる」

——ジム・クウィック

ここにドアがある。その向こう側に何があるのか、あなたは知っている。
さあ、ドアの先へ歩きだそう。

LIMITLESS［拡張版］超・超加速学習　目次

PART 1 リミットレスへの冒険
——あなたの才能の限界を解き放て

PART 2 リミットレス・マインドセット——あなたを縛る固定観念と嘘を打ち破る

PART 3 リミットレス・モチベーション——強力で持続する意欲やエネルギーを手に入れる

PART 4 リミットレス・メソッド――脳に最適な「学び方」を学ぶ

PART 5 リミットレス・モメンタム ――「停滞知らず」の勢いを得る

本書の著者の意図は、身体的、感情的、あるいは医学的な問題に対する治療の一形態として、直接的、間接的を問わず、医師の助言なしに、医学的なアドバイスを提供したり、何らかのテクニックの使用を指示したりするものではない。著者の意図はあくまで、感情的、肉体的、精神的な幸福を求める読者の助けとなるような、一般的な性質の情報を提供することである。本書に記載されているいずれの情報についても、読者自身がそれを使用した場合、著者および出版社は、その行為に対して一切の責任を負わないものとする。

PART 1

リミットレスへの冒険

——あなたの才能の限界を解き放て

第1章

僕がリミットレスになるまでの物語

「世界を変えるのに魔法はいりません。必要な力はすでに私たちの内側にありますから」
——J・K・ローリング

「僕はばかだ」
「僕は何も理解できない」
「僕は頭が悪いから勉強できない」

これは子どものころ、僕の脳内でマントラのように鳴っていた言葉だった。自分はのろまだ、間抜けだと、心のなかで言わない日は1日としてなかった。僕が文字を読めるようになるはずがない、ましてや、この先の人生で何かを成し遂げることなんてありえないと。ひと粒飲むと脳がたちまち活性化されて賢くなれる薬（2011年の映画『リミットレス』で主演のブラッドリー・クーパーが使ったようなもの）が手に入るなら、なんだって差し出しただろう。

また、そう思っていたのは僕ひとりではなかった。子ども時代の僕を知る教師に尋ねれば、「ジムがこんな本を書くようになるとは思わなかった」と言うはずだ。僕が本を読ん**でいる**だけで驚きなのに、本を書いてもいると知ったら、あのころの教師たちはどう思うだろうか。

僕の人生を変えた事件

すべては幼稚園での事故が始まりだった。それが、僕の人生の道筋を決定的に変えた。ある日のこと、幼稚園の一室にいた僕は、窓の外でサイレンが鳴っているのに気がついた。教室じゅうの子どもたちも気づき、先生が外に目をやって「消防車ですよ」と言った。すると子どもたちは、いかにも幼稚園児らしい仕方で反応した。いっせいに窓へと駆け寄ったのだ。なかでも興奮していたのがこの僕だった。早くもスーパーヒーローに夢中だったのだ(いまでもそうだ)。当時の僕にとって、消防士は現実の世界で最もスーパーヒーローに近い存在だった。僕は、ほかの子に負けじと窓のほうへ急いだ。

ただし、問題が1つあった。僕の背が足りなくて、窓から消防車を見下ろせなかったのだ。だれかが椅子を持ってきてその上に立ち、それを見たほかの園児たちが次々に真似をしはじめた。僕も自分の椅子を取ってくると、窓際に並ぶ大きな鉄製の温水暖房器(ラジエーター)に押しつけるようにして置いた。それから椅子の上に立ち、消防士を見つけて最高に興奮した。うわー、かっこいい! 目を大きく見開き、口をぽかんと開けたまま、真っ赤な車両に乗った勇敢なヒーローたちがおそろいの防火服で仕事に励むさまを食い入るように見つめていた。

そのときだった。1人の園児に椅子の脚を引っ張られ、僕はバランスを崩して頭からラジエーターに突っ込んだ。金属に頭をしたたかにぶつけて血が流れだし、すぐさま病院に運ばれて手当てを受けた。しかしそのあと、傷の処置を担当した医師が、僕の母に非情な事実を告げる。脳へのダメージがどうやら小さくないようです、と。

母によれば、それから僕はすっかり変わってしまったという。活発で自信に満ちて、好奇心旺盛な子どもだったのに、事故のあとは目に見えて覇気がなくなり、勉強でも以前にない苦労をするようになった。注意力が大幅に落ち、集中することや覚えることが難しくなったのだ。いきおい、学校は僕にとって苦行の場となった。僕が理解したふりをすることを覚えるまで、教師たちは何度も同じ言葉を繰り返した。同級生は読み書きを習っているのに、僕は文字の意味すら理解できなかった。みんなで1冊の本を回しながら順番に音読する、「輪読」というアクティビティをしたことがあるだろうか？　あれは最悪だった。本が近づいてくるのを緊張しながら待ち、いざページを開いても一文字も理解できないのだから（人前で話すことが極端に怖くなったのは、あのときの体験のせいではないかと思っている）。本を読めるようになるまではもう3年ほどかかり、その後も長く悪戦苦闘が続いた。

アメコミで出会ったヒーローたちがいなければ、果たして読めるようになっていたかどうかわからない。普通の本には興味をもてなかった僕だが、漫画にはどっぷりはまり、続きを読みたい一心で読む訓練を重ねて、ついにはだれかが読んでくれるのを待たずに読めるようになった。夜ふけに布団にもぐって、懐中電灯の光で読んでいたくらいだ。そうしたヒーローたちの物語は、「人は不可能を乗り越えられる」という希望を僕に与えてくれた。

当時好きだったスーパーヒーローは、X－MEN。一番強かったからではなく、誤解されている変わり者だったからだ。僕は、X－MENに自分と通じるものを感じた。彼らはミュータントで、社会に溶け込めず、その存在を理解してくれない人々から疎まれていた。それはまさしく僕だった（スーパーパワーを除いて）。X－MENははみ出し者で、僕もそうだった。僕の居場所は彼らの世界にあったのだ。

僕はニューヨーク市郊外のウエストチェスター郡で子ども時代を過ごした。ある晩、X－MENの養成所だとされるプロフェッサーXの「恵まれし子らの学園」が、（漫画によれば）うちの近くにあると知って舞い上がった。それからというもの、当時9歳だった僕は、毎週末のように近所を自転車でめぐっては学園を探し回った。僕は本気だった。もし探し当てれば、その学園に自分の居場所を、人と違っても大丈夫な場所を、僕自身のスーパーパワーを見つけて伸ばせる場所を見つけられると思ったのだ。

「脳の壊れた子」

一方、現実の世界はそれほど易しいものではなかった。ちょうどそのころ、僕の面倒を見てくれていた同居の祖母に、認知症の兆しが現れはじめたのだ。大切な人の知力や記憶が失われていくのを見るのは、なんとも言えずつらかった。実際に亡くなるまで、何度も祖母を失ったような気がしたものだ。祖母は僕の世界だった。僕が学習の問題に加えて、脳の健康にも強い関心を抱いているのは、そんな祖母のことがあったからだと思う。

学校ではいじめられ、からかわれていた。校庭だけではなく、教室のなかでも。小学校時代のある日、授業をちっとも理解できない僕に苛立った教師が、こちらを指さしてこう言った。「あれが脳の壊れた子か」。そんなふうに見られていたのだと知り、胸が潰れそうだった。ほかの人もきっと同じように見ていたのだろう。

だれかや何かにレッテルを貼ると、その瞬間にリミットが生まれる。そのレッテルが、それを貼られた人やものの限界（リミット）になってしまう。大人は自分の発言に十分気をつけてほしい。それはすぐに子どもの心の言葉になるからだ。

あのころの僕もそうだった。勉強で苦労したり、テストの点が悪かったり、体育の授業でチームに交ぜてもらえなかったり、同級生に後れを取ったりするたびに、「脳が壊れているからだ」と自分に言い聞かせるようになった。僕がみんなと同じようにできるはずがない。だって「壊れている」のだから。僕の頭は、みんなのように働かなかった。他人の何倍もがんばっているのに、成績はその努力に報いてくれなかった。

進級だけはどうにかしていたが、点数は毎年ぎりぎりだった。優秀な友人たちの助けで数学はできたものの、ほかの科目、とくに英語、読解、外国語、音楽は壊滅的だった。そして高校1年のとき、ついに英語で落第寸前に追い詰められる。両親が学校に呼び出され、合格点を取るための手だてを教師と話し合うことになった。

教師は追加の課題を提案した。2人の天才、レオナルド・ダ・ヴィンチとアルベルト・アインシュタインの生涯と功績を比較してレポートにまとめるという課題だ。そのレポートの出来が良ければ、単位を取れるだけの点をあげましょうと教師は言った。

これはチャンスだ、と僕は思った。出だしでつまずいた高校生活をリセットできる、絶好のチャンスだと。そして自分に書ける最高のレポートを書き上げようと心に誓った。放課後は図書館に長時間こもり、文章と格闘しながら、2人の非凡な知性について学べるだけ学ぼうとした。興味深かったのは、アインシュタインもダ・ヴィンチも学習困難を抱えていたらしいという記述に、一度ならず行き当たったことだった。

数週間後、ついにレポートが完成した。自信たっぷりに本格的な製本もしてもらった。そのレポートは僕の宣言書だった。自分にどれだけのことができるのかを、それをもって世界に知らしめようと思ったのだ。

提出期限の日、僕はどきどきしながらレポートをリュックに入れた。教師に手渡すときのことを、さらには教師からどんな反応が返ってくるかを想像すると胸が高鳴った。授業の最後に渡すつもりだったので、その日は何をしていても集中できず、レポートを差し出したときに教師が見せそうな表情が頭にちらついてばかりいた。

ところがその後、教師は思わぬ変化球を投げてきた。授業時間が半分ほど過ぎたころ、教師は授業を中断し、「今日はサプライズがあります」と告げた。そして、僕が追加の課題に取り組んでいたことを明かすと、クラスの前で発表してほしいと言ったのだ。いま、この場所で。

僕は学校生活のほとんどの時間を、授業で当てられないように縮こまって過ごしていた。「壊れた子」は、自分に差し出せるものがたくさんあると思わない。気も弱かったし、注目されるのも嫌いだった。当時の僕のスーパーパワーは「目立たないこと」だった。人前で話すのも死ぬほど怖かった。大げさに言っているんじゃない。あのとき心臓モニターをつけていたら、僕の動悸の激しさで機械は壊れていただろう。呼吸さえおかしくなっていた。みんなの前に立って発表するなんて、どう考えても無理だ。それで僕は、そのとき自分にできそうな唯一のことをした。

「すみません、やっていません」。つっかえながら、かろうじてそう口にした。

教師はがっかりした顔をした。ついさっきまで思い描いていた表情とあまりに違う。僕の心は張り裂けそうだった。だが、どうしても言われたようにできなかった。授業が終わり、だれもいなくなったあと、僕はレポートをゴミ箱に投げ捨て、それとともに自尊心と誇りの大部分も捨てた。

脳の使い方で人生は変えられる

そうしてさまざまな困難に突き当たりながらも、僕はどうにか地元の大学に進学した。大学に入ることは、リセットの最後のチャンスだと思っていた。家族が誇れるような人間になり、自分にも成功できる力があることを、世界に（何よりも自分自身に）示そうと夢見ていた。大学では講義のスタイルも違うし、僕を色眼鏡で見る人もいない。僕は死に物狂いで勉強した。しかし実際には、大学の授業は高校以上についていくのが難しかった。

入学して数か月がたったころ、僕は現実と向き合いはじめた。大学を退学する覚悟を固めたのだ。

時間や自分のものでもないお金を無駄にして、これ以上通う意味があるのだろうか？　友人の１人にそのことを打ち明けたところ、決断する前に、よかったら週末うちに遊びに来ないか、と誘われた。キャンパスを離れれば見える景色が変わるかもしれないから、と。

家に着くと、友人のお父さんが夕食前に敷地を案内してくれた。お父さんは歩きながら、学校はどうですか、と僕に尋ねてきた。だがそれは、そのときの僕に問うには酷すぎる質問だった。僕の反応は、お父さんをぎょっとさせたにちがいない。いきなり泣きだしたのだ。涙をこらえるでもなく、文字どおり声を上げて。お父さんがあぜんとしているのはわかった。けれども、そのなにげないひと言で、ぎりぎりまでため込んでいた僕の感情のダムは崩れてしまったのだ。

僕が「脳の壊れた子」について話すあいだ、お父さんはじっと耳を傾けてくれていた。話し終えると、お父さんは僕の目をまっすぐに見つめて、こう言った。

「ジム、きみはなぜ学んでいるんだ？　きみは何になりたいのか？　何をしたいのか？　何を手に入れたいのか？　何を分かち合いたいのか？」

即答できなかった。だれにも訊かれたことのない問いだったから。ただ、すぐに答えなければならないような気がした。それで話しだしたところ、ちょっと待ってと止められた。お父さんは手帳から紙を２枚破り取り、そこに答えを書くようにと言った。

数分ほどかけて、僕は願い事のリストを書いた。書き終えると折りたたんでポケットにしまおうとした。ところが、お父さんは僕の手からその紙を取り上げた。えっ、これを読む？　だれかに、しかも赤の他人に読まれるとは思っていなかったので、僕は慌てた。しかしお父さんはかまわず紙を開き、むっとする僕の前でそれを読んだ。

何時間もたったような気がしたけれど、実際には1分かそこらだったのだろう。読み終えると、お父さんは口を開いた。「きみはこのくらいかな」。そう言うと、左右の人差し指を30センチほど離して立てた。「この幅で、きみはそこに書いてあることを全部手にできる」

何をばかなことを、と僕は思った。「こんなリスト、人生を10回生きたって叶いませんよ」。するとお父さんは左右の人差し指を持ち上げ、その幅を保ったまま、僕の頭の両脇に移動させた。彼の言う幅とは、僕の脳の幅のことだった。

「これがヒントだよ」とお父さん。「ついておいで。見せたいものがある」

それから家に戻り、見たことのない部屋に連れていかれた。そこは壁の端から端まで、床から天井まで本で埋め尽くされていた。いまだからこそ言えるが、当時の僕は本が苦手だったので、まるでヘビだらけの部屋にいるように思えた。なお悪いことに、お父さんは棚からヘビをつかんで僕に手渡しはじめた。表紙のタイトルから、それらの本が歴史上の偉人の伝記であることがわかった。また、『大きく考える魔法』(デイヴィッド・J・シュワルツ、井上大剛訳、パンローリング)、『積極的考え方の力』(ノーマン・ピール、月沢李歌子訳、ダイヤモンド社)、『思考は現実化する』(ナポレオン・ヒル、田中孝顕訳、きこ書房)といった往年の自己啓発書もあった。

「ジム、これから週に1冊、このなかのどれかを読んでほしい」

この人、僕が言ったことを何も聞いていなかったんだろうか? とっさにそんな言葉が頭に浮かんだが、口には出さず、代わりにこう返事をした。「それは無理だと思います。本を読むって、僕には簡単なことではないんです。大学の課題もたくさんあるし」

するとお父さんは指を1本立て、「学校にきみの教育の邪魔をさせるな」と言った。マーク・トウェインの有名な格言の言い換えだとあとから知った。

「そうですね」と僕は言った。「読めば必ず役に立つことはわかっています。でも、守れない約束はしたくないんです」

お父さんはしばらく黙った。それから、ポケットに手を入れて僕の願い事リストを取り出すと、1つずつ読み上げはじめた。

他人の声を通して自分の夢を聞くというのは、心と魂を激しくかき乱されるものがある。じつを言うと、リストに書いたことの多くは、僕が家族のために叶えたいと思っていたことだった。僕の両親には余裕がなくてできなかったことや、もしあっても自分たちのためにはしなかったであろうことだ。その夢が読み上げられるのを耳にして、信じがたいほど強く心を揺さぶられた。それが、僕の奥底にあった意欲と目的を掘り起こしたのだ。

聞き終えたとき、僕は「やってみます」と口にしていた。でも内心では、どうやったらそんなことができるのか、見当もつかなかった。

問題は「学び方」だった

週末が終わり、僕はお父さんから借りた本を抱えて大学に戻った。机の上には、いまや2つの山がある。授業のために読まねばならない本の山、そして読むと約束した本の山。自分で言ったことの重みが、いまさらながら心にのしかかってきた。読むのにあれほど苦労しているのに、どうやってこの山を減らしていくつもりなのか？　僕は、早くも最初の山で挫折しかけていた。それで食事をとらず、眠らず、運動せず、テレビも見ず、友人と会うのもやめた。その代わり、図書館にほぼ一日じゅうこもっていた。そしてある晩、疲労困憊して気を失い、階段から落ちてまたしても頭を打ったのだ。

２日後に目覚めると病院だった。てっきり自分は死んだと思っていた。そうなればいいと、どこかで願っていたのかもしれない。それは本当に暗い、人生のどん底だった。衰弱し、体重は53キロまで落ち、ひどい脱水症状を起こして点滴の袋が体につながれていた。

惨めさに打ちひしがれながら、僕は心のなかで思った。「もっといい方法があるはずだ」。と、そのとき、看護師がお茶を入れたマグカップを手に病室に入ってきた。カップには、アインシュタインの顔がプリントされている。高校時代の追加のレポートで感銘を受けた、あのアインシュタインだ。カップにはこんな言葉も書かれていた。「いかなる問題も、それを作り出したときと同じレベルの意識では解決できない」

それを見た瞬間、僕ははっとした。「ひょっとしたら、僕は間違った問い方をしていたんじゃないのか？」。僕の本当の問題はなんなのだろう？　人より学ぶのが遅いことはわかっていたが、それについてもう何年も考えたことはなかった。そして気づいたのだ。これまで僕は、人から教わった方法で問題を解決しようとしていたのだと。「とにかく努力する」という、その一点で。だが、もっといい学び方を自分に教えてやれたらどうだろう？　もっと効率的に、効果的に、しかも楽しみながら学べるとしたら？　もっと速く学べる方法を学べるなら？

その方法を見つけよう、と僕は決心した。すると同時に心のあり方も変わりはじめた。

僕は看護師に頼んで大学の講義要綱を取ってもらうと、1ページずつめくっていった。200ページほどめくったあとで、何――スペイン語、歴史、数学、科学――を学ぶかに関する授業はあっても、それをどう学ぶかを教える授業は1つもないことに気づいた。

リミットレスに目覚める

退院後、僕は勉強そっちのけで友人のお父さんから借りた本を読みふけった。「学び方を学ぶ」という考えに取りつかれていたのだ。成人学習論、多重知能理論、神経科学、自己啓発、教育心理学、速読、果ては古代の記憶術に関する本まで読んだ（印刷機やコンピュータなどの外部記憶装置が生まれる前の古い文化が知識をどう伝えていたのか知りたかったのだ）。僕は謎解きに夢中になっていた。僕の脳はどのように働くのか。僕の脳は、どのように働かせられるのか。

新たな独学に没頭しておよそ2か月後、急にスイッチが入った。集中力が高まったのだ。そうなると新しい考えも頭に入りはじめた。すぐに注意が散漫になることもなくなった。数週間前に勉強した情報を前よりはっきりと、苦労せずに思い出せるようになった。僕は、かつてないほどの活力と好奇心が湧いてくるのを感じた。生まれて初めて文章をすらすら読み、以前の何十分の1かの時間で理解できた。新たに獲得したその力は、それまで感じたことのない自信を与えてくれた。毎日の生活も変わった。頭が冴え、前進するためになすべきことが明確にわかり、高いモチベーションを維持できた。その結果、僕のマインドセットはがらりと変わった。「どんなことも可能だ」と思えるようになったのだ。

一方で、腹立たしさも感じていた。学校でこのメタ学習（学習のための学習）の方法を教わっていれば、これほど長いあいだ自信喪失や苦痛を味わわずにすんだのに、と。教師たちは、「もっと勉強しなさい」「もっと集中しなさい」と僕に言い続けた。だが子どもに「集中しろ」と言うのは、「ウクレレを弾け」と言うのとあまり変わらない。やり方も教わらずに、どうしてできるというのだろう？

さらに英雄の旅をたどるにつれて、自分の得た宝や学んだ知恵をだれかに伝えたくてたまらなくなった。そこで手始めに、ほかの学生に個人授業の形で教えることにした。転機となったのは、ある大学1年生に教えたときだ。その学生は、速く読む方法、深く理解する方法、学んだことを確実に記憶する方法を学びたがっていた。そして驚くほどの熱意で取り組み、30日間で30冊の本を読むという目標を達成した。どうやってそれをやり遂げたのかはわかっていた（第14章で紹介するメソッドを教えたのだ）。知りたかったのは、なぜ彼女がやり遂げられたのか。のちにわかったことだが、その子の母親は、末期がんと診断されていた。それで健康やウェルネスや医学の本を勉強して、母親を救おうとしていたのだ。数か月後、その学生は電話をかけてくると、うれし泣きをしながら、母親のがんが寛解したと教えてくれた。

知識が力ならば、学習は僕らのスーパーパワーだと気づいたのはそのときだ。人間の学ぶ力は無限大（リミットレス）だ。僕らが知るべきは、それにアクセスする方法だけなのだ。その学生の人生が変わったのを目の当たりにして、僕のなかの目的に火がついた。何が自分の人生のミッションになるのかもはっきりした。脳をアップグレードして、どんなことも速く学ぶための「心構え（マインドセット）」と「動機づけ（モチベーション）」と「方法（メソッド）」を教えること、それによって、並み外れた人生を手に入れてもらうこと。僕が生涯をかけて追求するのは、そのことなのだと。

それから20年以上にわたり、僕は、学ぶ力を高めるための実践的な方法を開発している。いずれも信頼できる確かな手法で、本書ではその多くを紹介している。週に1冊本を読む約束も守り続けている。それだけではなく、いわゆる「学習障害」のレッテルを貼られた子どもから脳の老化の問題を抱える高齢者まで、さまざまな人のために力を尽くし続けている。祖母との経験から、アルツハイマー病の研究も積極的にサポートしている。また、教育はすべての子どもの生得的な権利だと考え、グアテマラやケニアをはじめとした世界各地の学校建設を支援し、ウィ・チャリティやペンシルズ・オブ・プロミスなどのすばらしい組織を通じて、援助を必要としている子どもたちに、医療や衛生的な水や学習機会を提供している。これが、わがチームのミッションだ。「より良い、優れた脳を作る」ということ。僕らは1つの脳も置き去りにしない。

コーチングの仕事では、脳力向上のテクニックを授けて大きな成果を上げている。毎年15万人以上の、考えうるかぎりさまざまな分野の聴衆の前で講演し、トップアスリートや芸能界の大御所のブレインコーチを務め、世界有数の企業や大学でトレーニングを行い、１９５か国の人々が学ぶ加速学習の大規模オンラインプラットフォーム、〈クウィック・ラーニング〉を率いている。〈クウィック・ブレイン〉という教育系の人気ポッドキャストも主宰している。これは数千万回ダウンロードされ、動画形式のものは数億回再生された。本書には、僕が長年かけて学んできたことや、実用的なアドバイスや、ポッドキャストに出演してくれた大勢の専門家の知恵や知識が詰まっている。

そんな僕だから、このテーマの研究と指導に人生を捧げてきた人間だから言えることがある。僕は、この本に何が書かれているのかを知っている。だが、それ以上に重要なのは、僕があなたのなかに「何があるのか」を知っていることなのだ。

プロフェッサーXの学園を見つけた!

この話には、出来すぎとも言えるオチがある。前述したように、僕は企業のCEOやその部下のブレインコーチをよく引き受ける。何年か前、20世紀フォックスのCEO兼会長（当時）のジム・ジアノプロスに、幹部チームのトレーニングを頼まれたことがあった。僕は金曜の午前中に撮影所へ行き、フォックス社の最上級スタッフと数時間を過ごした。彼らは僕のアドバイスをとりわけ熱心に聞いてくれ、すぐにコツをのみ込んでくれた。

トレーニングが終わると、ジムが僕のもとに来てこう言った。「最高だったよ。これまでに受けたトレーニングでも1、2を争うほどすばらしかった」。僕はもちろん喜んだ（好意的な感想を聞いて喜ばない人間がいるだろうか?）。その後、撮影所を案内してもらっていたところ、年内に公開予定だという映画『ウルヴァリン：ＳＡＭＵＲＡＩ』のポスターに目がとまった。僕はポスターを指さしてこう言った。「この映画、楽しみですね！　大ファンなんですよ」

「へえ、スーパーヒーローが好きなの？」とジムが尋ねた。

「ええ。Ｘ－ＭＥＮは僕の人生の恩人なんです」。僕は幼いころの脳損傷のこと、アメコミで文字の読み方を覚えたこと、プロフェッサーＸの学園を探していたことを話した。

ジムは笑顔を見せた。「じつは、これからモントリオールで、Ｘ－ＭＥＮの新作映画を撮るんだ。撮影は1か月間続くから、よかったら1週間ほど遊びに来ないかい？　俳優たちも、きみのトレーニングを受けたがると思うよ」

願ってもない誘いだった。映画の撮影現場を見学するのは初めてだったし、それもただの映画ではなく、Ｘ－ＭＥＮの撮影なのだから。

翌朝、僕らはＸ－ジェットと呼ばれる飛行機に乗り込んだ。ミュータント役の俳優の大半も乗っていて、気づくと僕は、ジェニファー・ローレンスとハル・ベリーに挟まれて座っていた。その日は人生最高の一日になった。

その機内と続く1週間の現場で、僕はＸ－ＭＥＮの豪華キャストとスタッフ数人に、脚本の速読やセリフの暗記に役立つ脳の使い方を伝授した。それから撮影を見に行ったのだが……なんと、最初に見学した撮影シーンがプロフェッサーＸの学園だったのだ。子ども時代に飽きることなく夢想して探し回った、あの学園だ。それは僕にとって、およそ現実とは思えないひとときだった。

驚くなかれ、この話にはまだ続きがある。モントリオールから戻ると、自宅に荷物が届いていた。

特大の薄型テレビほどのサイズがあり、包みを開くと、僕とX－MENのキャスト全員が写った巨大な額装写真が出てきた。写真には、ジアノプロス会長のこんな言葉も添えられていた。

ジム、きみのスーパーパワーを私たち全員に授けてくれて本当にありがとう。きみは子どものころから、スーパーヒーローの学校を探していたそうだね。これは、きみのクラス写真だ。

このスーパーヒーローのフルカラー写真は、以下のウェブサイトで閲覧できる。

www.LimitlessBook.com/classphoto

リミットから自由になろう

リミットを外す
［ｕｎｌｉｍｉｔｉｎｇ］（名詞）
自分の潜在能力に対する不確かで制限された思い込みを手放し、正しいマインドセットとモチベーションとメソッドがあれば、制限はなくなるという事実を受け入れること、またはそのプ

ロセス。

僕はずいぶん長いあいだ、自分自身が感じるリミット(制限や制約)によって自分を規定してきた。子どものころは、自分は欠陥品だからろくな人生を歩めないと思い込んでいた。けれどもいくつかの重要な出会いにより、僕の感じていたリミットは、実際にはリミットでもなんでもないとわかった。それは越えなければならない壁や、捨てなければならない思い込みにすぎなかった。そう知ったとき、毎日の学習や行動そのものがリミットレスになった。

リミットレスになることは、加速的に学べたり、速読ができたり、驚異的な記憶力を発揮できたりすることがすべてではない。確かにそのやり方は身につくし、それ以上のものも得られる。だが、リミットレスであることは、完璧であることとは違う。それは、「限界から解放されること」——いまの自分ができると思っているレベルを超えて進歩することなのだ。

これまであなたが家族や文化や人生の経験からリミットを学んできたように、リミットを手放すこともまた学べる。そうした制約は一時の障害にすぎず、乗り越え方を学習できる。僕が長年、多くの人と仕事をしてわかったのは、ほとんどの人が、現在の状況に合わせて夢を制限したり縮めたりしていることだった。人は、自分の置かれている環境、受け入れてきた信念、歩んできた道のりが、現在と将来の自分を決めると思い込んでいる。

しかし、選択肢はほかにもある。リミットを手放してマインドセットとモチベーションとメソッドを強化する方法を学べば、リミットレスな人生は作り出せる。人のしないことをすれば、人にできない生き方ができるのだ。あなたは、本書を読むことで重要な一歩を踏み出した。覚えていてほしい。より良い方向への一歩は、最終的な到達点をまったく変えてしまうのだと。

その歩みを確実にするカギは、成功のモデルとなる地図を持つこと。それさえあれば、乗り越えられない試練も倒せないドラゴンもない。次に挙げるのが、そのモデルだ。

3つのMが重なるところ

あなたは、一切の制約なしに何者にもなれる。どんなこともできるし、手に入るし、分かち合える。僕がこの本を書いたのは、そのことを証明するためだ。あなたが学習や人生で本来の能力を生かせていないなら、いまの現実と望んでいる現実にギャップがあるなら、原因はこのモデルのなかにある。この3つのどこかに、手放すか置き換えるべきリミットがあるのだ。

・**マインドセットのリミット**　自分自身に、また自分の能力や価値や可能性に高い期待を抱けない。

・**モチベーションのリミット**　意欲、目的、エネルギーのどれかが足りないので、行動を起こせない。

・**メソッドのリミット**　望む成果を得るための効果的な方法を教わっていない、または実践していない。

リミットレス・モデル

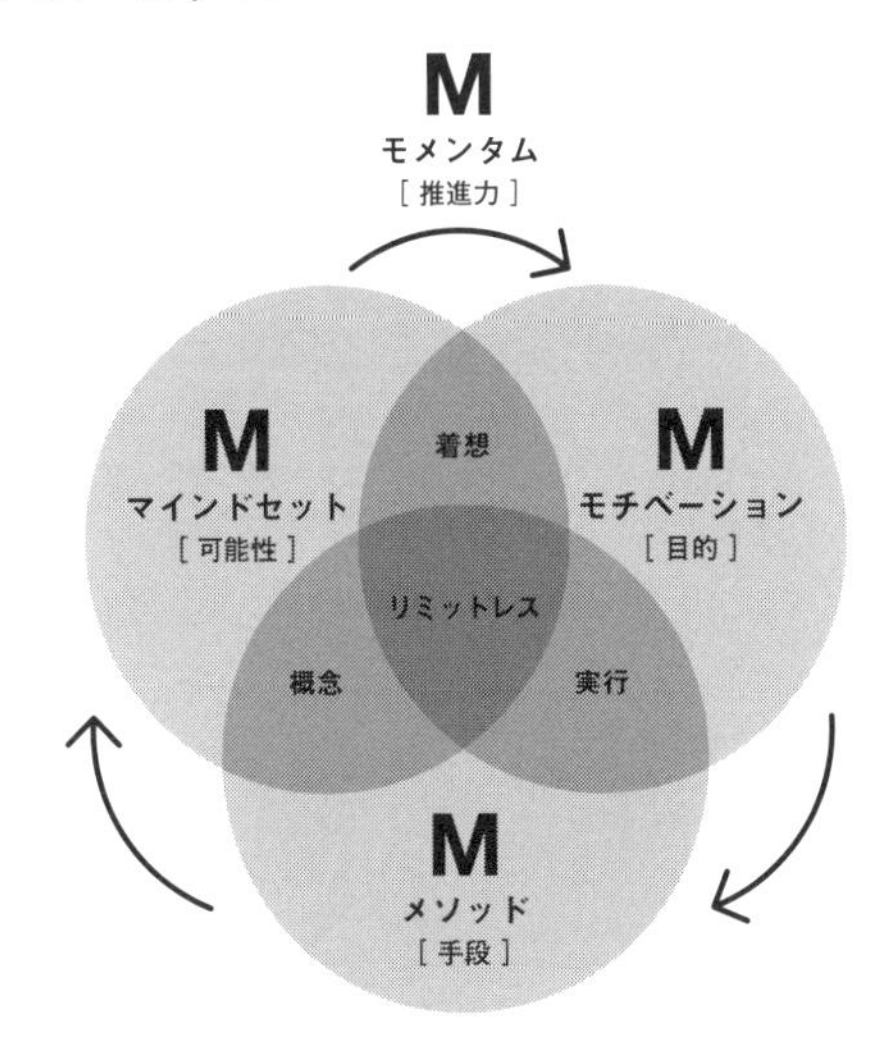

このモデルは、個人にも家族や組織にも応用できる。人はそれぞれ、自分だけの悩みや強みを抱えている。

デヴィンの状況について考えよう。一見したところ、デヴィンはうまくやっているようだった。不動産ブローカーとして成功し、2人目の子どもを家族に迎えたばかりだった。だが、新型コロナウイルス感染症のパンデミックが起きて時間に余裕ができたとき、デヴィンは自分の人生を見つめ直しはじめた。「人生にもっと多くを望んでもいいのでは、という繰り返し心をよぎる考えに、注意を払ってみようと思ったのです」

デヴィンは、ある制限されたマインドセットに自分が支配されていることに気づいた。すでに手にしている生活の安定を失うのが怖くて、それと引き換えに得られる、より大きな野心に目を塞ぐよう自分に言い聞かせていたのだ。彼はまた、モチベーションの制限も抱えていた。日々やるべきことに追われて、自分をもっと高めたいという欲求を抑え込んでいた。

　さらに思いをめぐらすうちに、デヴィンは、自分のメソッドにも制限がかかっていることに気づいた。「リーダーは読書家（リーダー）である」と長年聞かされてきたにもかかわらず、読書をずっと退屈なものとして避けてきたのだ。

「学校で読まされるものがどうにも面白くなくて、読書はいつも後回しにしていました。とりあえず読んではみるのですが、1冊読み通すのに時間がかかるので、読む気が失せてしまうんです」

　だが、いまなら自由に使える時間がある。デヴィンは速読の勉強を始めることにした。

「速読を始めて、この歳でも自分を変えて新しいスキルを身につけられるんだ、と目を開かされました。〝こんな人間になりたい〟というビジョンがあるなら、今日からそうなればいいんです。その人のように考えだしたら、その人のようになれます。人間のアイデンティティは星の数ほどあります。次のレベルに達したら、また別のレベルがあり、その先にもまた別のレベルがあるのです」

　こうした考え方は、デヴィンにさらなる変化をもたらした。個人の幸福と地域での役割を追求するという、新たなビジョンが人生に加わったのだ。

「現在の私のビジョンは以前とはまったく違います。健康と、人への奉仕をより重視するようになりました。現在は、健康的な生活を送る利点をできるだけ多くの人に知ってもらうこと、そして幸せな人生を生きるのに不可欠な心の健康（ウェルビーイング）を広めることを自分自身のテーマにしています。価値観がばらばらになり、希望を失っているこの社会で、すべての人の公共の利益を大切にするコミュニティの一員であることの意義を取り戻したいと思っているのです。いままでは脳の使い方もすっかり変わったし、日々自分の思い描く人間になることができています。この数年間、本当にさまざまなことがありましたが、おかげで未来がとても楽しみです。いまの私は、人生に明確さと意味と目的をもてています」

つまり、どんな状況にあろうと――ここが最も重要な部分だが――あなたはひとりではない、ということだ。本書では、これから紹介する3つの枠組みを使って、あなたが自分なりのやり方でリミットレスになるのを助けたいと思う。その3つとは、リミットレスなマインドセット、リミットレスなモチベーション、リミットレスなメソッドだ。もう少し説明しよう。

- **マインドセット（WHAT）** 自分は何者なのか、世界はどう回っているのか、自分にどんな能力があり、何がふさわしく、何ができるのかについて自分自身が作り出した、根強い信念や態度や暗黙の思い込み。
- **モチベーション（WHY）** 行動を起こすための目的。または、特定の方法でふるまうために必要なエネルギー。
- **メソッド（HOW）** 何かを成し遂げるための具体的な手段。とくに秩序と論理と体系の整った指導方法。

43ページの図について、もう1つ補足したい。マインドセットとモチベーションが重なる場所に

「着想」という言葉がある。これは、「何かを着想してはいるが、どの方法を使ってどこにエネルギーを注ぐべきかわからない」状態だ。また、モチベーションとメソッドが重なる場所に「実行」とあるが、これは、「着想を実行できるが、マインドセットが適切でないので、成果はいまの自分に見合っていて可能だと感じる範囲に限定される」状態を意味する。さらにマインドセットとメソッドが重なる場所の「概念」は、「着想を実行する方法はわかるが、実行するエネルギーが足りないので、その着想が頭のなかにとどまったままになる」状態を指す。そして3つのMが重なるところに「リミットレス」があり、そこで初めて「統合」の状態、つまりはすべての条件が満たされた状態になる。

本書ではこれから、さまざまな演習、学術調査、メンタルツール、認知科学や能力開発の最前線で行われている刺激的な研究の成果、古代の知恵（印刷機のような外部記憶装置がなかった古い時代の記憶術など）を紹介する。3つのMと、このモデル全体をまとめる第四のMは、次の順に見ていこう。

・PART2〈リミットレス・マインドセット〉では、固定観念を手放すと何が可能になるのかを学ぶ。
・PART3〈リミットレス・モチベーション〉では、目的がなぜ人の力になるのか、意欲やエネルギーを引き出すのになぜそれが重要なのかを明らかにする。
・PART4〈リミットレス・メソッド〉では、効果の証明された手段を使って最大の学習成果を得る方法や、望む人生に近づくためのツールやテクニックを紹介する。

・PART5〈リミットレス・モメンタム〉では、停滞知らず（アンストッパブル）になるための秘策を学ぶ。モメンタムは、リミットレス・モデルの3要素――マインドセット、モチベーション、メソッド――から生まれる。この3要素の制約を解き放てたら、リミットレスなモメンタムが得られる。そしてリミットレスなモメンタムが得られたら、リミットレス・モデルは無限に維持できるものになる。

巻末にはワークブックも収めている。リミットレスな1週間とリミットレスな人生への進歩をすぐに実感できる、13日間のプランだ。

本書を読み終えるころ、あなたは自分にとって重要な領域でリミットレスになれる能力を手にしているだろう。学業、健康、キャリア、人間関係、人としての成長、何であれ、リミットレスになる領域に制限はない。

僕には、結局、本物のX－MENの学園で学ぶチャンスはめぐってこなかった。だからここにその学園を作った。本書をあなたの教科書として活用してほしい。あなたのプロフェッサーXになれたら光栄だ。僕とこの旅に出る決心をしてくれて、心からうれしく思っている。

さあ、授業の時間だ。1つ大事なことを言っておきたい。あなたは、まさに絶好のタイミングで旅を始めようとしているのだ。

第2章

リミットレスに立ち塞がる現代版「悪の四騎士」

「われわれはいまや、学習は変化についていくために生涯行うものだと了解している。そしていま、最も求められているのは、人々に学び方を教えることである」

――ピーター・ドラッカー

どんな人にも驚くべきスーパーパワーがあると、そのパワーは呼び起こされるのを待っているのだと、僕は信じて疑わない。ただし僕が言っているのは、空を飛ぶ能力や、鉄のよろいを作る能力や、目からレーザーを放つ能力のことではない。飛ぶように速く読む能力、鉄のよろい並みに強固な記憶力、レーザーのように鋭い集中力、尽きることのない創造力、明晰な思考力、注意散漫と無縁の心、強いメンタルといった、実生活で役立つ能力のことだ。人はある意味、だれもが何かの分野のスーパーヒーローなのだ。

スーパーヒーローには力がつきものだが、強大な敵もまたつきまとう。それはスーパーヴィランと呼ばれ、『バットマン』のジョーカーや『スーパーマン』のレックス・ルーサーなど、超常的な力をもつ悪党として描かれる。一方、僕らが現実世界で直面する悪党は、映画のスーパーヴィランとは一見似ても似つかないが、悪さをすることは変わらず、あなたはスーパーヒーローとしてその敵を倒して追い払う必要がある。現代のスーパーヴィランは、僕らの邪魔をして人生を難しくし、本来の能力を発揮できないようにする。心身を抑圧し、生産性や豊かさや、ポジティブさや心の平穏を奪う。そんなヴィランを見つけて打ち負かすことは、僕ら現代人に課せられた課題だと言える。

アメコミやスーパーヒーローの映画に親しんだことのある人なら、スーパーヴィランが意外な場所から生まれるのをご存じだろう。たとえば『バットマン』の悪役にして、トゥーフェイスの異名をもつハービー・デント。デントは本来、正義感のかたまりのような人物だった。法を守って悪人を刑務所に送り込むのを助ける検察官で、バットマンの盟友でもあった。ところが、恨みを買って顔に傷を負ってから、デントは怒りと憎悪と復讐心に支配され、自分自身が人生を通じて闘ってきたものになる。善と悪の2つの顔をもつ犯罪者となり、餌食（ターゲット）の未来を運に任せて決めるようになったのだ。彼のなかの善良な部分はねじ曲げられ、邪悪な目的のために利用されるようになった。

同じように、学習に関わる4つのスーパーヴィランも、本来は無害なものだった。それらは、人類が過去100年で成し遂げた最大級の進歩のいくつかを養分として育った。つまり、テクノロジーによって生み出されたのだ。誤解がないように言っておくと、テクノロジーは、僕らが進歩してリミットレスになるために欠かせないものだ。テクノロジーがあるから、僕らは人とつながることから学ぶことまであらゆることができ、以前よりはるかに便利な生活も送れる。一方で現代人は、その生みの親さえも目をむくほどの勢いでデジタル技術を消費している。今日手に入るテクノロジーの大半はまだとても新しいので、どの程度の付き合いに抑えるのがちょうど良いのか、よくわからないのだ。

僕が率いる教育プラットフォームの〈クウィック・ラーニング〉では、世界195か国の人々が学んでいる。ポッドキャストの再生回数は数千万回にのぼる。そんな僕らのコミュニティは、テクノロジーへの過度な依存の懸念を早くから訴えており、受講生たちも、現代の「四騎士」――デジタル氾濫、デジタル注意散漫、デジタル認知症、デジタル推論――から逃れるために脳をアップグレードしようと集まってくる。ただし注意したいのは、情報過多、注意散漫、忘れっぽさ、思考の放棄は、いま始まったものではないということ。テクノロジーがそうした状態を引き起こすというより、その状態を助長している可能性が高いのだ。

デジタル時代のメリットは多い。だがここでは、あなたを助けるテクノロジーの進歩が、ときとしてあなたをどのように妨げもするのかを見てみよう。

デジタル氾濫

やるべきことがたくさんあるのに時間が足りない……そう感じることはないだろうか。僕らはいま、大量の情報にいくらでもアクセスできる恵まれた世界に生きている。この接続性の時代において、無知は所与ではなく選択肢の1つとなる。

現代人は、15世紀の人が一生かけて得たデータをわずか1日で消費するという。少し前まで情報とは、口コミや、新聞や、街の広場に貼り出された掲示物などを介してゆっくりと広まるものだった。しかしいまでは、手に入る情報が増えすぎて、人々の時間や生活の質にも悪影響が及んでいる。

現代人の平均的な情報消費量は、1960年代の3倍に膨らんだ。[1] 2015年の調査では、回答者は1日に8時間もメディアに接していたという。

アメリカの公共放送NPRのインタビューで、『ニューヨーク・タイムズ』紙のテクノロジー担当記者マット・リヒテルが次のように語っている。この20年ほど、テクノロジーはすべて善だと言わんばかりのテクノロジー礼賛の時代が続いていたが、「科学もここに来て、テクノロジーには甘いお菓子と芽キャベツの2種類があるという考えを受け入れはじめたようです。食べすぎが体に良くないように、テクノロジーの取り込みすぎも害になるのです」[2]。

カリフォルニア大学サンフランシスコ校のグループは、脳のダウンタイム（休憩時間）に関する研究で、ラットに新しい経験をさせて活動中と活動後の脳波を測定した。すると、ほとんどの状況で、新しい経験をしたラットの脳には新しい神経活動と新しいニューロンが生じることがわかった。ラットにダウンタイムを与えれば、の話だが。ダウンタイムがあると、ニューロンは、記憶の入り口から長期記憶がしまわれている脳のほかの部位に接続できた。つまりそのラットは、経験の記憶を定着させるという学習の基礎タスクを行えたのだ[3]。

では、ダウンタイムがない場合はどうなるのか？　数々の証拠から、脳を休ませたりぼんやりしたりする時間を取らなければ、記憶力の低下、ブレインフォグ［訳注　頭にモヤがかかったような状態］、疲労などの代償に見舞われるとわかっている。

1990年代のなかば（デジタル氾濫の懸念がいまよりずっと少なかったころ）には早くも、「常時オン」の世界に入り浸ることの健康リスクが明かされはじめていた。「情報に殺される」という不吉なタイトルのロイター調査によれば、「回答者の3人に2人が、情報過多は同僚との関係悪化や仕事の満足度の低下に関係していると答え、42％が情報過多によるストレスで体調を崩した、61％が社会活動の機会が減った、60％が疲れが抜けずに余暇を楽しめなくなったと答えた」という。この調査は続けて、「おびただしい量の情報や情報経路にさらされ、人々は情報を抑制するための簡単な日課すら築けなくなっている」としている。[4]

　現代ではさらに、「情報の半減期」が短くなった問題も考えなければならない。情報の半減期とは、情報がより新しく、正確なものに置き換わるまでの期間のことだ。のんびり時間をかけて学ぶのはいいが、その情報はいまや思ったより早く古びてしまう。記事や書籍や文献に書かれた事実は、確かな証拠に根差しているから真実だとみなされている。ところが新しい研究が出てきたら、その真実すら完全に覆されるのだ。

　僕ら一人ひとりがデジタル情報でどれだけ水浸しになっているかは、もはや指摘するまでもないだろう。一切の情報を遮断したところで、敵はどうにかしてこちらを見つけ出す。この文章を書いているあいだ、僕はすべてのデジタル機器の電源を切っている。だが、調べ物をするにはネットに接続する必要があり、するとメールやら何やらの通知がすかさず画面に表れる（いや、その通知もオフにはできる。でも言いたいことはわかりますよね？）。

　本書の第12章と第14章では、あなたが日々読まねばならない大量のデジタル情報に追いつき、遅れずについていき、さらにその一歩先を行くための実践的な方法を紹介しよう。

▼やってみよう！

今週のスケジュールに、30分の空白時間を作ろう。それは、テクノロジーから離れるための時間、頭を空っぽにしてリラックスし、創造的になるためだけの時間だ。

デジタル注意散漫

モバイル端末が現れる前、ネットではよく「ｂｒｂ」(be right back：いったん離脱する)という隠語が使われていた。いまはもう使われない。もう離れないからだ。僕らは、いま、この瞬間を生きている。「常時オン」で常時つながっている端末のせいで、家族や友人といても心から楽しめず、仕事でも集中力を保つのに苦労している。現代人の大半は、毎日長時間デジタル情報に接していないと不安を感じるという、深刻なワークライフバランスの問題を抱えている。つながらない人になったら損をするかも、という恐れから、情報の網のなかにとどまり続けているのだ。

問題は、人間がその状況を「楽しい」と感じるようにできていることだろう。ＳＮＳで〝いいね〟をもらったり、恋人や友達からメッセージが来たりするたびに放出されるドーパミンは、人をますますその行動へ駆り立てる。しかし、その見返りに脳は変化する。列に並んでいるとき、バスや約束の相手を待っているとき、僕らはダウンタイムを楽しむ代わりに携帯電話を取り出し、注意散漫の筋肉を鍛えだす。これが常態になったら、すべてのひと息つける時間が輝く刺激で満たされたら、いったいどうなるのだろうか。

つながっていることは安心感を与えてくれるかもしれないが、人を幸福にはしてくれない。ブリティッシュコロンビア大学の修士課程にいたライアン・ドワイヤーは、デジタル習慣が人間関係に及ぼす影響を明らかにする研究を行った。ドワイヤーは、成人と大学生300人以上を対象とした実験で、一方のグループには、食事中に携帯電話をテーブルに置いていつでも使える状態にしてもらい、別のグループには、携帯電話をサイレントモードにしてテーブルの上の容器に入れてもらった。そして食後にアンケートを取り、食事相手とつながりを感じたか、食事を楽しめたか、注意を奪われたか、退屈したかを回答してもらった。

アンケートでは、食事中に携帯電話を使った時間も詳しく尋ねた。すると、携帯電話が手に取れる状態にあった人ほど使用時間が長く、注意を奪われた回数も多かったと答えた。またそのグループの被験者は、携帯電話が使えなかった被験者ほど食事を楽しめていなかった。「現代のテクノロジーはすばらしいかもしれないが、それは人の注意をたやすく散漫にし、目の前の友人や家族との大切な時間を奪ってしまう」とドワイヤーは書いている。[5]

学び方を学んだことのある人が少ないように、日々目にする大量の情報を処理して取捨選択する方法を知っている人はあまりいない。マルチタスクをしてひたすら取り込むだけで、それもうまくいっているとは言えない。「ある活動から別の活動に注意を移すよう脳に指示すると、前頭前野と線条体が酸化されたグルコースを消費するが、そのグルコースは、タスクに集中するのに必要な燃料でもある」と、神経科学者のダニエル・J・レヴィティンは、著書の『The Organized Mind: Thinking Straight in the Age of Information Overload（整理された頭脳：情報過多の時代に明晰に考える）』で述べている。「マルチタスクのようなすばやく連続した注意の移動は、その燃料を急速に燃やすので、短時間でも疲れて頭がぼんやりしてくる。これは言うなれば脳の栄養を使い果たした状態であり、認知能力と身体能力の両方の低下を引き起こす」[6]

こうした状態は、人にどれほどの影響を及ぼすのだろうか？　たとえばエリックは、そのせいで老化が早まったと感じている。数年前、エリックはしばらく会っていなかった知り合いにばったり会った。すると、その知り合いがエリックを見るなり「あれ、なんだか老けましたね」と言ったのだ。その場ではとくに反応しなかったものの、あとで鏡を見ると、「白髪が増えて疲れた顔をした」自分が確かにそこにいた、とエリックは振り返る。いったいなぜこうなったのか……その原因は、毎朝の不健康な習慣にあるのではないか、とエリックは思い至った。

「当時は、朝、目が覚めると携帯電話を手に取り——スタートアップの会社で働いているものですから——起き抜けにいきなり仕事を始めていました。それからジムに行くのですが、クラスが始まるのを待ちながら、電話に出たりメールに返信したりしていました」

エリックは自分の一日の始め方に問題があったことを認め、思いきった改革を行うことにした。

「いまでは、朝起きても4時間はメールを開きません。お礼の電話をかけたりといった、ほかの雑事は携帯電話でしますが、いきなり仕事に取りかかることはなくなりました。おかげで自分自身ともっとつながれるようになり、目の前のことに身が入るようになった気がします。以前は、あらゆることをただこなしているだけでした。一日を無我夢中で過ごし、朝日を楽しむ余裕もありませんでした。仕事と他人のニーズに身を捧げ、自分自身をいたわることを怠っていました」

この改革は、エリックにとても大きな変化をもたらした。

「2020年以降の自分は、その前の5年間や10年間にも増して成長できているように思います。まだまだ道なかばですし、課題もありますが、それもすべて伸びしろだと考えています」

こうした課題を抱えているのは大人ばかりではない。子どもや10代の若者たちも、テクノロジーの普及や、ネットに常時接続してSNSを頻繁に使うように求める社会的圧力により、絶えず注意を奪われている。

本書の第11章では、何かを学ぶときや達成したいときに役立つ、集中力を高めて持続させる方法を伝授しよう。

▼やってみよう!

携帯電話の通知機能を管理する画面を開いて、不要な通知や気が散る通知音をすべてオフにしよう。いますぐやること。

デジタル認知症

他人の電話番号を最後に覚えたのはいつだろう？　こう書くと少し年寄りくさいけれど、僕は近所の友達に電話をかけたいとき、その友達の電話番号を知っている必要があった世代の人間だ。子ども時代の親友の電話番号をまだ覚えているだろうか？　では、いま、毎日電話やメッセージをやりとりしている人の番号は？　もちろん、いまはそんなことをする必要はない。携帯電話が代わりに覚えてくれるから。200件の電話番号をわざわざ覚えたい人はいないはずだし、僕もそうすべきだとは思わない。ただその代償として、僕らは新しい番号を、いま交わしたばかりの会話を、新たに顧客になりそうな相手の名前を、しなければならない大事な用事を覚えておく能力を実質的に失ってしまった。

神経科学者のマンフレド・シュピッツァーは、デジタルテクノロジーの使いすぎによって認知能力が低下する現象を、「デジタル認知症」という言葉で表している。シュピッツァーは、テクノロジーを使いすぎると短期記憶の経路が衰えはじめると主張する。これは、GPSへの依存と同じ理屈だ。新しい街に引っ越すと、最初は道順を教えてくれるGPS（地図アプリ）に何かと頼りがちになる。しかしそのうち、新しい街の地図がなかなか頭に入らないことに気づく。まあ、若いころのようにはいかないのだろうが、かといって脳がどうかしたわけではない。GPSのようなツールを使うと、脳に働く機会を与えられないのだ。テクノロジーに頼って自分の代わりに記憶させるとそうなる。

この依存は、人の長期記憶を損なう恐れがある。バーミンガム大学のマリア・ウィンバーは、「情報をすぐに調べる傾向が長期記憶の強化を妨げている」と、イギリスメディアのBBCに語った。

ウィンバー率いるチームは、イギリス、フランス、ドイツ、イタリア、スペイン、ベルギー、オランダ、ルクセンブルクに住む6000人の成人を対象にした記憶の習慣に関する調査で、回答者の3分の1以上が、情報を調べる手段としてパソコンを第一に挙げたことを明らかにした。イギリスはその率が最も高く、被験者の半数以上が、自分で答えを考えようとせずにネットでまず調べていた。[7]

なぜこれが問題なのか。そうした一瞬で得られる情報は、忘れるのも一瞬だからだ。「人間の脳は、思い出すたびにその記憶を強化し、一方で集中の妨げになるささいな記憶は忘れるようです」とウィンバー博士は言う。外から与えられる情報に頼らず、自力で思い出そうとすることが、記憶の長期的な定着と強化には欠かせない。それなのに多くの人は、思い出す努力すらしないうちに、情報を（前に調べたかもしれない情報まで）すぐに調べだす。どうやら僕らは、自分で自分の首を絞めているようだ。

テクノロジーへの依存はすべて悪なのか？　そう考えない研究者も大勢いる。電話番号を暗記する、簡単な計算をする、過去に行ったレストランへの道順を調べるなどの単純なタスクを外部に任せれば、脳のスペースをもっと大事なことに割けると。研究によれば、人間の脳は、容量の決まったハードディスクというよりは筋肉のようなものらしい。使えば使うほど強くなり、保存できる量も増えていく。問題は、その人が意識してそうしているのか、それとも無意識の習慣からしているのかということだ。

現代人は、自分の脳でやるべきことをスマート端末に任せすぎている。そのために少し、いや、かなり愚かになりつつある。人間の脳は究極の適応能力をもつマシンで、無限に近いレベルまで進化できるのに、その脳に必要な運動をさせるのをしょっちゅう忘れている。階段を使わずエレベーターばかりに頼っていると体にツケが回るように、頭脳の筋肉を鍛えないことにも代償がある。脳は、使わなければ衰えるのだ。

本書の第13章では、人の名前からスピーチや言語まであらゆることをすばやく楽に覚えられる、簡単なツールやテクニックを紹介しよう。

▼やってみよう！

1分間、記憶力のエクササイズをしよう。普段よく連絡を取る人の電話番号を暗記してみよう。

デジタル推論

「デジタルファーストの世界で、若い世代はマウスのクリックや指のスワイプだけであらゆる問題への答えを得ようとするが、テクノロジーに問題解決を丸投げしていると、自分の知識や知性に関わる認識に混乱が生じる。うぬぼれや判断ミスを招くこともある」と、統合動画プラットフォームのニューローを創設したロニー・ザロムは語る。[8] 情報がいたるところにあるということは、意見がいたるところにあるという意味でもある。話題のトピックについて世間の反応を知りたければ、ネットを見て意見を集めればいい。何かの事件やトレンドの背景を知りたければ、ちょっとググれば分析が無限に出てくる。ただしそれを続けていると、推論――批判的思考と問題解決能力と創造力を一度に使う思考法で、リミットレスになるための必須スキル――は自動化されていく。

もちろん、それにも一定の価値はある。インターネットが普及する前は、他人の意見を手に入れる機会は限られていた。理想の世界では、1つのトピックについてできるかぎり多くの視点を得られることが、自分自身の意見を形成するうえでとても重要になる。だがあいにく、現実の世界でそうなることはめったにない。むしろ僕らは、自分と波長が合うひと握りの情報源を見つけると、それに極端なほどの影響を受けて考え、意思決定するようになる。その過程で、批判的に考えたり効果的に結論を出したりするのに使う「筋肉」は萎縮していく。つまり、自分がすべき推論をテクノロジーにさせているのだ。そしてテクノロジーが僕らの推論を形成しているのだとしたら、僕らは問題解決能力の多くを放棄してもいることになる(この問題はとても重要なので、のちほど詳しく取り上げよう)。

心理学者のジム・テイラーは、思考を次のように定義している。「自身の経験や知識や洞察にもとづいて内省し、推論し、結論を導き出す能力。われわれを人間にしたもので、われわれが意思疎通し、創造し、構築し、進歩し、文明をもつことを可能にしたもの」。そのうえでテイラーは、「テクノロジーは子どもの思考能力にさまざまな面で有益にも有害にもなりうることを示す研究が増えている」と警鐘を鳴らしている。[9]

カリフォルニア大学ロサンゼルス校の心理学特別教授パトリシア・マークス・グリーンフィール

ドは、10年以上にわたってこの問題を研究している。教育への影響を論じるなかで、グリーンフィールドはこう書いている。「大学生が授業中にノートパソコンでインターネットを使ったら、学習にどのような影響が出るのか？　それをコミュニケーション研究の授業で調査した（この授業では、授業中にパソコンを使ってインターネットや図書館データベースで講義のトピックを調べることが普段から推奨されている）。学生の半数（無作為に選別）はパソコンを開けておくことが許され、残りの半数は閉じておくように指示された。そして授業後に抜き打ちテストをしたところ、パソコンを閉じていた学生は、開いていた学生よりも授業の内容をよく覚えていた」[10]。インターネットがすでに考えたことを調べるのではなく、自分の頭を使って授業を聞いていたので、いざ推論するときにより深く考えられたのだ。グリーンフィールドは別の調査も分析しており、画面の下にテロップが流れないニュース番組を見た大学生は、キャスターの言ったことをよく覚えていたことを明らかにしている。

劇作家のリチャード・フォアマンは、人々が思考の大部分をインターネットに依存することで、人間のあり方そのものに変化が生じている現実を危惧する。「私は西洋文化の伝統のなかで育った。そこでは、高い教育を受けた聡明な個人の、複雑で密度の詰まった〝大聖堂のような〟構造が理想（すなわち私の理想）とされていた。一人ひとりが独自に構築した西洋の文化体系をまるごと自身の内側に抱える男、あるいは女がそうだと。しかし今日、情報過多と〝すぐに使える〟テクノロジーに圧（お）されて、（私自身も含めた）すべての人の内側で、複雑な内なる密度が新たな類いの自己進化に置き換わっていくのを目の当たりにしている」[11]

10代になったばかりのころ、初めて親と違う考えや意見をもったときのことを覚えているだろうか？ それは、とても解放的な経験だっただろう。生まれて初めて、心から自分自身になれたと感じたかもしれない。いったい何があなたに起きたのか。もちろん、あなたの批判的な思考力が磨かれて、推論を使って人生を歩めるようになったのだ。

だったらなぜ、この自分を解放してくれるスキルをデジタル端末に譲り渡そうとするのか。考えてみてほしい。だれかに考えを押しつけられたら、どんな気持ちがするか。家族か、友人か、同僚がやって来て、「考えるな、お前の意見はこれだ」と言ったら、その人とはできるだけ早く距離を置こうとするだろう。情報をくれる端末にすぐ手を伸ばすとき、僕らは本質的に同じことを招いている。

本書の第15章では、思考力を活性化して、どんなテーマや問題も広い視野で考えられるようになる強力なツール一式を授けよう。

以上の四騎士は、僕らが最も気合いを入れて挑むべき強敵だ。しかし、注意したほうがいいデジタルな脅威はもう1つある。僕はそれを「デジタルうつ」と呼んでいる。他人のSNSのきらきらした投稿を見て劣等感を抱くときに現れる、行きすぎた比較文化の影響のことだ。いまの僕は、SNSを楽しんでいる。アカデミーの生徒やポッドキャストのリスナーと楽しくやりとりし、家族や友人の日々の投稿も楽しく見ている。娯楽の種として、また教育やエンパワーメントにつながるものとして、ありがたく使っている。SNSを使うときは、生産性や心の平穏を乗っ取られないように、ただなんとなく使うのではなく、意識的に、バランスの取れた方法で使うことをお勧めする。

次のPART2〈リミットレス・マインドセット〉では、そんな自分を卑下する感情や、劣って見られたり機会を逃したりすることへの不安を軽減できるアイデアを紹介する。そうした感情も、人の成長と学習を邪魔するリミットなのだ。また、PART3〈リミットレス・モチベーション〉では、自分自身を制限するそうした習慣をどう置き換え、断ち切り、変えていけるかを説明する。

▼やってみよう！

決断しなければならないことを1つ思い浮かべよう。少し時間を取って、デジタル端末を一切使わずに、その決断に取り組んでみよう。

手ごわい悪党を手なずける

英雄の旅では、英雄と悪党は互いを同じくらい必要としている。試練やライバルからもたらされる課題は、人を成長させ、より良くしてくれる。悪党がどれほどの力と強さをもつかによって、英雄に必要な力と強さも決まる。悪党が弱ければ、苦労して倒す必要がないから、英雄が偉大になる必要もないわけだ。『The Infinite Game（無限のゲーム）』の著者サイモン・シネックは、僕のポッドキャストに出演した際、「価値あるライバル」という、僕ら一人ひとりが取り組むべき弱点をあぶり出す存在について語ってくれた。あなたのチャンスはライバルのなかに眠っているのだ。

前にも述べたように、僕はテクノロジーの良い面を愛している。テクノロジーは、僕らをつなげ、教育し、勇気づけ、生きやすくしてくれる。本章で触れたのはテクノロジーのいくつかの潜在的な欠点だが、それらは本来、テクノロジーが人の生活にもたらすあらゆる利点と分かちがたく存在している。火と同じように、テクノロジーは人間の歴史を変えてきた。ただし、火は食べ物を調理することもできれば、家を燃やすこともできる。どんな道具もそうだが、テクノロジー自体は善でも悪でもなく、人間の側がその使い方を意識して制御する必要がある。そうしなければ、次に道具になるのはだれだろう？　どのように使うかは、あなた次第なのだ。

▼やってみよう！

あなたのパフォーマンスや生産性や心の平穏を、いま最も損なっていると感じるのは、４つのデジタル悪党のどれだろうか？　その悪党の名前をここに書こう。

自覚することが問題解決の第一歩になる。

第3章

脳はアップグレードできる

「ヒトの脳には1000億のニューロンがあり、それぞれ1万のほかのニューロンとつながっている。あなたの肩の上にあるのは、この世で最も複雑な物体なのだ」

——ミチオ・カク(『フューチャー・オブ・マインド』斉藤隆央訳、NHK出版より引用)

あなたはこう思っているかもしれない。「ジム、きみの言いたいことはわかる。私だって、テクノロジーのない生活をしたいわけじゃない。でも、本当にもう限界というか、気ばっかり散るし、物忘れもひどくなる一方なんだよ」

では、いいことを教えよう。あなたは生まれながらに究極のテクノロジーを、最高のスーパーパワーをもっている。

あなたの脳がどのくらい並み外れているのか、ここで少し見てみたい。あなたの脳は、一日に最大7万の思考を生み出す。最速のレーシングカーの速度で働く。指紋と同じくあなた固有のもので、同じ脳はこの世に2つとない。既存のどのコンピュータよりもはるかに速く情報を処理し、無限に近い容量をもつ。損傷しても才能を発揮できるし、半分しかなくても人間としてかなりうまく機能する。

これに関しては、驚くべき話がいくつもある。昏睡状態にありながら、主治医と意思疎通する方法を編み出した患者。過去にあった重要な出来事の日付を、12歳までさかのぼって言えた女性。もともとは勉強嫌いだったが、バーで襲われて脳しんとうを起こしたあとに数学の天才になった若者。いずれもSFのおとぎ話でも、スーパーヒーローの漫画でもない。あなたの耳のあいだにある、その規格外のマシンに組み込まれた驚異的な機能のほんの数例なのだ。

僕らは、その機能の大半を当たり前のように使いこなしている。普通の人が「普通」であるだけで成し遂げていることを考えてみよう。まず、1歳になるころまでに歩き方を覚える。歩行にどれほど複雑な神経学的・生理学的プロセスが求められるかを考えると、これは容易なタスクではない。それから1年ほどたつと、言葉を使ってやりとりすることを覚える。たくさんの新しい単語やその意味を毎日のように覚え、学校を出るまでそれを続ける。そうして意思伝達の仕方を覚えながら、論理的に考えること、計算すること、さまざまな複雑な概念をわかりやすく説明することを覚える。そのすべてを、本を1ページも読まないうちに、授業を1つも受けないうちにやってのけるのだ。

人を地球の覇者たらしめた「脳」

僕らの脳は、人間を動物界のほかの種と分けるものである。考えてほしい。人間は空を飛べず、とくに強くも速くもなく、手先の器用な動物のようには木にも登れず、水のなかで呼吸もできない。

こと身体機能に限って言えば、人間はごく平均的だ。しかし脳の力のおかげで、地球上で圧倒的に優位な種となっている。その類いまれな知力を生かして、人間は深い海を魚のように探検し、重いものをゾウのように運び、鳥のように空を飛ぶ方法まで生み出した。脳は本当にすばらしい授かり物なのだ。

　脳はとても複雑なので、その働きについてわかっていることは、僕らが広大な宇宙について知っていることよりも少ない。それでもこの10年で、有史以来の知識をしのぐさまざまな発見があり……本書が印刷されて書店に並ぶころには、さらに新しい発見がなされていることだろう。脳に関する理解は日進月歩と言ってよく、現在解明されていることは、この先明らかになることのほんの一部にすぎない。とはいえ、すでにわかっている事実だけでも驚異的だ。それでは、あなたのリミットレスな脳をめぐる旅に出かけよう。

　脳は、中枢神経系（ＣＮＳ）の一部である。空港の管制塔に似ており、コントロールセンターとして、情報、プロセス、インパルス（活動電位）のすべての出入りを指示する。また脳には、脳幹、小脳、大脳皮質という3つの主な領域がある（ちなみに小脳「cerebellum」と大脳皮質「cerebral cortex」は、どちらもラテン語で蠟（ろう）を意味する「cere」から始まる。見た目が蠟を思わせるからだ）。脳の主成分は水と脂肪、重さは約１３００グラムで、信じられないほどの能力を発揮する。[1]

　脳幹は、呼吸、一定の心拍数の維持、食欲や性欲、闘争・逃走反応など、生存に必要な基本機能を調節している。脊柱の上端、つまり頭蓋骨の底にあり、脳の奥深くに埋もれている。脳の後方にある小脳は、体の動きやバランスをつかさどっている。意思決定に重要な役割を果たしているとの証拠も増えてきている。

大脳皮質は人間の脳の最大領域で、複雑な思考、短期記憶、感覚刺激の大部分をつかさどる。頭頂葉、後頭葉、側頭葉、前頭葉からなり、思考のほとんどは前頭葉で行われている。論理や創造性に関わる思考もここから生まれる。

脳は2つの半球に分かれ、あいだをつなぐ脳梁が電話線の束さながらに働いてメッセージをやりとりしている。たったいま、あなたがこの文字を読み、情報を取り込んでいるあいだにも、約860億のニューロン（神経細胞とも言う）が発火し、協調しながら働いている。[2] 脳内に放出されたこうした神経信号が神経伝達物質によって受信されると、神経伝達物質はそのメッセージをほかの神経伝達物質に伝えるか、それが適切な反応であればメッセージの伝達をやめる。

かつて、神経は青年期の後半に機能のピークを迎えると考えられていた。それ以降は脳は変わらず、衰えていくだけだと。いまでは、それは大きな誤解だとわかっている。人間の脳には神経可塑（かそ）性と呼ばれる能力があり、その人の行動や環境に応じて機能や構造を変えることができる。脳は、周囲の環境やあなたが出す要求に合わせてつねに変化し、作り替えられているのだ。

脳は遺伝子や環境の影響を受けるので、人はそれぞれ自分だけの固有の脳をもっている。雪の結晶がそうであるように、脳にもまったく同じものは1つとしてない。個々の脳は、その持ち主のニーズを反映している。たとえば、貧困や食糧不足や安全の欠如といった、ストレスの多い環境で育った人がいるとしよう。その人の脳の構造は、快適で豊かで手厚く保護された環境で育った人のそれとはかなり異なるはずだ。だが、一方の環境が他方より「優れて」いて、より機能する脳を生むという結論に飛びつく前に、その結論が本当に妥当なのかどうか、いま一度考えてもらいたい。

　前述したように、脳の構造や機能は作り替えられる。ということは、脳の働き方も変えようと思えば変えられるわけだ。ストレスが多く恵まれない環境で育ったら、脳はその環境に合わせて発達するので、最大限の能力を発揮しにくいかもしれないし、そう考えるのはたやすい。しかしそうした人々は、恵まれない環境で培ったマインドセットがあるからこそ、活躍して大きな成功を収められるとの証拠も増えている。逆境を乗り越えて名を成す人は少なくない。子ども時代の生きづらさや困難は、成功につながる資質の1つである、レジリエンス（再起力）を育むのかもしれない。

　レジリエンスにはさまざまなタイプがある。サーンヴィの場合は、とある痛ましい出来事に反応する形で現れた。

「娘とコンクリートの上でサッカーをしていたとき、足がもつれてコンクリートに頭から突っ込んでしまったんです。ひどい事故でした。医学的には〝治った〟ということでしたが、体調は悪くなる一方でした。頭痛に悩まされ、不安がひどく、深刻な抑うつに見舞われ、ありとあらゆることに腹が立っていらついていました。私はもともと問題があれば、本を読んだり勉強したりしてなんとかするタイプです。なのに、自分の脳はどうにもなりませんでした。1年半ほどのあいだ、よく眠れず、体重も増えてしまって。以前の脳を取り戻したいと願っていました」

　サーンヴィはユーチューブで僕の動画を見つけ、それにヒントを得て、新たな方法で問題に取り組むようになった。

「新しくエクササイズの日課を始め、脳を活性化する食事をとり、脳の健康状態を最適にする10の方法の大切さを学びました。すると不眠が改善されました。読書の習慣を取り入れ、ＡＢＲＡでセルフトークを修正し、先延ばしを克服するテクニックを学び、さらには強力な朝のルーティンをこなして、夢に意識を向けました」

こうした取り組みが功を奏し、サーンヴィは「正常な」状態に戻ることができた。しかし彼女は、「自分にはもうそれすら物足りなかった」と語る。

ジェシカ・オルトナーのＥＦＴ療法［訳注　顔などのツボを指で刺激することで心身の不調を改善するテクニック］について聞いたあと、サーンヴィはタッピングの練習を始めた。それからさらに学びを深めようと、ヒプノセラピー（催眠療法）のコースをいくつか受講した。サーンヴィは自分の脳を取り戻し、そのうえ劇的なキャリアチェンジまで遂げた。

「商業弁護士を15年以上していたのですが、思いきって起業することにしたんです。いまは主に、ＥＦＴ療法やヒプノセラピーなどの潜在意識に働きかける治療法を使って、クライアントに人生の変化をもたらす仕事をしています」

脳は作り替えることができる

ロンドンのタクシー運転手の脳から何を学べるだろうか？

そうひらめいたのは、ユニバーシティ・カレッジ・ロンドン（ＵＣＬ）の神経学者エレノア・マグワイア。ロンドンのタクシー運転手の脳にしまわれた膨大な量の情報、その名も「知識（ザ・ナレッジ）」［訳注ロンドンタクシーの免許取得試験「The Knowledge of London」のこと」について考えていたときのことだ。彼らは免許を取るために、ロンドン市街の特定の区域――チャリングクロス駅の半径10キロ圏内――を3、4年かけて隅々まで走り、2万5000本の迷路のような通りと、そこに集まる何千もの施設や名所を記憶する。だがそれだけ熱心に学んでも、一連の試験には志願者の約半数しか受からない。ひょっとしたら、とマグワイアは考えた。その試験をくぐり抜けた精鋭たちは、脳の海馬が普通より大きいのではないだろうか？

マグワイアらは、ロンドンのタクシー運転手の「海馬後部の灰白質の量が、同じ年齢、教育、知的水準のタクシーを運転しない人のそれより増えている」事実を突き止めた。ロンドンのタクシー運転手の脳は、そうでない人より海馬の記憶をつかさどる部分が肥大していたのだ。タクシー運転歴が長いほど海馬も大きく、あたかも脳が「ロンドンの通りを知り尽くす」という認知の要求を満たすために広がったようだった。[3]

ロンドンのタクシー運転手に関するこの研究は、脳の神経可塑性、つまりは新たなことを学んだり経験したりしたときに脳がその構造を作り替える能力について、説得力のある根拠を提示している。市内の新たなルートを学び続けたことで、タクシー運転手の脳には新たな神経回路が生まれた。そして、その回路は脳の構造とサイズを変えた。まさにリミットレスな脳の生ける実例だ。

神経可塑性は、脳の可塑性とも呼ばれ、人間が新たなことを学習するたびに新たなシナプスのつながりが作られることを意味する。また、そのたびに脳は物理的に変化する。新たな頭脳のレベルに合わせてハードウェアをアップグレードするわけだ。

神経可塑性は、ニューロンが成長して脳のほかの部位にあるニューロンと結合するときに生じる。それは新たなつながりを作り、古いつながりを強化する（あるいは状況によっては弱める）ことで機能する。[4]

人間の脳は柔軟に変化する。経験し、新たなことを学び、順応するなかで新たな神経回路を生み出し、それによってその構造や機能を徐々に作り替える驚くべき能力をもっている。神経可塑性は、「どんなことも可能である」ことを説明するのに役立つ。研究者は、つながり合ったニューロンの複雑な網が、しばしば配線を変えて新たなつながりを作る点に着目し、すべての脳には柔軟性があると考えている。片方の半球がもう片方の機能を肩代わりするなど、脳が失われた部分を補って働くケースがあるのもそのためだ。脳卒中に見舞われながらも脳機能を再建して取り戻せた人がいるように、やるべきことを後回しにしがちな人、ネガティブ思考の強い人、ジャンクフードを食べるのをやめられない人も、ニューロンを配線し直して行動を変えれば、人生を一変させられるかもしれない。

学習が新たなつながりを作るなら、記憶はそのつながりをとどめて保持する。もの覚えが悪かったり記憶障害が生じたりしているときには、ニューロンのつながりに問題がある可能性が高い。また、学習中に何かを覚えられない場合は、学んだことと、すでに知っていること、そしてそれらを実際にどう使うかのあいだにつながりが作れていないのだと考える。

たとえば、学んだことに価値を感じても、その後一度も使わなければ、そのことに関する記憶が作られる可能性はまずない。それと同じように、何かを学んでも、なぜそれが自分にとって重要なのか、生活や仕事にどう生かせるのかに関わる強い理由づけがないと、脳はその情報をおそらく保持しない。記憶が消えるのはごく普通のことだ。僕らは人間であって、ロボットではない。けれどもこうした記憶の消失に対して、「自分の記憶力が悪いせいだ」とか「覚えられないのは頭が良くないからだ」といった態度で反応すると、学習し成長する力にネガティブな影響が及ぶ。言い換えると、忘れることへの反応から生まれる思い込みは、記憶の消失そのものよりもはるかにダメージが大きいのだ。この種の心の声（セルフトーク）は、間違いを認めて情報をふたたび得るどころか、自分を制限する固定観念を強めてしまう。

　これは学習にどんな意味をもつのか。可塑性とは、脳を自分のニーズに合わせて作り替えられることを意味する。つまり、記憶力のようなものは鍛えられるのだ——脳が情報を受け取り、コード化し、処理し、定着させるのを助ける方法さえ知っていれば。これはまた、自分の環境や食生活や運動習慣にいくつか簡単な変化を加えるだけで、脳の働き方を大きく変えられることも意味する。こうしたエネルギーに関する秘訣は、第8章で詳しく説明しよう。

　要はこういうことだ。可塑性とは、あなたの学習に、さらにはあなたの人生に上限はない、ということなのだ。脳を最適化して配線し直せば、あなたは何者にもなれる。どんなこともできるし、手に入るし、分かち合える。正しいマインドセットとモチベーションとメソッドを組み合わせて使えば、限界はなくなるのだ。

第二の脳「腸」

僕の生徒たちは、脳の奥深さを知ってからまったく新しい価値観が芽生えた、自尊心がたちまち高まったと話してくれる。ここにもっといい知らせがある。あなたの脳は、1つだけではない。あなたには、2つ目の脳――つまり「腸」(消化管)がある。これまで、「虫の知らせ」〔訳注　英語で「虫の知らせ」は「gut feeling (腸の感覚)」と表現される〕を感じたことはあるだろうか? 理屈からではなく、ただそうだと直感したことが。何かを決めるときに「腹落ち」したり、「胸騒ぎ」がしたりして不思議に思ったことは? 消化器系の壁に潜む、この腸のなかの脳は、消化と気分と健康との、さらには思考との関わりをめぐる医学界の常識を一変しつつある。

科学者は、この小さな脳を「腸管神経系(ENS)」と呼ぶ。といっても、実際にはそれほど小さくない。ENSは、1億以上の神経細胞からなる2つの薄い層で、食道から直腸までの消化管に分布している。科学は脳腸軸について、またそれが人の脳や気分や行動にどう影響しているのかについて解明を始めたばかりだ。あなたも「脳腸相関」という言葉は耳にしたことがあるかもしれない。過去十数年間に、腸が脳の働きにきわめて大きな影響を与えていることが明らかになった。その関係は、しばしば樹木の各部の働きにたとえられる。樹木では、地面に張った根が養分や水分を吸い上げるとともに、ほかの植物とやりとりをしている。吸い上げられた養分は樹木の本体に運ばれ、幹を太くしたり、春の芽吹きに必要な栄養となったりする。やがて芽吹いた葉は、光などのエ

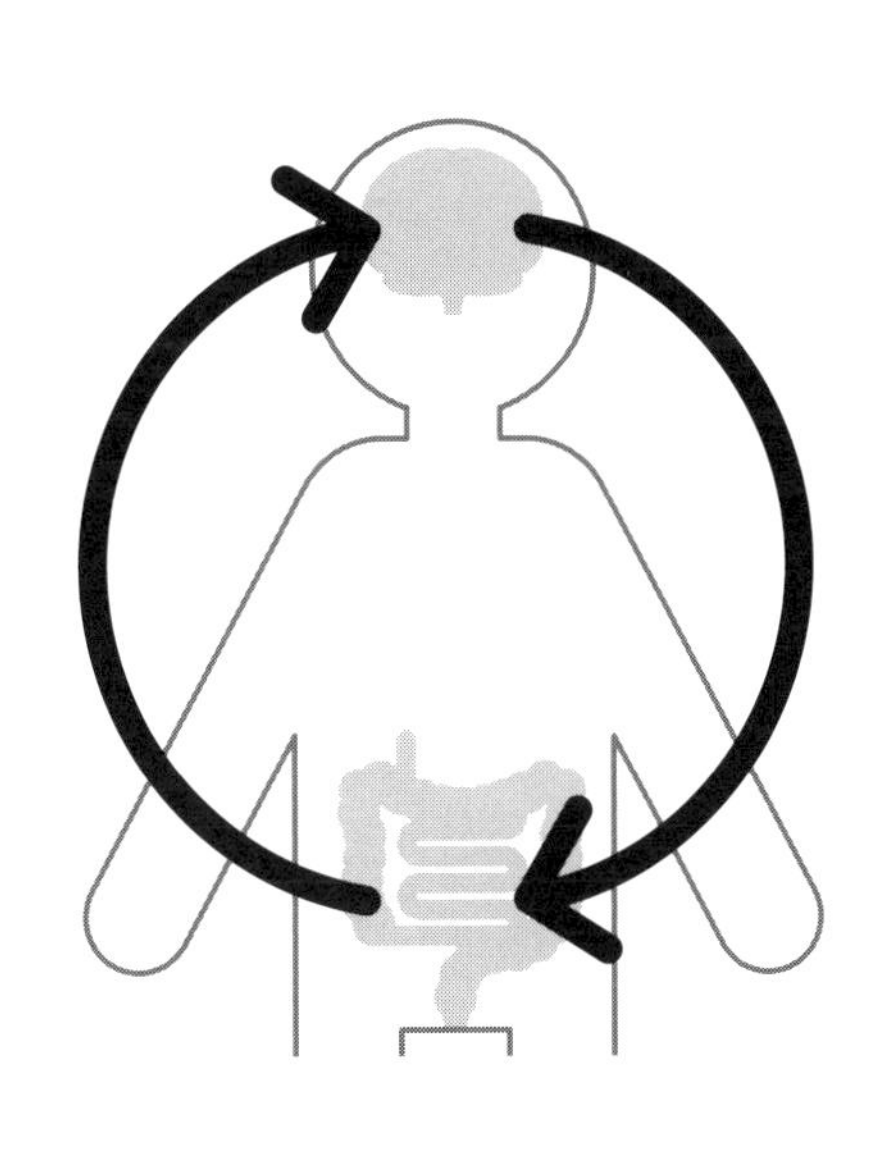

ネルギー源を集める。
それと同じように、人間が取り込む栄養素は小腸から吸収され、それに頼って人間は脳に燃料を与える。脳は体重に占める割合こそ小さいが、人の体が取り込むエネルギーのじつに2割を使うので、栄養素は脳の日々の働きに大きな違いを生み出す。

腸は、1億を超える神経細胞でびっしりと裏打ちされており、ENSの一部を形成している。胎児が育つとき、ENSとCNSは同じ組織から発生し、迷走神経を通じて連絡を取り続ける。多くの点で、この2つの系はとてもよく似た構造をしている。どちらもセロトニン、ドーパミン、アセチルコリンなどの神経伝達物質を使って働く。かつては、人間の細胞の数は生まれつき決まっていて、それ以上増えないと考えられていた。しかしいまでは、ENSは成人後も新たなニューロンを作り続け、脳と同じく損傷しても修復できることがわかっている。[5] 腸はこうしたニューロンと、マイクロバイオーム（微生物叢）を作る細菌のネットワークで構成されている。そして脳と同様、人はそれぞれ固有のマイクロバイオームをもっている。

さらに注目すべきは、こうした腸の神経細胞が、脳と驚くほどよく似た回路を通じて働くことだ。2010年、デューク大学の神経科学者ディエゴ・ボホルケスが、消化管の腸内分泌細胞に、ニューロンが連絡を取り合うのに使うシナプスに似た「足状の突起」があることを発見した。そこからボホルケスは、これらの細胞はニューロンと同じように、シグナルを使って脳と「話せる」のではないかと考えた。そしてそれが事実なら、そのやりとりは腸と脳幹をつなぐ迷走神経を使ってなされるはずだと仮説を立てた。[6] さらなる検証を経て、ボホルケスらは、そうした細胞が実際に迷走神経を使ってメッセージを受け取り、血流を超える速度で脳に送っていることを突き止めた。

協力し合う腸と脳

脳と腸の関係についてはまだわからないことも多いが、この2つはきわめてよく似た方法で、協力し合って働いているようだ。「小さな脳」と「大きな脳」が連動しながら、人の精神状態を（すべてとは言わないまでも）決めている。何かが変だと直感するとき、または反対に直感が「腹落ち」するとき、それは単なる気のせいではない。腸が独自のやり方で状況を察知して、脳にシグナルを送っているのだ。そればかりか、腸に粗悪な食べ物を与えると、脳にも粗悪な燃料が送られることになる。

いまこの瞬間も、あなたの腸は、あなたがさっき食べたものを消化し、その燃料を脳に送っている。それと同時に、あなたの脳の一部は、あなたの指の下のページ（またはお好みなら電子リーダー）を知覚し、あなたを支える椅子の座り心地を感じ取り、あなたの周囲の環境が安全かどうかを監視している。また別の一部は、その環境のにおいを、コーヒーか、香水か、本の紙のにおいかを嗅ぎ取っている。さらに別の一部は、本書のページに並ぶ文字の記号を取り込んで意味に変え、情報処理して短期記憶にしまうと、しばらくして長期記憶に送る（適切な状況であれば、だが。これについてはすぐに説明しよう）。

こうしたすべてが、あなたの耳のあいだに究極のスーパーパワーがあることを物語っている。そしてあなたには、そのパワーを磨いて高める能力がある。でなければ、そのまま放置して衰えさせるか。あなたは、どんな環境に自分のスーパーパワーを住まわせたいだろうか？　人生のミッションを後押ししてくれる環境か、それとも最も叶えたい夢を遠ざけてしまう環境だろうか？

時代遅れの教育システム

人間の頭脳にそれほど力があるのなら、なぜ僕らは何かと苦労するのだろう？　脳が本当に優秀ならば、なぜ多すぎる情報や、注意散漫や、忘れっぽさや、自分を卑下する感情にこれほど悩まされるのか？　人間には大きな潜在能力があるはずなのに、名前１つ覚えられず、何もまともに考え

「勝つための唯一の方法は、だれよりも速く学ぶことだ」

――エリック・リース

られない日があるのはなぜなのだろうか？　答えはいたって単純だ。それはひと言で言えば、「捉えがたい明示性」――要するに、その方法を教わっていないのだ。

だれかにアイデアを授ければ、あなたはその人の一日を豊かにできる。学ぶ方法を教えれば、その人は自分の一生を自分で豊かにできる。

学校はいろいろなことを学べる場所だ。そこで僕らは、何を学び、何を考え、何を覚えるべきかを教わる。一方で、どう学び、どう考え、どう覚えるべきかを扱う授業は、あったとしてもとても少ない。

教育研究者のサー・ケン・ロビンソンは、教育に関する独創的な著書『CREATIVE SCHOOLS』（岩木貴子訳、東洋館出版社）でこう述べている。「私が抱いている最大の懸念のひとつに、世界中で教育制度の改革が展開するなか、そういった改革の多くが政治的、商業的な利益のために推し進められているということがある。それでは人々がどう学ぶのか、優れた学校がどう教育を行っているのかを理解できない。その結果、無数の若者の将来が損なわれている。そのうちに、あなた自身や周囲の人々にも影響が良くも悪くも出てくることだろう」[7]（岩木訳）

僕が思うに、それは**とっくに**あなたや周囲に影響が出ている。知ってのとおり、僕自身の教育制度との関わりは複雑で、普通の状況だったとは言いがたい。とはいえ、幼稚園でのあの宿命的な頭の怪我がなかったとしても、僕が学校というシステムから得られたものは、理想とはほど遠かっただろう。なぜなら、学び方を学ぶことをカリキュラムに組み込んでいる学校は、世界でもごくわずかだからだ。学校は、僕らに情報を詰め込む。偉大な文学作品や、文明の道筋を変えた偉人の話を次々に学ばせる。テストをして——ときに延々と——教えたことをこちらが反復できるかどうか確かめる。その一方で、自分で学ぶ方法、頭脳の力を高める方法、新たな概念を見つける方法、学んだことを日々の生活に本当の意味で役立てる方法は、そこまで念入りには教えてくれない。

僕は何も、子どもの教育に日々尽力している先生方を責めたいわけではない。僕に言わせれば、教師というのは、この世でとりわけ献身的で愛情深く有能な人々だ。現に僕の母は、僕が脳に損傷を負ってから教師になった。わが子の苦労を目の当たりにしたことで、同じ境遇にいる子どもたちを助けたいと思ったのだ。問題は教師ではなく、彼らが従事している時代遅れのシステムにある。民話の主人公リップ・ヴァン・ウィンクルが数十年の眠りから覚めても、あまりの代わり映えのなさに教室の雰囲気の違いぐらいしか気づかないだろう。学校教育は、僕らが今日生きている世界に備えられるほど変わっていない。自立走行する電気自動車や、人類を火星に送り込める乗り物がある時代に、いまだに馬や馬車に等しい教え方をしているのだ。

また、生計を立てる手段が大きく、ますます急速に変化している問題もある。オートメーションと人工知能（ＡＩ）は、仕事の未来に影響を与えている。これは単に、工場労働者がロボットに置き換わっているという話ではない。それだけではなく、多くの人が、従来のオフィスワークから不安定なギグエコノミー［訳注　フリーランスの立場で単発または短期の仕事を請け負う労働形態］へと働き方をシフトする必要に迫られているのだ。ほとんどの人が5年前にすら想像していなかったような仕事が隆盛を誇る一方で、近い将来の働く環境に影響を及ぼしそうな仕事が、いまこの瞬間にも生まれている。

こうしたすべてが、同じ方向を示している。つまり、自分の学習は自分自身が引き受けるしかないのだ、ということを。学校がどう学ぶべきかを教えてくれないなら、それは自分で学ぶしかない。氾濫する情報に脳を乗っ取られそうなら、手持ちの学習ツールを使って、情報との付き合い方を根本から学び直す必要がある。働く環境が急激に変わりすぎて、明日の仕事がどうなっているかもわからないなら、みずから主体的に学んでいくことでしか、不透明な未来に真の意味で備えることはできないのだ。

1本のネジがすべてを変える

ここで手短に、よくある話を1つ。ある日、発電所ですべての作業が急停止する。すべての機械の電源が落ちる。あたりがしんと静まり返る。発電所の作業員は慌てふためくが、何時間かけても、だれひとり原因を突き止められない。所長はもはや待ったなしと思い、地元で最も頼りになりそうな人に電話をかける。

ベテラン技術者がやって来て、所内をざっと見わたす。配電盤ボックスが設置された一画を見つけると、無数に並ぶ梁の1本に近寄り、ボックスの1つを開けて内部のさまざまなネジや配線をじっと見る。それから、おもむろに1本のネジを回す。すると、魔法のようにすべてが動き出し、発電所はまた稼働しはじめる。

所長は心の底からほっとする。技術者に礼を言い、お代はいくらかと尋ねる。技術者は「1万ドルです」と答える。所長はぎょっとする。「なんだって、1万ドル？　あなた、ほんの数分いただけじゃないですか。ネジを1本回しただけだし。あれなら、だれにだってできますよ。明細を見せてください」

技術者はポケットからメモ帳を取り出すと、さらさらと書いて差し出す。それを読んだ所長は、すぐに1万ドルを支払う。請求書にはこうある。「ネジ回しの作業、1ドル。どのネジを回すべきか知っていること、9999ドル」

この話の教訓はなんだろうか？（「ネジを緩めない」が答えではないので、念のため）この逸話からは2つのことが学べる。

第一の教訓は、リミットレスな頭脳が自分や他者にどれほどの付加価値を差し出せるか、ということだ。世界はいまや、脳の力が腕の力に勝る専門家型経済（エキスパート・エコノミー）の時代に入った。あなたの耳のあいだにあるものが、富を生み出す最大の資産となる時代だ。そこには、「知っている」人と「知らない」人がいる。そしてその応用された知識は、ただの力ではなく利益になる。あなたの思考力、問題解決力、判断力、創造力、発想力、想像力が、価値を増やす手段になる。速く学べるほど速く稼げるのだ。

また、そこから第二の教訓も導き出せる。1本のネジがすべてを変えるということだ。僕はこれまで、何人かのずば抜けて優秀な人々のメンターやコーチを務めてきたが、そうした天才たちが見せる才能のなかには、天才ではなくても参考になるものがある。そのうちの1つが、「優れた知性の使い手は、状況を一変させてほかのすべてのスイッチを入れられるひと握りの〝ネジ〟を選び取り、そこに全神経を集中させる」というパターンだ。本書には、僕が選び抜いた行動やツールや手法の多くが詰まっている。それらを活用して、最大限の成果と努力への報酬を得てほしい。

世界はいま、かつてないほどの課題を僕らに投げかけている。その課題が今後も増え続けることは確実だろう。その一方で、よく整備された脳があれば、かつてないほど多くを手にできるし、いまやあなたは、どんな課題も乗り越えられる力が自分に十分備わっていることを知っている。ただしそれには、自分で自分の学習を管理する必要がある。

現在の社会の要求についていくには、超人並みの能力がいるように思えるかもしれない。だが、あなたには秘めたスーパーパワーがすでにある。あなたの脳だ。手からクモの糸（ウェブ）は放てないかもしれないが、それよりはるかに優れた神経の網（ウェブ）が脳内にある。あなたの耳のあいだに網の目のように広がる、そのスーパーパワーの工場が、あなたの一番の授かり物であり強みだ。僕らがなすべきは、携帯電話のＯＳをアップグレードするように、その脳をアップグレードすることなのだ。

ではどうしたら、脳に新しいソフトウェアをインストールできるのか。僕が気に入っている方法の１つは、あなたがいままさにしていること——それは「読書」と呼ばれる。

第4章

本書から最大限のメリットを得る方法

「私は、自分の脳はもちろん、借りられる脳はすべて使っている」

――ウッドロー・ウィルソン

時間は、あなたの最大級の資産の1つだ。そして、取り戻せないものの1つでもある。僕はブレインコーチとして、あなたに最良の成果と、払った注意への見返りを手にしてほしい。したがってこの章では、本書から最大限のメリットを得るための方法をいくつか提案したい。このアドバイスは、学習と読書に関わるほぼどんなことにも応用できる。

まずは、問いから始めよう。あなたは何かを読んで、翌日、その内容を思い出せなかったことはあるだろうか?

大丈夫、「ある」と答えたのはあなただけじゃない。心理学者はこれを「忘却曲線」という言葉で説明する。忘却曲線とは、一度学んだ情報が忘れられる割合をグラフで表したものだ。研究によれば、人間は学習したことの約5割を1時間以内に忘れ、平均で7割を24時間以内に忘れるという。[1]

忘却曲線

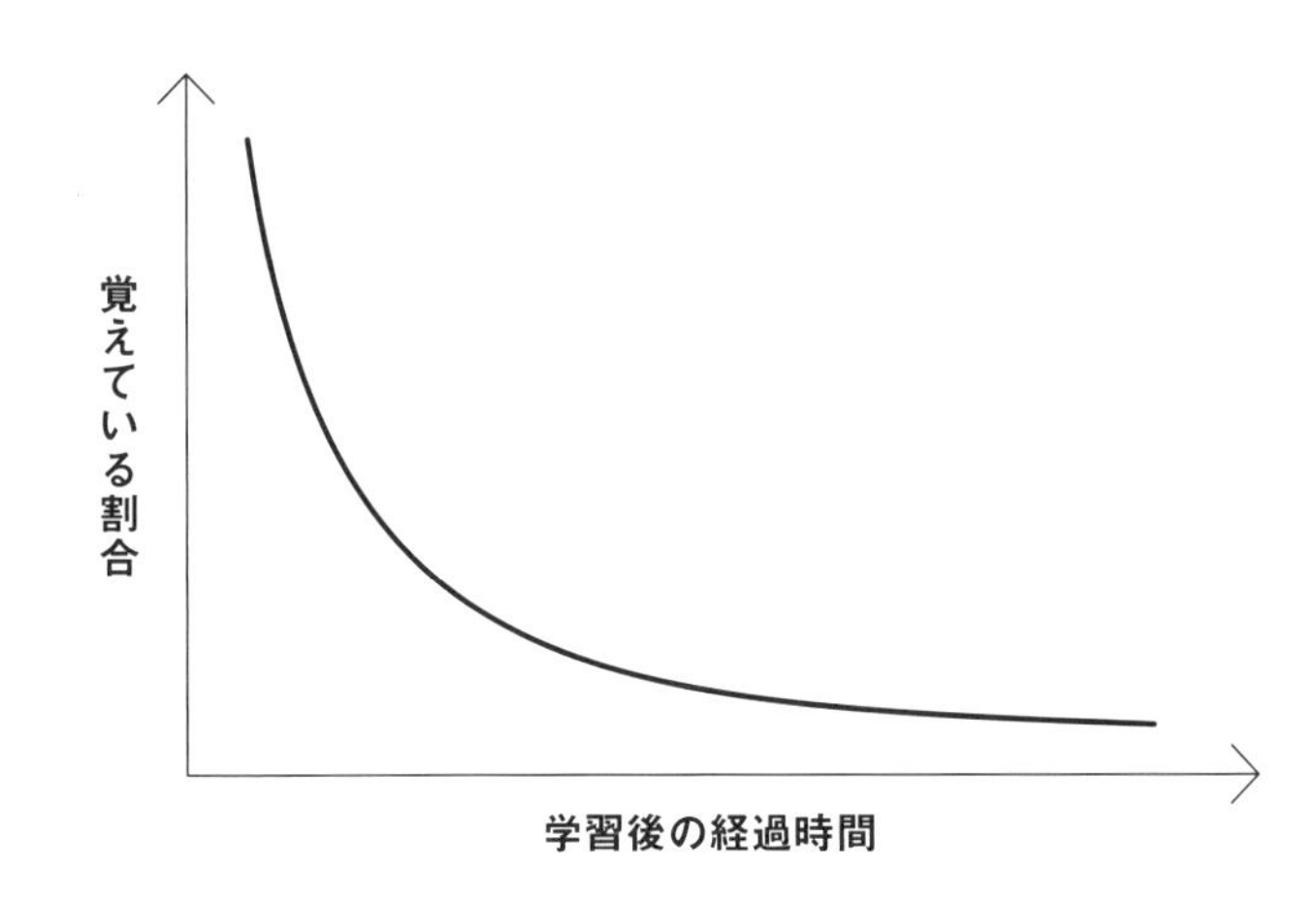

ポモドーロ・テクニック

ここからは、この曲線より上にとどまるのに役立つテクニックを5つほど紹介しよう。また、本書後半の勉強力、速読力、および記憶力の向上に関するセクションでは、学習と想起を加速させる一歩進んだ手法も紹介する。

研究により、人の集中力の持続時間は10分から40分が限度であることがわかっている。それ以上長く作業を続けても、注意が散漫になりだすので、投じた時間に対する見返りは小さくなる。そうした理由から、僕は「ポモドーロ」というテクニックを使うことを勧めている。これは、イタリア人起業家のフランチェスコ・シリロが編み出した生産性向上術で、「25分間作業、のち5分間休憩」のルーティンが最も生産性を

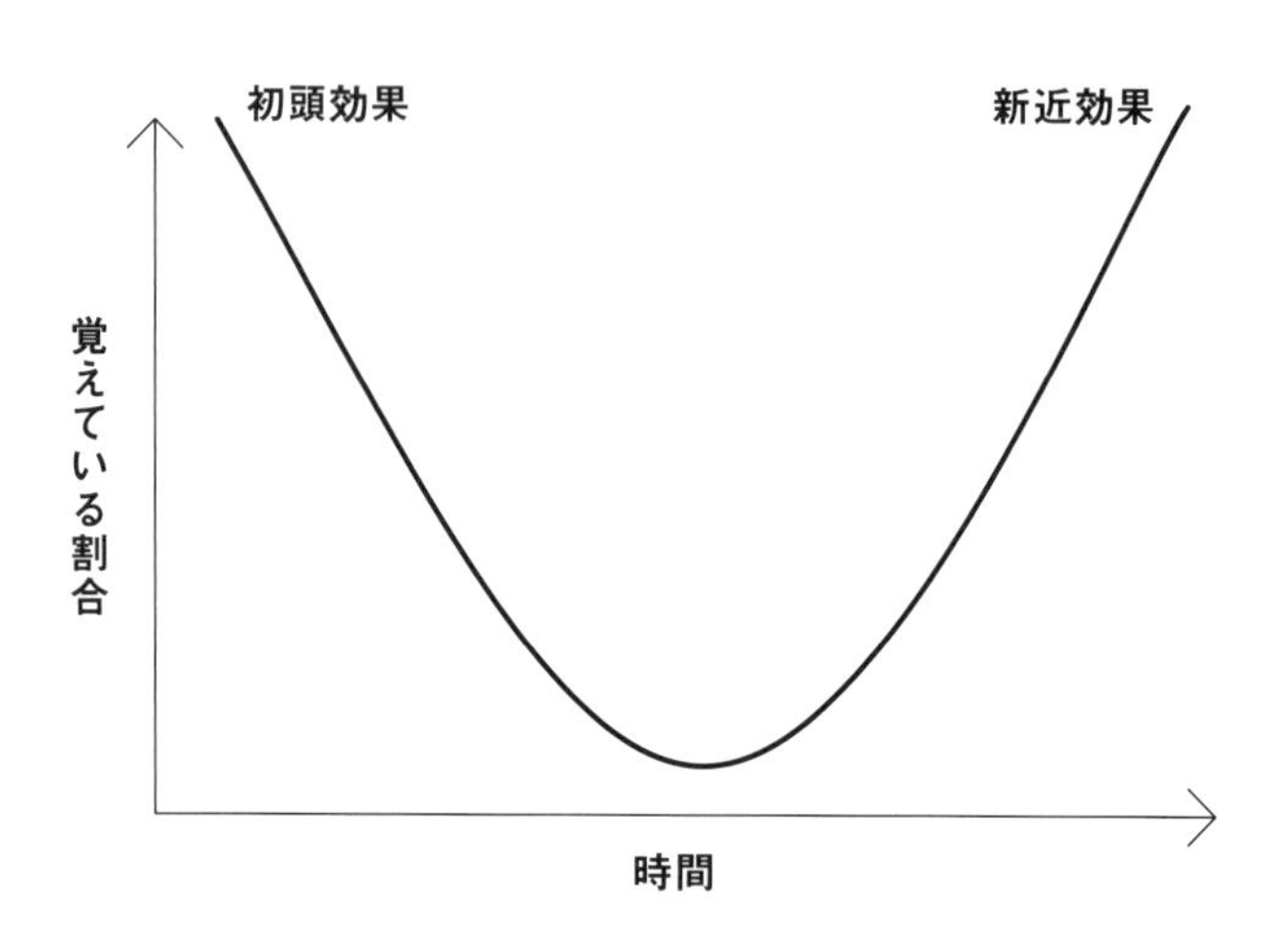

上げるという考えがベースになっている。[2] 25分の作業時間の単位を「ポモドーロ」と呼ぶ（ポモドーロとはイタリア語でトマトのこと）。本書を読むときも、1ポモドーロ読んだら5分間の「脳休憩」を取り、また続きを読むといい。

学習に関しては、このテクニックは記憶力に、わけても記憶の初頭効果と新近効果にアプローチできるので有効だとされる。

初頭効果とは、学習時間の最初に学んだ情報がより記憶に残りやすいことを言う。これは授業や仕事のプレゼン、さらには社交の場でも同様だ。たとえば、あなたがパーティで30人と新しく知り合ったとする。あとで名前を思い出せる確率が高いのは、最初に会った数人のはずだ（本書の後半の章で教えるメソッドで人の名前を覚える練習をしていなければ）。

一方、新近効果は、最後（より最近）に学んだ情報のほうが記憶にとどまりやすいことを意味する。同じパーティで言えば、最後に会った数人の名前を覚えていることになる。

試験勉強をサボって試験前日に一夜漬けをした経験は、だれしもあるだろう。初頭効果と新近効果は、一夜漬けに効果がないことを証明する（数多くの）根拠の一例だ。ただし、休憩を取れば「最初」と「最後」を増やせるので、学んだことを思い出せる割合は大幅に高くなる。

あなたが2時間、休憩なしで本を読むとしよう。すると、最初の20分間に読んだことは覚えているのに、30分たつころから急に記憶があいまいになり、最後にまた記憶がはっきりするという経験をするかもしれない。これは、読んだことを咀嚼したり考えたりする休憩時間がなかったせいで、読書中になかだるみが生じ、学習に空白（デッドスペース）が生まれたことを意味する。だから、本書を1ポモドーロずつ読み、できるだけ多くを吸収してほしいのだ。それでも一夜漬けにこだわるなら、のちほど学ぶ「合間」の情報を保持するテクニックが役立つだろう。

本書を読むこと自体も、あなたを賢くすると知っていただろうか？　大きく出たなと思われそうだが、これには絶対の自信がある。理由の1つは、本書で取り上げるツールや手法を通じて、より賢くなれるように僕が教えるつもりだから。もう1つは、本書を主体的に読むことで、頭のなかに絵が描かれ、それが知っていることと学んでいることを結びつけてくれるから。本書を読みながら、あなたは「これを自分のいまの生活にどう生かそうか」「この知識はどう使えるだろうか」と想像するだろう。それが神経可塑性を促進する。医学者のオリバー・ウェンデル・ホームズはこう言った。「新しいアイデアや刺激で膨らんだ人の頭脳は、元の大きさに戻ることはない[3]」。本を読むと頭脳の幅が広がる。そして、それは元には戻らないのだ。

▼やってみよう！

タイマーを25分にセットして、そのあいだ本書を集中して読もう。タイマーが鳴ったら、しおりを挟んで本を閉じ、その25分間で学んだことを書き出してみよう。

速く学ぶことができるFASTERメソッド

次に、本書からできるだけ多くを得るために、どんなことも速く学習できる簡単な方法を紹介する。僕はこれを「FASTER」メソッドと呼んでいる。ここからはぜひ、このメソッドを使って読み進めてほしい。

FASTER（より速く）は、単語の頭文字を組み合わせた、いわゆる頭字語（アクロニム）だ。「Forget（忘れる）」「Act（行動する）」「State（状態を整える）」「Teach（教える）」「Enter（書き込む）」「Review（復習する）」、この6語からなる。以下、詳しく見ていこう。

Forget（忘れる）

意識をレーザービームのように集中させるコツは、集中を乱すものを取り除くか、忘れてしまうことだ。あなたが（少なくとも当面は）忘れたほうがいいことは3つある。1つは、すでに知っていること。新しい情報を学ぶとき、僕らはそれについて、自分が理解している以上のことを知っていると思いがちだ。だが、「知っている」と思うことは、新しい情報を取り込む能力を阻害することがある。子どもがどんどん学習できる理由は、子どもが空っぽの器だからだ。子どもは、自分が知らないということを知っている。その一方、「自分には20年の経験がある」と口では言うものの、実際には1年ぶんの経験を20回繰り返しているだけの人もいる。こうした自分のなかの制約を超えて学ぶには、そのトピックについてすでに知っていることや、知っていると思うことをひとまず保留して、禅の哲学で言う「ビギナーズ・マインド（初心者の精神）」で取り組むことだ。あなたの心はパラシュートと同じなのだと覚えていてほしい。開いてこそ役に立つのだ、と。

忘れたほうがいいことの2つ目は、すぐにしなくてもいいことや重要ではないこと。意外に思えるかもしれないが、人間の脳はマルチタスクをしない（これについてはのちほど説明する）。いまに十分注意を向けなければ、意識があちこちに飛んで学習が難しくなる。

▼やってみよう！

本書を読んでいるとき、どうしても別のことが気になってしまうなら――そしてそれが重要であっても、急ぐことでなければ――そのことを考えまいとするのをやめてみよう。抗えば抗うほど、ますます頭から離れなくなる。代わりにノートを手元に置いて、頭のなかの考えやアイデアを書き出してみよう。そうしていったん手放し、やるべきことをやり終えたあとで、あら

ためて向き合うといいだろう。

そして最後に、自分の限界についても忘れたほうがいい。「記憶力が良くない」とか「学ぶのが遅い」といった、自分に対して抱いている固定観念のことだ。「自分にはこの程度しかできない」と思うことを、（少なくとも当面は）保留にしよう。難しく聞こえるかもしれないが、心を開いて「自分にはできる」と思ってほしい。そもそも本書を読んでいるくらいだから、あなたもどこかで「自分の人生はこんなもんじゃない」と思っているのではないだろうか？　そうした心の声を、できるだけ前向きなものにしよう。限界に執着すると、その限界を抱え込むことになる。人の能力に上限はないのだから、どんなことも学べるはずだ。

Act（行動する）

従来の学校教育は、学習は受け身でするものだと人々に刷り込んできた。教室でおとなしく座り、まわりの人とおしゃべりせず、教えられることをただ吸収すればいいのだと。だが、学習はスポーツ観戦とはわけが違う。人間の脳は、情報を取り込むときより生み出すときに多くを学ぶ。だから、どうしたらもっと積極的に学べるかを自問してほしい。

ノートを取る。本書の〈やってみよう！〉を全部やる。重要な箇所に蛍光ペンを引くのもお勧めだ。ただし、どのページも暗闇でぼうっと光るほど中毒のように引きまくらないこと。全部を「重要」にしたら、どれも重要ではなくなる。積極的になるほど、より良く、より速く、より多く学べるだろう。

▼やってみよう！
本書をもっと積極的に読むために、何ができるだろうか？　アイデアを1つ書こう。

State（状態を整える）

あらゆる学習は、学ぶ人（つまりあなた）の状態に左右される。そしてその状態は、あなたのいま、この瞬間の感情を反映している。それはまた、あなたの思考（精神状態）や体調（生理状態）の影響も少なからず受けている。言い換えると、ある特定の状況に対してあなたが抱いた（あるいは抱かなかった）感情が、学習のプロセスとその最終的な成果に影響を及ぼすのだ。実際、情報に感情を結びつけると、その情報は記憶に残りやすくなる。それを証明しているのが、幼いころの記憶を呼び起こす歌やにおいや食べ物だろう。情報と感情の掛け合わせが長期記憶の形成を助けるわけだ。その逆もまた言える。学校時代に一番よく感じていたのは、どんな心の状態だろうか？　講演などでこの質問をすると、その場にいるほとんどの人が「退屈！」と声を挙げる。これにはあなたも同感だろう。

学校に良い感情を抱けなければ、元素の周期表など覚えられないのも無理はない。けれども、自分の心身の状態をコントロールできれば、学ぶことを「退屈」から「期待」や「興味」に、さらには「楽しみ」に変えられる。その状態を作るには、学習環境での体の動かし方を変えてみたり、席に着いて始める前に気分を盛り上げたりするといい。姿勢を変える、深呼吸をするといった動作がお勧めだ。エネルギー満タンで、いまからすることが楽しみでならないといったふうに、立ったり座ったりしてみよう。これから学ぶことや、その新しい知識を使ってすることでどんなメリットが得られるかを想像してわくわくしよう。

もう一度言おう。あらゆる学習は、学ぶ人の状態に左右される。「うれしい」「心が弾む」「好奇心がそそられる」といった状態を意識して選ぼう。

▼やってみよう！

現在のあなたの意欲やエネルギーや集中力はどんな状態だろうか？　現在の自分の状態を、1から10のスケールで測ってみよう。その数字を上げるために、いますぐ1つ、何かできないだろうか？

Teach（教える）

学習効率を一気に上げたいなら、誰かにその情報を教えるつもりで学ぼう。考えてみてほしい。学んだことをそのあと発表するとわかっていたら、誰かにそれを説明できるくらいしっかり頭に入れることを意識しながら、そのトピックを学ぼうとするのではないだろうか？　もっと注意を払うだろうし、もっと細かくメモを取るかもしれない。もっと突っ込んだ質問もするかもしれない。「教える者は二度学ぶ」というのは、そういうことだ。一度は自分自身で、それから他人に教えることを通じてもう一度学ぶのだ。

また、学習は1人でするものとは限らない。だれかを誘って一緒に学んだら、本書をもっと楽しめるはずだ。友人にプレゼントするもよし、「リミットレス読書会」を始めて、本に出てくるアイデアやコンセプトを毎週集まって話し合うのもいい。友人と思い出を作りながらすると、学習はもっと楽しくなる。だれかと一緒に学ぶことは、やり抜く助けになるのはもちろん、このメソッド（FASTER）をともに実践する仲間も授けてくれる。

▼やってみよう！

本書を読む仲間を見つけて、一緒に読み通そう。その人（たち）の名前をここに書こう。

Enter（書き込む）

最もシンプルで強力な、個人のパフォーマンス向上ツールはなんだろうか？　それはスケジュール帳だ。スケジュール帳の予定欄に、僕らは大事なことを書き込む。仕事の打ち合わせ、保護者面談の予定、歯医者の予約、ペットを動物病院へ連れていく、などなど。
では、スケジュール帳にあまり書き込まれないことは何か。それは、自分自身の成長や進歩に関わることだ。予定に入っていないことがやり遂げられる確率は高くない。体と脳のトレーニングを「うっかり忘れて」一日を過ごしてしまった、ということにもなりがちだ。

▼やってみよう！

スケジュール帳を取り出して、今日から7日間、本書を読む予定を書き込もう。件名は、「リミットレスな私」「天才タイム」「ブレイントレーニング」「ジムとの対話」など、予定を守りたくなるものならなんでもOK。

Review（復習する）

忘却曲線の影響を減らせるきわめて有効な方法の1つに、「間隔反復」の手法を使って学んだことを能動的に思い出す、というやり方がある。一定の間隔で復習を繰り返すことで、情報は記憶に残りやすくなる。時間を空けて復習すると、脳がその記憶を保持する力が高まるのだ。
この原理を利用して、読書の前に何分か時間を取り、前回の読書で学んだことを能動的に思い出してみよう。すると、脳が復習したことを重要とみなして、次に入ってくる情報に備えるようになる。

▼やってみよう！

本書を読むとき、毎回、最初に少し時間を取って、前回読んだ内容で思い出せることを話したり書き出したりしてみよう。

「できたらいい」ではなく本気で決意する

フランスの哲学者、ジャン＝ポール・サルトルはこう言った。「人生はBとDのあいだのCである」。人の一生は、「Birth（誕生）」から「Death（死）」までのあいだに行う「Choice（選択）」で決まる、というわけだ。この驚くほど簡潔な一文は、本書の僕らの旅にも大いに関連している。リミットレスになることは1つの選択であり、その選択は、どんな事情があろうと完全にあなたのものだ。あきらめて選択しないこともできるが、選べば制約のない人生を存分に生きられるとわかって、そうしない理由があるだろうか？　選ぶことは能動的な行為だ。そしてその選択をするときは、まさにいまなのだ。

だから、あなたにはその選択をすると真剣に誓ってほしい。人はたいがい、やるべきだとわかっていることに興味は真剣に示す。でも結局はやらない。「絶対にやるべき」ではなく、「できたらい

「これは最後のチャンスだ。この先は引き返せない。青い薬を飲んだら……物語は終わる。ベッドで目覚めたら、あとは信じたいことを信じればいい。赤い薬を飲んだら……不思議の国にとどまることができる。そこでウサギの穴がどれだけ深いか見せてやろう。いいか、見せるのは真実だけだ。それ以上はない」

――モーフィアス

い」くらいにしか考えないからだ。本気で決意することにはとてつもないパワーがある。本書を読み通すと決めたら、その決意を書きとめよう。文字にすると、誓ったことをやり遂げられる確率が高まる。

次のページに、あなたの名前を書き込める宣誓書を用意した。

私、［　　　　　　　　］は、本書『ＬＩＭＩＴＬＥＳＳ［拡張版］超・超加速学習』を、10分から25分の区切りをつけながら読み通すことを誓います。

私は、すでに知っていること、注意を妨げるもの、自分の可能性を制限する固定観念を忘れて、読書に集中することを誓います。

私は、積極的に読むことを誓います。〈やってみよう！〉を全部やり、ノートを取り、蛍光ペンを引き、必要な問いを自分に問いながら読むことを心がけます。

私は、読書中の自分の状態に気を配ることを誓います。心身のエネルギーの度合いをときどき確かめ、必要に応じてモチベーションが高まる状態を積極的に作ります。

私は、学んだことをほかの人に教えて、すべての恩恵を分かち合うことを誓います。

私は、スケジュール帳に読書の時間を書き込むことを誓います。予定に入っていれば、確実に読めるからです。

私は、記憶の定着を良くするために、前回学んだことを復習してから新しいページに取りかかることを誓います。

最後に、このうちのどれかに「失敗」しても、自分を責めないと誓います。あきらめずに取り組み、最善を尽くします。

以上、リミットレスになる準備は万端です！

署名

［　　　　　］　日付：［　　　　　］

正しい「問い」が正しい「答え」を導く

あなたは本を読んでいて、ページの最後に来たとき、何を読んだか思い出せなかったことはないだろうか。もう一度読んでも、やっぱり忘れてしまったということが。本書を読んでいるときにそうならないことを願うが、でも、なぜそんなことが起きるのだろう？　正解は、あなたが「正しい問いを問えていない」から。問いがなければ答えも存在しないのだ。

「教育の真の目的は、絶えず問いを問う状態に人を置くことである」

――マンデル・クレイトン主教

人間の感覚器官は、毎秒最大1100万ビットの情報を周囲の世界から集めている。そのすべてを一度に読み取って解読しようとすれば、脳はたちまちパンクするだろう。だから脳は本質的に除去装置として、情報を締め出すように作られている。意識ある脳は通常、毎秒50ビットしか情報を処理しない。

どの情報を取り込むかは、網様体賦活系（もうようたいふかっけい）、略してRASという脳の部位が判断している。RASは、睡眠や行動をはじめとした多くの機能の調整を担っている。また、馴化（じゅんか）というプロセスを通じて、情報の門番的な役割も果たしている。このため脳は、些細で反復的な刺激を無視して、ほかの入ってくる情報に敏感でいられるのだ。

RASをうまく働かせる方法の1つは、自分に問いかけること。その問いが、自分にとって何が重要かを、脳のその部位に伝えてくれる。

例として、僕の妹の誕生日について話そう。何年か前、妹がパグの写真やイラスト入りのはがきやメールを立て続けに送ってきたことがあった。ほら、あのぺちゃっとした顔の、目のぎょろりとした犬だ。パグはとても従順だ。バレリーナの服を着せても嫌な顔ひとつしない。当然、僕は疑問に思った。なんでパグの写真なんか送ってくるんだろう……それから、妹の誕生日が近いことを思い出した。つまり妹は誕生日にパグが欲しくて、写真はそのヒントだったわけだ。

そのあと、同じ日に健康食品店のレジに並んでいたときのことだ。別のレジの列にふと目をやると、驚くことにパグを肩に乗せている女性がいた。「まさか、パグなんて見るの、久々だぞ。いったいどういう偶然なんだ?」。さらにその翌日、近所をジョギングしていると、6匹のパグを散歩させている人に遭遇した。

問題は、こうしたパグがどこから来たのかということだ。魔法のように忽然と現れたのか? もちろん、そうじゃない。パグはずっとそこにいた。刺激の洪水のなかで、僕が注意を払っていなかっただけだ。ところが意識しだしたとたんに、そこらじゅうでパグが目につくようになった。あなたも同じような経験をしたことはないだろうか? 特定のタイプの車や服が、「魔法のように」あちこちに現れはじめたことが。

テレビ司会者のジーニー・メイとの対談で、僕とジーニーはこの効果を、SNSのプラットフォームがユーザーの興味に沿った投稿をより多く表示しはじめるしくみになぞらえて語った。あなたが見ているサイトは、あなたが過去にクリックし、〝いいね〟し、閲覧したものからあなたの興味を割り出す。脳のRASは、そうしたサイトのアルゴリズムに似ている。あなたが興味を示すものをより多く見せ、興味を示さないことは隠す。

だから、求める答えはそこにあるのに、問いが正しくないせいで光を当てられないということが起きるのだ。代わりに僕らは、意味のない問いや、もっとひどいと自分の価値を下げるような問いを問う。なぜ自分は賢くないのか？　なぜ能力が低いのか？　なぜ減量できないのか？　なぜ運命の相手を見つけられないのか？　そんなネガティブな問いを抱いては、その問いを補強する証拠――ここではパグ――を与えられている。人間の脳は、一般化することで世界を理解しようとする。いたるところに、自分の考えを裏づける証拠を探し出す。

思考とは何かを通じて答えを導き出すプロセスであり、そのあいだも人はさまざまな問いを問うては答えている。あなたもたぶんそうしている。そうだろう？　問いのない人間などいないはずだ。また、人間は1日に何万もの思考を抱くが、そのうちの1つか2つの支配的な問いを、ほかの問いより頻繁に考える。そして察しのとおり、その問いが注意を向けるべき対象を決め、それが人の感じ方や、ひいては人生の方向性まで決める。

たとえば、「どうしたら人に好かれるか」を最も頻繁に自問している人がいるとしよう。その人の年齢や職業や外見はわからない。それでも、見えてくることは意外とあるものだ。その人はどんな性格をしているだろうか？　きっと他人にいい顔をしがちで、言いたいことをはっきり言えず、自分の感情や思考に正直に生きていないであろうことは、それほど考えなくても想像がつく。どうしたら人に好かれるかをしょっちゅう自問している人は、本当の自分にはけっしてなれない。なぜなら無意識のうちに、周囲の意向に合わせることばかりしているからだ。こうしたことが、たった1つの問いからわかってしまう。

それでは、あなたの「支配的な問い」はなんだと思うだろうか？

「問い」を変えれば意識と行動も変わる

脳が壊れていると感じていたころ、僕はよく、スーパーヒーローや漫画や、ゲーム『ダンジョンズ&ドラゴンズ』の世界に逃げ込んでいた。ファンタジーの世界は、目の前の苦痛を忘れさせてくれた。当時の僕にとって一番のスーパーパワーは「目立たないこと」だったので、いきおい、「どうしたら目立たないでいられるか」が僕の支配的な問いになった。そして、目立つ代わりに周囲をいつも観察し、その人たちの人生がどんなものかを想像していた。この子は、なぜこんなに人気があるのか。あの子は、なぜあんなに楽しげなのか。あの人は、なぜあれほど優秀なのか。そうやって苦労しながらも周囲を観察して学んでいるうちに、僕の支配的な問いは、「どうしたらこの状況を良くできるか」に変わっていった。「僕の頭を働かせるには、僕の頭はどう働いたらいいのか」という、謎かけのようなこの問いを解きたくなったのだ。新たな問いを問うほど答えも得られた。本書は、自分に力を与える問いを問い続けた僕の20年の成果でもある。

俳優のウィル・スミスに初めて会ったのは、音楽家のクインシー・ジョーンズが開いた80歳の誕

「問う者は答えを避けられない」

――カメルーンのことわざ

生日パーティの席だった。ウィルは僕の外傷性脳損傷のことを聞くと、アメフト選手の頭部外傷の問題にスポットを当てた映画『コンカッション』のプレミア上映に招待してくれた（脳の保護についてはこのあとの章で話そう）。その後、ややあって今度はトロントに呼んでくれ、映画の撮影現場で1週間一緒に過ごした。スーパーヒーローの映画の撮影だったから、僕がどんなに舞い上がったかは想像がつくだろう。

撮影で僕の興味を引いたのは、映画の出演者とスタッフが毎晩、夜の6時から翌朝6時まで真冬の屋外で働いていたことだった。ハリウッドは華やかなばかりの世界じゃない。大急ぎで準備したあげくに現場で延々と待たされる、なんていうこともよくある。そうした出番待ちのあるとき、僕とウィルは彼の支配的な問いを考えていた。

そこで1つ挙がったのは、「どうしたらこの時間をもっと楽しいもの（マジカル）にできるか」という問いだった。次のシーンの撮影を待つあいだ、ウィルの家族と友人たちはテントで身を寄せ合いながら、ほかの役者の演技を見守っていた。時は午前3時で、だれもが寒さに凍えて疲れていた。

そのとき僕らは、ウィルの支配的な問いが行動に移されるのを目の当たりにした。ウィルは仮眠を取る代わりに、みんなに熱いココアをふるまい、冗談を言って笑わせ、場の盛り上げ役を買って出たのだ。ウィルは本当にその時間を魔法のように楽しくしてみせた。あの問いをきっかけに、ウィルの意識と行動が変わり、全員の経験を決定的に変えたのだった。

▼やってみよう！

あなたが一番よく問う、支配的な問いはなんだろうか？　ここに書き出そう。

本書を最大限有効活用するための「3つの問い」

問いが意識を変えるなら、それは人生のあらゆることに影響を及ぼす——もちろん、読む力にも。人は普通、問いをしっかり問いながら読んだりしないので、そのぶん注意力や理解力や記憶力を使えないでいる。けれども、正しい問いで頭の準備をしてから読みはじめたら、答え（パグ）はそこかしこに見つかるはずだ。まさしくその理由から、僕は本書のあちこちにカギとなる具体的な問いを置いている。

手始めに、次の3つの問いを挙げよう。これらは、本書の旅であなたが問うべき「支配的な問い」だ。学んだことを実行し、知識を力に変える助けになってくれるだろう。

問い1：これはどう使えるのか？
問い2：これはなぜ使わなければならないのか？
問い3：これはいつ使えるのか？

▼やってみよう！

3つの問い——これはどう使えるのか、これはなぜ使わなければならないのか、これはいつ使えるのか——は、あなたの魔法の問いだ。本書から得た知識を、頭（知性）と心（感性）と手（身体）に組み込むのを助けてくれる。この3つの問いを心に刻もう。机の上や携帯電話のなかなど、目につく場所にメモしておこう。

これらの問いを頭に置きながら、本書を能動的に読んで知識を吸収しよう。思い出してほしい、問いがなければ答えもないことを。次からの各章の冒頭には、その章を読むときに注意すべき点をまとめた問いを列挙している。まずは、その問いとじっくり向き合ってほしい。章の内容をよりよ

く理解して記憶する準備ができるだろう。

〈やってみよう！〉にも積極的に挑戦しよう。こちらも、本書の戦略的な場所にちりばめられている。〈やってみよう！〉は、学習と人生で即座の実践力を養うために作られた特別な演習だ。大半は1分か2分あればできる。神経可塑性の力を思い出そう。問いに答え、新たなことをするたびに脳は配線し直される。さらに各章の終わりにも、次の章に進む前に取り組める演習を収めている。うまく活用して、学んだことを試してみよう。

PART 2

リミットレス・マインドセット

――あなたを縛る固定観念と嘘を打ち破る

マインドセット【mindset】（名詞）
自分は何者なのか、世界はどう回っているのか、自分にどんな能力があり、何がふさわしく、何ができるのかについて自分自身が作り出した、根強い信念や態度や暗黙の思い込み。

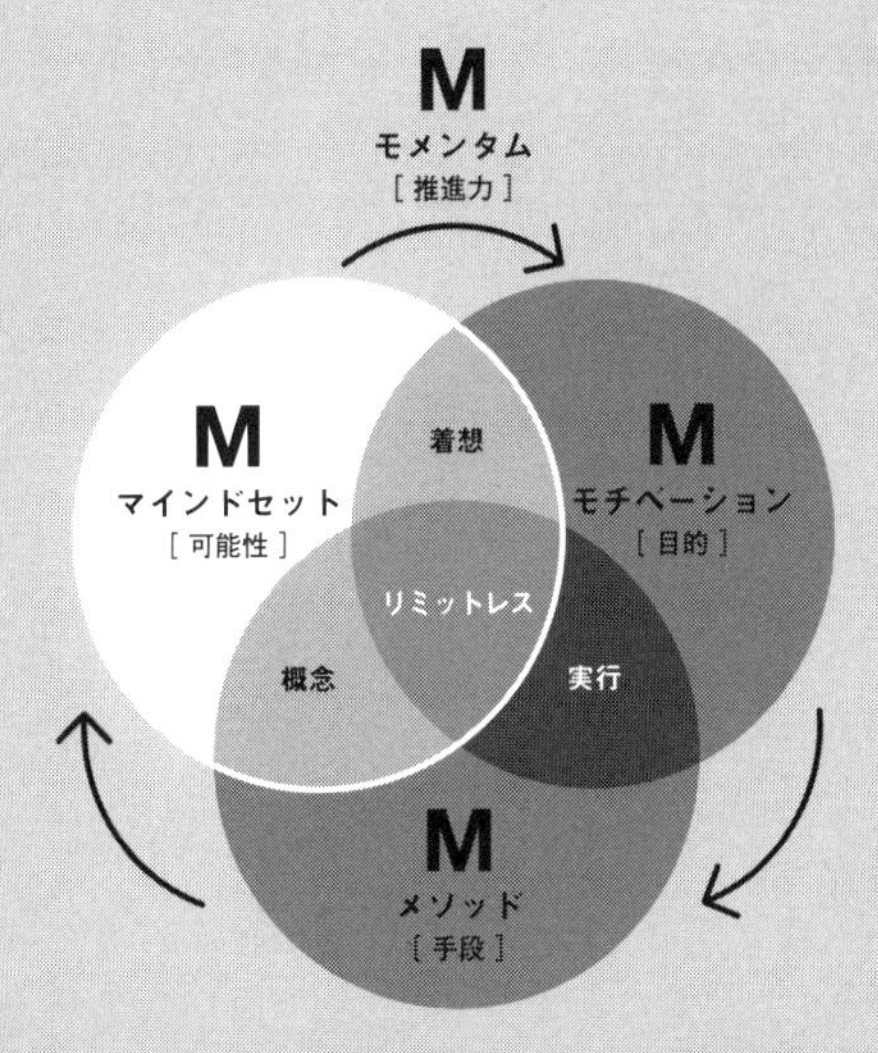

「人は皆、天才だ。しかし魚の才能を木登りの技術で測ったら、その魚は一生、自分は愚かだと信じて生きることになる」

――アルベルト・アインシュタイン

リミットレス・モデルの第一の要素は、マインドセットだ。マインドセットとは、人のものの見方や考え方を前もって決定づける心のありようや傾向のことを言う。マインドセットは、人が自分や周囲の世界に対して抱く思い込みや態度や先入観、つまりは固定観念からなる。あらゆるふるまいは固定観念に左右されるから、学び方を学ぶ場合も、まずは自分が自身の可能性についてどんな固定観念を抱いているのかを見きわめる必要がある。

自分の達成能力に関するマインドセットは、生まれながらに刷り込まれているわけではない。そうした固定的で制限された考え方を、僕らは成長段階に、身近な人や文化から学習する。

杭につながれた若いゾウを思い浮かべてほしい。そのゾウは赤ん坊のころ、杭を引き抜く力がなかったので、やっても無駄だと学び、じきに努力するのをやめてしまった。成長すると、杭など余裕で引き抜けるほどの力と強さを身につけたが、赤ん坊時代の経験から、ロープとぼろぼろの金属というなんでもないものにつながれたままでいる。心理学でこの状態を「学習性無力感」と呼ぶ。

僕らのほとんどは、このゾウのようにふるまっている。どこかの時点で「杭が抜けない」経験をし、それ以来、自分の可能性に対する見方が固まってしまっている。だが、無力感が学習によって身につくように、リミットレスになる方法もまた学習できる。PART2では、自身の潜在能力についてて僕らが教わってきた7つの嘘と、それを新たな信念に置き換える方法を見ていこう。

僕はここで、LIE（嘘）という言葉を意図的に使っている。ここで言うLIEは、「Limited Idea Entertained（内心の制限された考え）」の頭字語だ。よほどの自信家でないかぎり、人は自分自身を、本来発揮できるポテンシャルより低く見積もり、その制限された考えを受け入れている。

そしてその考えにエネルギーを与え、心のなかに棲まわせている。しかしそれはLIEであり、BS［訳注 Belief System（信念体系）の略語。Bull Shit（たわごと）の意味もある］にすぎないのだ。この先の章を読み進めれば、そうした嘘がどこから生じてどのようにあなたを縛っているのか、またそれをどう扱えばいいかがわかるだろう。それまで、ひとまずこの問いを考えていてほしい。「自分が認識している制約のうち、単なるLIEやBSにすぎないものはいくつありそうだろうか？」。その答えにぎょっとするだろう。一方で、気が楽になるかもしれない。

本題に入る前に、少し思い出話をしたい。僕が人生でとりわけ大切に思っている友情に、アメコミの原作者である故スタン・リーとの親交がある。知ってのとおり、スタンが生み出したマーベルコミックスのキャラクターたちは、いまより若かったころの僕が人生最大級の困難のいくつかを乗り越えるのを助けてくれ、今日までインスピレーションの尽きない源であり続けている。スタンとの会話はいつも刺激的で、目を開かされることもたびたびあった。

あるとき、夕食へ向かうために乗り合わせた車で、そんな類いの会話をしたことがある。スタンは、スーツにスパイダーマン柄の派手なネクタイという目を引く格好で、それを見た僕は、以前から尋ねたかったことを訊いてみた。

「スタン、あなたはこれまで偉大なキャラクターをいくつも創り出しましたよね。アベンジャーズとか、X-MENとか。あなた自身は、どのキャラクターが好きなんですか？」

すると、スタンは間髪をいれずに答えた。

「アイアンマンさ。で、きみは？」

僕はスタンのネクタイを指さした。「スパイダーマンでしょうね」

スタンはうなずいてこう言った。「〝大いなる力には大いなる責任がともなう〟だな」

「まったくです。でも、その逆も言えますね。〝大いなる責任には大いなる力がともなう〟と」

スタンはその表現を気に入ったようで、僕は内心こそばゆくてしかたがなかった。その場の思いつきではあったけれど、いま思うと、そのとき僕はリミットレスなマインドセットの基本理念の1つを口にしていたようだ。何かに対する責任を負うとき、僕らの全身には、物事をより良くするための大きな力が満ち満ちる。


これが、リミットレスなマインドセットの真髄だ。僕らの生い立ちや境遇は、僕らが何者であるかに影響したかもしれない。だが何者になるかは、僕らが自分自身で決めなければならない。それが、自分の信念や態度に責任をもつということだ。そして、自分の可能性を生かすも殺すも自分次第なのだと認めたとき、その可能性の力は見違えるように伸びはじめる。

さあ、スーパーヒーローの皆さん、いよいよマインドセットのリミットを外すときが来た。スタンならきっとこう言うだろう。「エクセルシオール（さらなる高みへ）！」

第5章

「自分には限界がある」という思い込みを打ち破る

「知らないことが問題なのではない。実際は知らないのに、知っていると思い込んでいることが問題を起こすのだ」

——マーク・トウェイン

本章の問い

固定観念は、なぜ人生にこれほど大きな影響を与えるのか？
固定観念は、なぜ人を目標から遠ざけるのか？
固定観念は、どうしたら退けられるだろうか？

ここで、想像のポップコーンをひとつかみ。ちょっと脱線して映画を観よう。スクリーンに映るのは、こんなシーンだ。

橋が倒壊しかけている。スーパーヴィランが柱を支える要所を緩めたので、川に崩れ落ちそうになっているのだ。橋がきしんでぐらつくなか、僕らのスーパーヒーローは、危機の知らせを受けて現場に急ぐ。大惨事を回避して数百人の命を救えるのは、スーパーヒーローの彼女だけだ。

そしていま、スーパーヒーローは橋まで10秒もかからないところにいる。だが近づくにつれて、心の声が、小学生のころ宙返りをして顔から落ちたときの記憶をささやきだす。その数秒後には、将来を高望みしないほうがいい、と父親に言われたことを思い出す。橋が見えると、今度は別のイメージが目の前に現れる。かつての親友に自分の壮大な夢を鼻で笑われた、あのときの光景だ。

橋から、瓦礫がぱらりと水に落ちる。きしむ音が大きくなる。数十、数百の悲鳴があたりを満たす。

そして僕らのスーパーヒーローは、疑念で頭がいっぱいになり、道ばたに座り込むと、両手で顔を覆って「自分になんかどうせ無理だ」とさめざめと泣きだす。

……え？　どういうこと？

スーパーヒーローの映画でそんなシーンは見たことがない、そうだろう？　その理由はいくつかある。1つは、話として盛り上がらないから。もう1つは、過去にどんなことがあり、どんな心の葛藤が生じたにせよ、自分を制限する固定観念に屈してしまっては、スーパーヒーローが真のスーパーヒーローになることはできないから。スーパーマンは、「そうだねえ、調子がいい日なら、高いビルを2、3階くらいは飛び越えられるかな」とは考えない。『アイアンマン』のトニー・スタークは、「このパワードスーツはどうせ肝心なときに役に立たない、私はできそこないだから」などと思わない。キャプテン・マーベルは、大気圏を突破する手前で「やっぱりひとりで宇宙を飛ぶのは無理」と急におじけづいたりしない。スーパーパワーがあるのだから、制限を感じること自体ありえない話なのだ。

それにお忘れだろうか、あなたにもスーパーパワーはあることを。その力を解き放つにはどうしたらいいのか？　まずはマインドセットから始めよう。

あなたのロジャー・バニスターはどこにいる？

子どものころ、歳は9歳か10歳だっただろうか、親戚の大きな集まりがあった。20人以上が集い、広くにぎやかなレストランの巨大な丸テーブルを囲んだ。土曜の晩だったので、店内は満席で、給仕係がピンポン球のようにテーブルからテーブルへとせわしなく行き交っていた。

一同がそろって数分後、担当のウエイトレスが注文を取りに来た。察しのとおり、それはひどく時間のかかる作業だった。テーブルを半周ほどしたところで僕の番になり、飲み物と料理の希望を尋ねられた。そのとき僕は、ウエイトレスが注文を一切書きとめていないことに気づいた。僕はがぜん興味を引かれた。このテーブルに着いているのは25人ほどだったが、そのウエイトレスがほかにもテーブルをいくつか担当していて、注文が25人ぶんではすまないことを知っていたのだ。いったいどうやって全部覚えるんだろう？　僕は自分の希望を伝えると、その人が残りの注文を聞いて回るのを目で追った。

きっと頼んだものとは似ても似つかない料理が来るんだろうな、と僕はひそかに思った。その歳にして一人前の猜疑心はあったのだ。ひねくれた子だったからでも、他人を信用していなかったからでもなく、実際にこの目で見るまで、そんな超人的なことが可能だとどうしても信じられなかったのだ。たとえほとんどの注文は正しく覚えられても、どの料理をだれの前に置くかは間違えるだろうし、そうなったらテーブルじゅうでお皿の交換会が始まるのだろうな、と。

まず、飲み物が来た。全員、注文どおりのものを受け取った。氷抜きのコーラを頼んだいとこも、「レモンをひと搾り、ライムをひと搾り、そしてチェリーをふた粒添えて」と頼んだ親戚も。へえ、やるじゃん、と僕は思った。でも、問題はこれからだけどね。数分後、サラダが出てきた。それもすべて完璧だった。「ドレッシングは別添えで」と頼んだ人のサラダはそのようになり、「ドレッシングをかけて」と頼んだ人はそのとおりのサラダを受け取り、全員にそれぞれ希望したドレッシングが行き渡った。僕の猜疑心は試されていた。それから、メインディッシュが運ばれてきた。間違いは1つもなかった。嫌味なほど長ったらしいリクエストもあったのに！　すべてが希望どおりに調理され、すべての付け合わせが正しいものだった。

僕は出てきた料理をほおばりながら、そのウエイトレスの離れ技について考えずにいられなかった。当時の僕は、ようやくまともに読み書きができるようになったばかり。脳損傷のせいで、学習という学習に苦労していた。なのにここには、僕の想像をはるかに超える能力が人間の脳にあることを証明してみせた人がいる……。

そのウエイトレスは、僕にとってのロジャー・バニスターだった。バニスターは、1950年代に活躍した陸上競技のスター選手だ。バニスターが新人選手だったころ、1マイル（約1609メートル）を4分以下で走るのは物理的に不可能だと考えられていた。仮にそのタイムで走ったら、人間の体は壊れてしまうと。ところが1954年5月6日、バニスターは1マイルを3分59秒

04で走り、4分の壁が実際に破れることを証明する。何より興味深いのは、それから2か月しないうちに、別の選手がバニスターの記録を破り、その後も記録を塗り替える者が続いたことだ。以来、タイムは縮み続けている。

バニスターがやってのけたのは、その壁が現実には壁でもなんでもなかったと証明したことだ。それはまた、あのウエイトレスが証明したことでもあった。彼女を通じて、僕は自分の脳のキャパシティを実際よりはるかに低く見積もっていたことに気づいた。ご承知のとおり、学習での苦労はその後も長く続くのだが、あの食事会での一件から、僕は自分に何ができるかのモデルを手に入れたのだった。

要するに、あのときのウエイトレスはリミットレスだったのだ。彼女は、僕が100万年かけてもできまいと思っていたことを目の前でやってみせた。名前も知らない人だったけれど、あの人のおかげで僕自身のリミットに対する認識は決定的に変わったし、そのことには感謝してもしきれない。あの人は、僕のマインドセットを作り替えた。ほかの人がずっと多くを成し遂げられるとわかっていながら、自分の脳ではたいした成果が望めないという考えを受け入れるのは、もはや無理だった。僕がやるべきはただ1つ、彼女のようになるためのメソッドを見つけることだった。

本書では、そうしたメソッドの多くをあなたと分かち合いたい。その核心にあるのは、この旅の基本コンセプト、すなわち「制限(リミット)を外す」ことだ。リミットレスになるために重要なのは、誤った思い込みを頭から消し去ることだ。できないと思い込んでいるせいで成果を上げられない人はとても多い。ロジャー・バニスターの話に戻れば、1954年5月6日以前の人々は、「1マイルを4

分以下で走るのは人間の能力の限界を超えている」と固く思い込んでいた。だが、バニスターがそれを成し遂げた46日後、別のだれかがバニスターの記録を破り、1400人以上の選手があとに続いた。1マイルを4分以下で走るのは、いまでも大変なことだ。しかし不可能ではない。その「壁」が取り払われたら、多くの人がやり遂げるようになった。

では、あなた自身は、自分を制限する思い込みを、つまりは固定観念をどうすれば消し去れるのだろうか?

内なる声に支配されるな

固定観念は、その人のセルフトークにしばしば現れる。セルフトークとは、自分が得意なことや、達成を目指して努力していることではなく、自分にはできないと思い込んでいることにフォーカスする内心の声のことだ。その声が「お前には無理だ」と言ったせいで、何かをやめたり、夢を追うのをあきらめたりしたことが何度あるだろうか? 大丈夫、心当たりがあるのはあなただけじゃない。とはいえ、それはあなたのためになっているとも言えない。

ビリーフ(固定観念)修正のエキスパートであるシェリー・レフコーは、僕のポッドキャストでこう語っている。「私たちは、人生が困難なのか楽なのか、家が貧しいのか裕福なのか、自分が重要なのかそうでないのかを知らずにこの世に生まれ落ちます。そこで私たちが目を向けるのは、すべてを知っている2人の人間、つまり私たちの両親です[1]」。両親は、僕らの最初の教師だ。そして悪気はおそらくないのだが、無意識のうちにわが子に固定観念を植えつけ、そこから僕らは抜け出せずにいる。

固定観念は、得意なことをするときにも現れて邪魔をする。たとえば、メモを取るとか簡単な計算をするとか、普段はたやすくできる作業をプレッシャーのかかる状況でしなければならなかったことはあるだろうか？　その重圧のせいで自分に対する疑いが生まれ、作業がうまくできなかったことは？　それが、固定観念に邪魔されている状態だ。自分の頭から出られさえすれば難なくできるのに、内なる声に惑わされている。

では、この状況を人生全体に広げて考えてみよう。キャリアアップに臨んでいるとか、友人を作ろうとしているといった場面でもいい。固定観念が働いていると、人は能力を十分発揮しきれない状況にときとして陥る。そして、「なぜ自分はうまくやれないのか」と悩んだり、「こんな状況は自分にふさわしくない」と思ったりする。

〈クウィック・ラーニング〉の共同創業者であるアレクシスは、子どものころ、僕と同じく学習で苦労した。ただし、原因はまったく違う。韓国出身のアレクシスは、事業経営に苦労する両親のもとに生まれた。裕福な家ではなかったが、両親は真面目に働いてどうにか生計を立てていた。おかげで雨露はしのげたものの、一家4人は韓国のひと部屋しかない半地下のアパートに暮らしていた。やがて2つ目の事業が頓挫したころ、アメリカから在留資格を認める知らせ——7年前に申請していた——が両親のもとに届いた。絶望の淵にあった一家は、再出発のチャンスだと思い、2000ドル相当の借金をしてアメリカに渡った。

アメリカに着いた当初、アレクシスは英語がまったく話せなかった。それは完全なるカルチャーショックだった。周囲で話されている言葉がわからず、文化や常識もまったく違う。両親も英語が話せなかったので、新しい世界を理解するのは本当に大変だった。

アレクシスは新居の近くの学校に通いはじめた。学校での彼女は、おとなしく内気だった。言葉がわからなかったから、昼食はたいていひとりで食べるか、ひとりぼっちだと感じなくてすむようにトイレの個室で食べた。

英語を完全に理解できるようになったのは、それから6年後のことだ。周囲の子どもも教師も、アレクシスがなぜそこまで苦労しているのかわかってくれなかった。移住して2年ほどすると、クラスメートがアレクシスの学習の遅さをからかいはじめた。「どこかおかしいんじゃない?」「ばかなの?」「変なやつ」が、当時たびたび耳にした言葉だった。

学校での苦労は、言葉をあまり必要としなさそうな体育の授業にも及んだ。アレクシスは体操着を忘れた罰として、校庭の片隅で「私は体操着を持ってきます」とノートに何度も書かされたのを覚えている。何を書いているのかわからず、体育の授業には着替えを持ってくるものなのだと、教えてくれる人もいないままに。

20代に入っても、アレクシスは本1冊を読み通すのに苦労していた。学ぼうとするたびに内なる声と闘った。1つの支配的な声が彼女の能力を絶えず批判し疑う一方で、別の小さな声がその批判に疑問を呈していた。アレクシスのなかの何かが、自分は「低能」だという考えを完全に受け入れることを拒んでいた。両親は懸命に働いてアレクシスに第二のチャンスをくれたのだし、そんなふたりを失望させるわけにはいかない。だから、「自分は特別なことを成し遂げられる人間ではない」と感じつつ、「この境遇をただ受け入れるだけが人生ではないはずだ」と思ってもいた。

そうした内なる声に流されて現実を築いていれば、いまのアレクシスはなかっただろう。問題を解決する手だてを探すこともなかったはずだ。しかし彼女はそうせず、代わりに周囲を観察し、周囲から学ぶことで答えを見つけようとした。周囲の人がどんな違ったやり方をして成功と幸せをつかんでいるのか知りたくなったのだ。単なる運や才能なのか、それとも何か法則があるのか。そうして問い続けるうちに、僕の初期のクラスにたどり着いた。その先に何があるのかわからなかったが、何か違うものを求めていたのは確かだった。アレクシスは、希望を実感する必要があったのだ。

1日目は、記憶力のトレーニングをした。8時間に及ぶ濃密な訓練だったが、終わったあと、アレクシスはすがすがしい気分になり、学んだことに興奮すら感じていた。「私の脳はほかにどんな使い方ができるんだろう？」。人生で初めて自分はのろまではないと感じ、学ぶことが楽しくてしかたがなかった。

2日目は、速読に取り組んだ。以前の経験から最初は乗り気ではなかった。ところが、効率の良い読み方を学び、速読の練習をひととおりするとスイッチが入った。突如として、読書のもつ可能性に――また楽しみにも――目覚めたのだ。そして、自分が「のろま」で「ばか」だから物事を理解できないのではないことに気づいた。彼女はただ、どう学べばいいのか、自分の耳のあいだにあるスーパーコンピュータをどう使えばいいのかを教わっていなかっただけなのだ。学習の力を実感するにつれて、長年のネガティブなセルフトークと固定観念は頭の隅に追いやられていった。

そのクラスの修了後、アレクシスは初めて本を1冊読み通し、自分がどれだけ理解できたか、内容をどれだけ覚えられたか、また、その経験をどれだけ楽しめたかに気づいて驚嘆した。

それは、アレクシスの人生の大きな転換点（ターニングポイント）となった。「この状況はどうやっても変わらない」と制限されたマインドセットで思い込んでいた彼女が、頭を作り替えれば目標に到達できることを知ったのだ。生まれて初めて、アレクシスは自分を信じた。そして、自分に何ができるのかを想像しはじめた。

今日のアレクシスは、新しいことを学ぶときに尻込みしない。何かを知らなくても自分を卑下しない。答えを探し出して、それを応用する。さらに学習への熱い思いから、僕と〈クウィック・ラーニング〉のオンラインコースを立ち上げ、自身が経験した変革の物語を世界じゅうの学習者と分かち合っている。

『Mequilibrium（ミキリブリアム）』を共著したジャン・ブルース、アンドルー・シャテー博士、アダム・パールマン博士の3氏は、この種の固定観念を「氷山の思い込み」と呼ぶ。人間が無意識に抱いている思い込みは、水面下の氷山と同じくらい底知れないからだ。「氷山の思い込みは根深く強固で、人の感情の燃料となっている」と、同書でブルースらは述べている。「氷山ががっちりしていればいるほど、人生は思うようにいかなくなる……予定は混乱し、減量の計画は崩れ、手にできるはずのチャンスは遠ざかる」

彼らの主張でおそらく最も重要なのは、この部分だ。「自分の氷山をうまく扱えるようになれば、制御できる感情や人生の総量は飛躍的に増える。氷山がとければ、それが生み出す厄介事もすべて

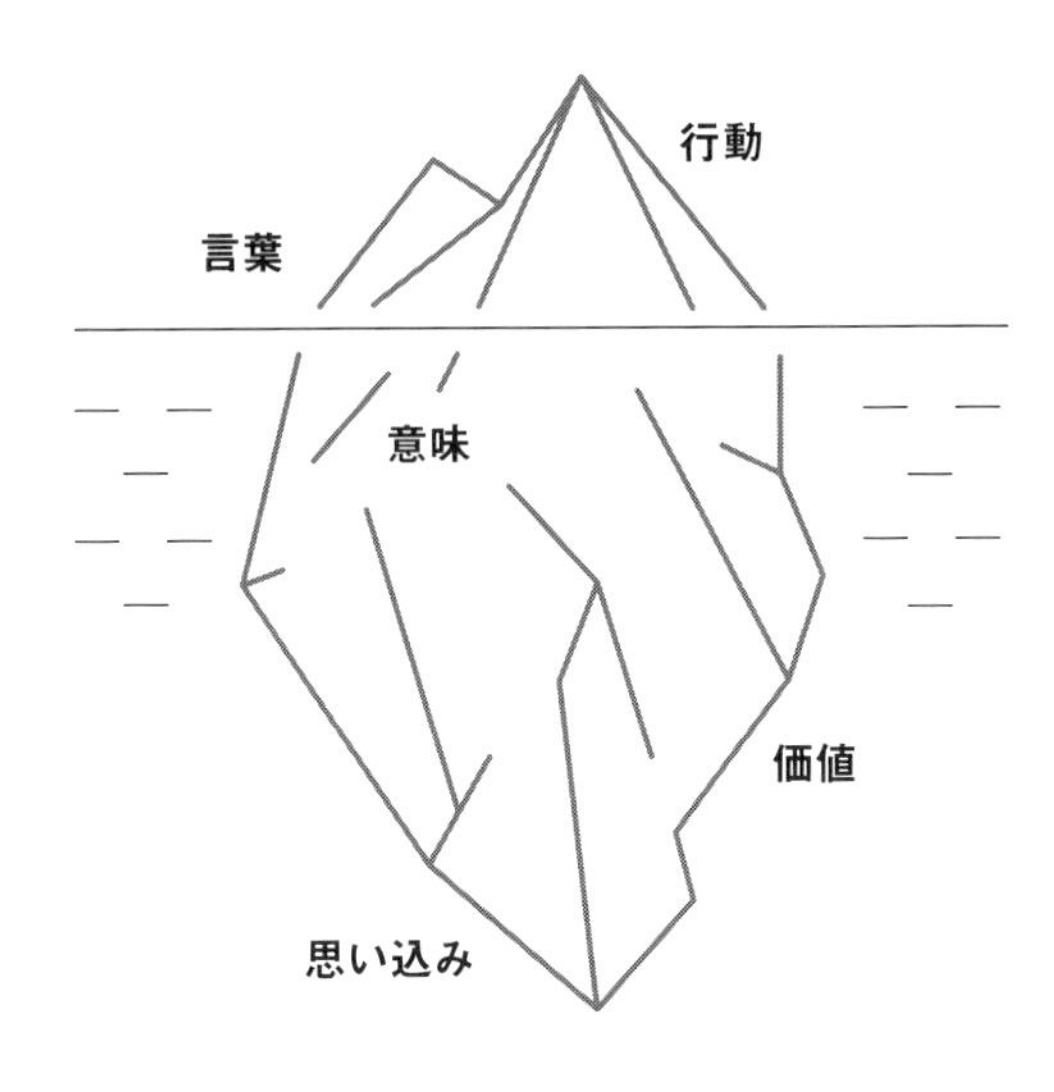

押し流されるのだ[2]」

エモリー大学医科大学院の精神医学・行動科学学部で成人外来精神療法プログラムのディレクターを務めるジェニス・ヴィルハウアーは、内なる批判と向き合ってほしいと説く。「内なる声は、あなたを裁き、疑い、見くびり、能力が足りないと言い続けます。否定的で傷つくことも言います。他人にはよもや口にしようと思わないことも。『まったく頭が悪いな』『ばかじゃないのか』『何もまともにできない』『成功なんて無理だ』と」

ヴィルハウアーは続ける。「内なる批判は無害ではありません。あなたのなかに棲みつき、あなたを制限して、本当に望んでいる人生を追求するのを妨害します。心の平穏や感情面の健康も奪い、長く放置すると、うつや不安などの深刻な精神衛生上の問題を引き起こす恐れもあるのです」[3]

本章の冒頭に登場した、僕らのしくじったスーパーヒーローを思い出そう。彼女に危機を救おうというモチベーションがあったことはまちがいない。そのためのメソッドもまちがいなくもっていた。彼女になかったのはマインドセットだ。内なる批判に能力が足りないと思い込まされ、それでやるべきことをする代わりに、道ばたに座って自分を憐れんでいた。この話のオチはもちろん、「スーパーヒーローが土壇場でヒーローになりそこねた」ことだ。自分の頭のなかから抜け出せず、肝心なときに力を出せなかったのだ。

一方で、この話には別のきわめて重要な側面もある。僕らのスーパーヒーローは、成功に必要なすべてを彼女自身のなかにもっていた、ということだ。自分を抑え込んでいる固定観念さえ覆せれば、その超人的な才能を発揮できただろう。

だからこそ、固定観念を克服することは重要なのだ。

あなたのなかにも潜んでいる4つの才能

天才について考えるとき、あなたの脳裏に最初に浮かぶ人物はだれだろうか? アインシュタインか、シェイクスピアがまず候補に挙がるのではないだろうか。スティーヴン・ホーキング、天体物理学者のニール・ドグラース・タイソン、マリ・キュリー、米国の元最高裁判事ルース・ベイダー・ギンズバーグを挙げる人もいるかもしれない。こうした名前が多くの人の頭に浮かぶのは、その一人ひとりが、僕らが天才とみなす類の知性にとりわけ秀でているからだ。では、ロジャー・フェデラーはどうだろうか？　ジェニファー・ロペスは？　司会者のオプラ・ウィンフリーは？　ガンジーは？　あるいは、あなた自身は？

最後の数人の名前を、あなたが候補に挙げていなかったとしても不思議ではない。たいていの人は、天才というのはある種の知性の尺度に見合う存在だと考えている。その尺度とは、ＩＱ（知能指数）だ。ＩＱのずば抜けた人が天才であり、ＩＱがさほど高くない人は、たとえ優秀で何かに長じていても天才とはみなされない。

いまの言葉に身に覚えがあるあなた、天才をそんなふうにごくごく狭く定義しているのは、あなただけではない。むしろ、そう見ている人が大半だと言ってもいい。しかし、そこには問題が２つある。１つは、その見方のせいで人間の多様な才能を認められなくなっていること。もう１つは、それがあなた自身の才能が見出されるのを阻んでいるかもしれないことだ。

才能にはいくつかの型がある。さまざまな分野の専門家が、人間の才能は（主張にもよるが）主に４つの型のどれかに表れるとの見解で一致している。数千年の昔から存在している、その型とは次のとおりだ。

ダイナモ（発電機）型

創造性やアイデアの斬新さにその才能が表れるタイプ。代表格はシェイクスピア。人間の本質を見事に突いた物語を創り出す達人だったからだ。またガリレオも、空を見上げるときに他人と違った見方ができるダイナモ型だった。ダイナモ型は、世間一般で言われる天才のイメージに最も近い。

ブレイズ（炎）型

人との関わりにおいて非凡さを発揮するタイプ。代表格はオプラ・ウィンフリー。さまざまな属性の人と、頭と心と魂でつながれる圧倒的な能力の持ち主だからだ。人権活動家のマララ・ユスフザイは、その語りで世界じゅうの人々に共感を抱かせられるブレイズ型だ。ブレイズ型は、コミュニケーションの達人である場合が多い。

テンポ（リズム・調子）型

大局的な視点をもち、物事をやり抜くことに秀でたタイプ。代表格はネルソン・マンデラ。過酷な状況に置かれても自分のビジョンを見失わずにいられたからだ。マザー・テレサは、絶望の淵にある人にも一寸の光を見せられたテンポ型天才だった。テンポ型は、ほとんどの人にはできないやり方で長期的な展望を描くことができる。

スティール（鋼）型

細かい作業を厭わず、他人が見落としたか見抜けなかった細部をすくい上げるのが得意なタイプ。代表格はセルゲイ・ブリン。その才能で膨大な量のデータの可能性を見出し、グーグルを共同で創業したからだ。また『マネー・ボール』（中山宥訳、早川書房）を読んだことがあるなら、アスレチックスの元ＧＭビリー・ビーンとスタッフが、データを分析する天才的な能力を通じて野球界に革命をもたらしたことを知っているだろう。スティール型は、情報という情報を手にしたがり、ほかのほとんどの人が見逃しているその情報で、何かを生み出せる先見の明がある。

やってみよう！

あなたの才能はどの型だと思うだろうか？　ここに書き出そう。

自分の才能が２つ以上の型にまたがっていることはよくある。得意なことがデータだけ、共感することだけ、という人はめったにいない。だが、ここで理解してほしいのは、才能とは単に勉強ができたり、元素の周期表を言えたりすることよりもずっと広範な意味合いをもつということだ。つまり、あなたのなかにも才能は潜んでいるのだ。

この言葉を意外に感じたら、ページをさかのぼって以前の章を読み返してほしい。リミットレスになるということは、自分本来の才能を解き放つということだ。あなたはシェイクスピアほどのダイナモ型でなければ、オプラのようなブレイズ型でもないかもしれない。それでも、あなたのなかにはいくつかの掛け合わされた才能があり、それらは解き放たれるのを、いや、もっと解き放たれるのを待っている。重要なのは、才能を自由にしてやることなのだ。

ポジティブ思考は脳にも体にも効く

才能を自由にするにはポジティブなマインドセットが欠かせないが、その獲得に役立つツールを授ける前に、ここで1分ほど、なぜポジティブな思考が重要なのかを話そう。

ポジティブな思考と身体の健康には明らかな関連がある。ジョンズ・ホプキンズ大学の研究で、リサ・ヤネク博士は「一般集団において、楽観的な人々は、悲観的な人々より心臓発作などの冠動脈イベントを起こす確率が13％低い」ことを発見した。[4]

また、医療機関のメイヨー・クリニックの記述にはこうある。「楽観主義を主にともなうポジティブ思考は、効果的なストレスマネジメントの重要な要素です。そして効果的なストレスマネジメントには、さまざまな健康効果が期待できます」

その効果には、次のようなものがあるという。

・寿命が延びる
・うつ病の発症率が下がる
・ストレスのレベルが下がる
・風邪にかかりにくくなる
・心身がより健康になる

・心血管系の状態が改善し、心血管系疾患による死亡リスクが減る
・困難やストレスにうまく対処できるようになる[5]

固定観念の攻略法

固定観念を捨て去ることの重要性を伝えるとき、僕がいつも有効だと感じているメタファー（隠喩）がある。制限のかかった思い込みと、制限のない（つまりはリミットレスな）マインドセットの違いを、温度計と温度調節器（サーモスタット）の違いにたとえて説明するのだ。

温度計には1つの機能しかない。環境に反応することだ。温度を読み取ったら、それ以上は何もしない。これとよく似ているのが、固定観念に対する一般的な反応の仕方だ。人は制約の存在を感じ取ると、みずから制限されているように反応し、制限されているように生活する。

一方、サーモスタットは、周囲の環境を読み取ると、その環境のほうが反応するように仕向ける。部屋が寒すぎたり暑すぎたりしたら感知して、理想（設定温度）に沿うように環境を変える。僕らもこれに倣えばいい。自分を制限しようとする内外の要因に出くわしても反応せず、代わりに自分の最も野心的な目標に沿った環境を作り出せばいいのだ。

では、自分を制限する固定観念を最小限に抑えて、スーパーヒーローのマインドセットを育てるにはどうしたらいいのか。僕が考えるに、カギは3つある。

カギ1：固定観念の存在に気づく

ここまで僕らは、固定観念の実例をいくつか見てきた。しかし、その種類はもっとたくさんある（次の第6章で、学習に関する固定観念のトップ7を紹介しよう）。それらは、生まれつきの資質、性格、人間関係、受けた教育など、その人自身を否定する内なる声につながるものと関係している。「自分なんか駄目だ」と言う声がしたら、いまから注意を払ってみよう。その声自体は人生にさしたる影響がないように思えても、だ。

たとえばあなたが、「自分は冗談を言うのが下手だ」と思っているとしよう。それ自体は、あなたにとってたいした問題ではないかもしれない。冗談のうまい人間になることは、人生の懸かった夢や野心というわけではないから。ただ一方で、あなたは「自分は面白みがない」とか「一緒にいて楽しい人間ではない」とも思っているかもしれない。この種のセルフトークは、いずれ重要な社交の場に参加したり、人前で話す必要が出てきたりしたときに、あなたにダブルクラッチを踏ませることになる。だから、自分が「〇〇できない」「〇〇ではない」「〇〇がない」といった言い回しを使っているのに気づいたら、そのたびに慎重に耳を澄ませよう。たとえそれが特殊な状況で、自分を規定するほどのものには思えなくても、こうした自分を貶める言葉は、人生全般の考え方に影響するメッセージをあなたに送っている。

それと同時に、この種の声の出どころも突き止めよう。固定観念は子ども時代に端を発することが多い。しかし、だからといって家族が唯一の出どころというわけではなく、幼少期の社会環境や教育にまつわる体験も、固定観念を生み出すことがある。子どものころに初めて挑戦して、数回やったもののうまくいかなかったので、苦手意識を植えつけられただけの場合もある。

セルフトークが自分をどう制限しているかに気づき、時間をかけてその出どころを見きわめると、心がとても軽くなる。いったん気づけば、それが自分に関する「事実」ではなく、「意見」にすぎないとわかりだすからだ。その意見が間違っている可能性も大いにある。

そうして否定的なことにフォーカスする内心の声を突き止めたら、今度は、その声に言い返してみよう。「こういうことはたいてい失敗する」と心の声が言ったら、こんなふうに返すといい。「これまでうまくいかなかったからといって、今度もそうとは限らない。その意見は胸にしまっておこう」

カギ2：根拠を確かめる

固定観念の根深い問題の1つに、それが多くの場合、事実でもなんでもないことがある。あなたは、人前で話すのが**本当に**下手なのか？　グループを率いるのが**本当に**苦手なのか？　どこにいても、その場のだれよりも**本当に**つまらないのか？　それを裏づける証拠はあるのか？　そうした状況に実際に置かれたことが何度あり、その結果はどうだったのだろうか？

人の感情をひどくいたぶることも、固定観念のとりわけ悪質な点だ。固定観念とあなたの理性が対決したら、争った末にたいていは固定観念に軍配が上がるだろう。だが、そうした心の声のいったいどれだけが現実に根差しているのだろうか。人前で話したときのことを思い出そう（ちなみに「人前で話す」というのは、きわめてよくある心理的ストレスの1つである）。そのとき自分がどう

「人生に限界などない。あなたが作らないかぎりは」

——レス・ブラウン

感じたのかではなく、実際の状況がどうだったのかを。ブーイングを浴びて退場させられたか？　終わってから、ひどい出来だったとだれかに嘲笑われたか？　上司に翌日呼ばれて、「ひと言も話さなくていい仕事に変わったらどうだ」と言われただろうか？

たぶん、そんなことは何ひとつ起きなかっただろう。それどころか、聞き手はあなたの言葉に共感してくれたのではないだろうか。仕事の場なら、メモを取っていたかもしれない。あなた自身も何かしらの手応えを感じたはずだ。だから次はＴＥＤで講演しよう、とはもちろん言わない。だがそれは、心の声が語るあなたより現実のあなたのほうがずっとうまく情報を伝えられることを、確かに証明しているのだ。

それから、この問いについても考えてもらいたい。「自分のパフォーマンスを低下させている要因のうち、実際にどのくらいが、セルフトークがやまないことに起因していると思うか」。これは多くの人にとって切実な問題だ。自信のもてないことをしていると、内なる批判がさわがしくなるので、作業に集中するのが難しくなる……その結果として、十分な実力を発揮できない。これが、固定観念を抑えて黙らせることを学ぶべき大きな理由の1つだ。うまく抑え込めるようになるほど、手強い成長の難題に挑んでいるときにも横やりを退けられるようになる。

だから、自分の固定観念が事実かどうかを調べるときには、次の2つのことも忘れずに自問してほしい。1つ、あなたがその状況で実際に制限されていることを示す証拠は現実にあるのか。そしてもう1つ、その証拠は頭のなかの騒音に歪められていないか。

カギ3：新しい信念を作る

いまやあなたは、自分を縛る固定観念の存在に気づいた。それが事実かどうかも慎重に見きわめた。次はいよいよ、最重要のステップに踏み出すときだ。いま受け入れているLIEよりも信頼でき、将来なるべきリミットレスな自分にとっても有益な、新しい信念を作り出すのだ。

このプロセスは次の章で詳しく取り上げるつもりだが、ここで試しにやってみよう。あなたの固定観念に、「肝心なときにいつも力を出せない」というものがあるとする。あなたはその存在に気づき、事実かどうかを確かめた。するとわかったのは、あなたはプレッシャーがかかると緊張してときどきヘマをするが、本当に失敗したのはほんの数回で、実際には「土壇場でヒットを放った」ときも何回かあった、ということだった。それどころか、よくよく考えると、失敗したときよりも成功したときのほうがずっと多かった。

では、いよいよ新しい信念を作ろう。いまの例で言えば、あなたの新しい信念はこうなる。「最も重要な局面で10割の結果を出すのはさすがに難しいが、プレッシャーが最高潮のときに何度か最高のパフォーマンスを発揮できたことは誇ってもいい」。この新しい信念は、古い固定観念に完全に置き換わるもので、完全に事実にもとづいている。次の重要な場面では、これまでよりずっと健全なマインドセットで臨めるだろう。

さらにもう1つ、同じ状況で使える技がある。僕は長年、大勢の専門家にインタビューをしてきたが、彼らの話がしばしば同じポイントに立ち戻ることを実感している。それは、内なる批判が真の自分の、そして最も賢い自分の声だと信じているかぎり、その声はいつまでもあなたに指図し続けるということだ。それが固定観念だと気づいていないから、「自分のことならわかっている……」と言ったりするのだ。

ところが、この内なる批判に、別の——つまりは真の自分とかけ離れた——ペルソナを作ってやると、その声をいとも簡単に黙らせられる。これはとても有効だし、やってみるとなかなか楽しい。内なる声に、でたらめな名前やふざけた見た目のキャラクターを与えるのだ。できればB級映画みたいな、コミカルでばかばかしいものがいい。それを使って、凝り固まったネガティブな思い込みを笑い飛ばそう。それが頭に浮かんだら、「また出たな!」とあきれよう。その声と本当の自分を区別できるようになるほど、固定観念に邪魔されなくなるはずだ。

ポジティブな感情でチャンスをつかむ

固定観念の攻略法がわかったら、次はリミットレスを目指すあなたの旅に、ポジティブなマインドセットを組み込んでみよう。大胆な計画に聞こえるかもしれないが、マインドセットと成果に関連があることを裏づける証拠はたくさんある。

僕のポッドキャストに出演してくれたジェームズ・クリアーは、『ニューヨーク・タイムズ』ベストセラーの『ジェームズ・クリアー式　複利で伸びる1つの習慣』（牛原眞弓訳、パンローリング）の著者として知られる。クリアーは、ノースカロライナ大学のポジティブ心理学者バーバラ・フレドリクソンの研究を取り上げた文章の前説で、ネガティブな感情が人に与える影響を、「森でトラに会ったら」という仮説を使って説いている。「ネガティブな感情が人間の脳に特定の行動をさせることは、かなり前からわかっている」とクリアーは述べる。「たとえば、トラが行く手に現れたら、あなたは逃げる。ほかのことは眼中になくなる。トラと、トラを見て生じる恐怖、そしてトラからどう逃げ出すかだけしか考えられなくなる」[6]。クリアーがここで指摘しているのは、ネガティブな感情は人が取りうる行動の幅を狭めるということだ。（隠喩としての）トラから逃げることがすべてになり、それ以外はどうでもよくなる。固定観念のようなネガティブな感情に支配されると、人間は生存モードで動くようになり、結果として狭まった可能性の幅に閉じ込められてしまう。

一方でフレドリクソンは、ポジティブなマインドセットがその正反対の結果を生むことも明らかにした。フレドリクソンは、ある実験で被験者を5つのグループに分け、それぞれのグループに短い映像を見せた。最初のグループは、うれしい気分になる映像を見た。2番目のグループは、満ち足りた気分になる映像を見た。3番目のグループは不安を感じる映像を、4番目のグループは怒りを覚える映像を見た。5番目のグループは対照群（特定の条件を与えられないグループ）だった。

その後、被験者は、自分が見せられた映像とよく似た状況を思い浮かべて、その状況をどう感じるかを想像するように求められた。それから、「私がしたいことは……」で始まる20個の文章を完成させるように指示された。すると、不安や怒りの感情を抱いた被験者は、完成させた文章の数が最も少なかった一方で、うれしさや充足感を感じた被験者は、対照群をも大きく上回る数の文章を完成させていた。「つまり、うれしさや充足感や愛情のようなポジティブな感情を経験していると き、人はより多くの可能性を人生に見出すということだ」とクリアーは述べている。[7]

さらに注目したいのは、ポジティブなマインドセットの恩恵が、ポジティブな感情の経験をはるかに超えて長持ちすることだ。クリアーは次の例を挙げている。

「子どもは外を走り回ったり、ブランコをこいだり、友達と遊んだりしながら、体を自在に動かす能力（身体的スキル）、他人と遊んだりチームでやりとりする能力（社会的スキル）、周囲の世界を探求する能力（創造的スキル）を発達させる。このように、子どもは遊びや喜びなどのポジティブな感情を入り口として、日常生活に役立つ有用なスキルを身につける……新たなスキルの探求と創造を促した幸福感はじきに消えるが、スキル自体はその後も生き続ける」[8]

フレドリクソンは、これを「拡張―形成理論」と呼んでいる。ポジティブな感情は可能性の感覚を広げ、心を開かせ、ひいては人生のさまざまな領域に価値をもたらせる新たなスキルやリソースの形成につながる、というのがその理由だ。

「この理論は、先に見た研究と合わせて、ポジティブな感情が、(i)人の注意力と思考力の幅を広げること、(ii)ネガティブな感情がいつまでも立ち現れるのを防ぐこと、(iii)心理的なレジリエンスを高めること、(iv)個人のリソースの形成につながること、(v)もっと幸せで健康な未来に向かう上昇スパイラルを生み出すこと、(vi)人類の繁栄を促進することを示している。さらにこの理論は、重要な規範的メッセージも伝えている。私たちが自分や周囲の人生でポジティブな感情を育むべきなのは、そのとき良い気分になれるだけではなく、それが人の成長や、繁栄や、健康長寿への道にも通じているからなのだ[9]」

内なる批判を黙らせることで生まれる新しいマインドセットは、あなたに可能性の世界を見せてくれる。ポジティブな感情で満たされれば、それまで気づかなかったチャンスも目に入るし、つかめるようになる。そうしてモチベーションが高まれば(というか、これでやる気になれない人がいるだろうか?)、あなたが事実上のリミットレスになる日もそう遠くはないだろう。

第5章のまとめ

より速く学ぶためには、自分の可能性に対して自分自身が抱いている狭い定義をアップデートしなければならない。続く第6章では、人の可能性を制限する固定観念の代表格とも言える、学習に関する7つのLIEを見ていこう。僕は20年以上にわたって学び方を教えるなかで、この手の固定観念を抱え込んでいる生徒やクライアントを大勢目にしてきた。この制約が、あなたの前に立ちはだかる唯一にして現実の障壁だ。結局のところ、「速く読むことは可能だ」と信じないかぎり、速く読めるようにはならない。「お前は記憶力が悪い」と自分自身に説き続けながら、効率的に記憶できるようになるはずがない。こうした「限界」をめぐる催眠状態から覚めてこそ、ほかのこともうまく回りだす。7つのLIEに取り組むことで、あなたがリミットレスになるのを阻む中核的な障害も外せるだろう。それでは、次の章に進む前に演習をしよう。

- 常人離れした技をやってのける人を見た時のことを思い出そう。どんな気づきがあるだろう？
- 内なる批判を別のものに作り替えよう。脳内のその声のキャラクターを、もっとふざけたものにできないだろうか？
- 固定観念を1つ、いますぐ退治しよう。「できない」とつい言ってしまうことはないだろうか？　もしあれば、それが事実でないことを示す根拠を見つけよう。

第6章

学習にまつわる迷信を吹き飛ばす

「私たちに限界があるというのは大きな嘘だ。唯一あるとすれば、それは私たちが信じている限界である」
——ウエイン・ダイアー

本章の問い

あなたが最も頻繁に口にする、自分を制限する迷信はどんなものか？
人の力を奪うそうした迷信には、どうしたら打ち勝てるのか？
自分を制限する迷信をポジティブな信念に置き換えるには、どうしたらいいのか？

あなたは嘘をつかれている。四六時中。ときには自分自身に。自分の可能性を制限するものについて、だれもが誤った情報に絶えずさらされている。その情報（デマ）をあまりに頻繁に受け取るせいで、多くの人がそれを信じるしかなくなっている。問題は、そうしたメッセージが、リミットレスを目指すあなたの旅と真っ向から対立することだ。そうした頭のなかの制限された考え、つまりＬＩＥは僕らにつきまとい、ときとして望まない方向へと向かわせる。いまから、７つのＬＩＥを明らかにしよう。その素性を確かめ、より良いものに置き換えていきたい。

LIEその1：知能は固定的である

一見すると、レイはとてもポジティブな人物だった。事業を営み、人脈も豊富で、常人には考えもつかないような可能性を思い描ける、大きなアイデアをもった人と付き合うのが好きだった。

ところが娘が生まれると、レイは、自分が思っていたほどポジティブではないかもしれないことに気づいた。これまでとは違う種類のマインドセットが、じわじわと、そうしたものにありがちな仕方で現れはじめた。初めは、娘のしつけに関わることだった。娘の行動に手を焼かされるうち、「あの子はどうせ変わらない」と思うようになったのだ。レイの連れ合いが新しいことを娘に教えようとすると、かすかに不快感を覚えた。教えてもできなかったら、あの子ががっかりするだけなのに。娘は「まだ小さいから学ぶのは無理だ」と考えてばかりいることにも気づいた。

ある日、連れ合いがレイを見て言った。「あの子には学ぶ力がないと思っているのか？　いまのまま、まったく成長しないと？」。もちろん、そうは思っていない。娘のことはかわいいし、あの子だって賢くて好奇心旺盛で、日々何か新しいことを学んでいる。「そんなわけがない」と言うのが、どう考えても正しい……けれどもレイは、自分の奥深くでこんなふうにささやく固定観念の存在に気づいていた。「違う、あの子は変わらない」。娘の知能をめぐって、レイは凝り固まったマインドセットと闘っていた。

こうした固定観念はとてもおぼろげだ。自分の制約や他者が抱いていると思われる制約について、はっきり自覚している人はとても少ない。しかしそれは、僕らの幸福と深く関わる場所に染み出す。仕事に、家庭生活に、子どもとの関係に。「これ以上良くならない」と思い込んでいたら、実際に良くなることはない。できると信じずに何かを成し遂げるのは、そもそも恐ろしく難しいのだ。

スタンフォード大学の心理学教授キャロル・ドゥエックは、固定型マインドセットと成長型マインドセットの違いを、次のように説明している。

「固定型マインドセットの学生は、自分の基本的な能力や知能や才能は固定的なものだと考えている。その量は生涯一定で変わらないと。だがそうなると、目標はいつまでも高い水準のままで、自分には手が届かないように思えてしまう。一方、成長型マインドセットの学生は、才能や能力は努力によって、また良い指導や粘り強さによって開拓できると理解している。だれもがアインシュタインになれるとは思わなくても、だれもが努力すればより賢くなれると信じている[1]」

レイもそうだったが、人は普通、自分のマインドセットが固定型と成長型のどちらかなど考えない。家族と同じパターンを知らぬ間に受け継いでいる。そしておぼろげとはいえ、どちらの型を選ぶかは、その人の生きる姿勢に深く影響を及ぼす。固定型マインドセットの人にとって、物事はあるがままだ。それを変える力はこちらにない。けれども成長型マインドセットがあれば、努力次第でどんなこともより良くできる。

もしもレイが、「うちの娘は変われないし、成長もできない」とほんのかすかにでも思っていたとしたら、娘に教える代わりに何をするだろうか？　なだめすかす、反省の時間を与える、ほかのものに目を向けさせるなど、いろいろな手を使うだろう。どれも一時しのぎにはなるが、子どもの成長には役立たない。同じように、大人である僕らが「自分には学ぶ力がない」と思っていたら、知りたいことや知るべきことをみずから主体的に学ぶ代わりに、どうするだろうか？　そんなものは必要ないと思い込む、言い訳をする、他人や環境のせいにする、はたまた気分を良くしてくれるもので問題から目をそむける……。

こうした固定観念は、物心つくかつかないかの時期に生じることが多い。そして、その人の知能や学習能力に対する見方に深い影響を及ぼす。20世紀の初めに考案されたＩＱ（知能指数）の数値と検査法は、本来、勉強で苦労している児童を見つけ出すためのものだった。フランスの心理学者アルフレッド・ビネーと教え子のセオドア・シモンは、その生みの親として、フランス政府の要請で知能を測る検査を開発した最初の科学者に名を連ねている。[2] ビネーらは、人の能力が年齢と関連があることを踏まえて、年齢を考慮に入れたＩＱの検査法を編み出した。また、それはほかの言語や文化にたやすく応用できることでも評価を得た。[3]

それから1世紀以上がたつが、この検査で「知能」が、つまりは、知識と情報を得て取り込む能力が測れるのかどうかについては、いまだに活発な議論が交わされている。ビネー自身は、意外にも検査の使われ方に不満を抱いていた。創造性と情動的知能が度外視されていたからだ。[4] さらには検査が文化的に浸透するなかで、数値を過剰に重視する風潮も生まれた。ＩＱの数値を、知能を定量的に表したものと考える人は多いが、これは正しい見方とは言えない。知能検査で測れるのは、あくまでその時点での学力であって、もって生まれた知能ではないからだ。[5] 今日に至っても、知能検査は、創造性も実践的知能（いわゆる「ストリートの知性」）も、そしてもちろん情動的知能も測っていない。[6] しかし仕事や生活の場において、この３つはますます重要性を増しつつある。

ここで区別する必要があるのは、検査の数値と学習能力の違いである。アイルランド国立大学のブライアン・ロッホは、次のように述べている。「ＩＱは生涯不変だと主張する人々が参照しているのは、じつのところＩＱの検査の数値であり、知能自体のレベルではない。前者は比較的変動が少ないが、後者は着実に増えていく」[7]

著述家のデイヴィッド・シェンクは、著書の『天才を考察する』（中島由華訳、早川書房）で、この点を掘り下げている。シェンクによれば、人はだれしも天才に――あるいは、少なくとも秀才に――なりうるポテンシャルをもっている。にもかかわらず、才能や能力のあるなしを気にしがちなのは、そうすれば自分の人生を舵取りする責任を手放せるからだという。「生まれつきの才能と限界を信じるほうが、精神的に楽なのだ。自分がいま偉大なオペラ歌手になっていないのは、そうなる器ではないからだ。自分が変わり者なのは、生まれつきなのだ。能力は生まれつき決まっていると考えれば、この世はより御しやすく、快適になる。期待という重荷から解き放たれる」[8]（中島訳）

知能はいつでも伸ばせる。だがそれは、成長型マインドセットを育めるかどうかにかかっている。自分の態度を見つめ直そう。話し方に耳を澄ませよう。固定型マインドセットはたいてい、自分が口にする言葉に表れる。ひょっとしてあなたは、「読書は得意ではない」と自分に言い聞かせていないだろうか？　この種の発言は、いまの状況は変わらないし、スキルなど伸ばせないとあなたが思い込んでいることをほのめかしている。そうではなく、「○○はまだ得意ではない」と言ってみよう。この言い換えは、あなたがより良くしたいあらゆることに応用できる。

検査の数値は、あなたの未来を決めない。それで、あなたの学ぶ力や成し遂げる力は測れない。あなたの教育を、あなた自身の手に取り戻そう。

真相その1：知能で重要なのは、「どのくらい」賢いかではなく、「どのように」賢いかだ。知能にはいくつかタイプがある（のちほど詳しく説明しよう）。ほかの多くの能力と同様、知能も態度と行動を掛け合わせたものであり、状況によって変わる。

新しい信念：知能は流動的である。

LIEその2：人間は脳の10％しか使っていない

この迷信を聞いたことがない人はまずいないだろう。学校で初めて聞いた、友人から聞いたという人もいれば、映画やテレビ番組などのメディアを通じて知ったという人もいる。この迷信は一般に、人間の可能性への憧れをかき立てる意味合いで使われる。残りの90％を使えたら、僕らにはどれほどのことができるのだろうか？

起源は諸説あるが、その大半は世論の形成過程で同時多発的に生まれているので、おそらく前後して起きた複数の出来事が下敷きになっているのだと思われる。ある説では、作家で哲学者のウィリアム・ジェイムズによる著書『The Energies of Men（人間のエネルギー）』の一節、「人間は手に入る精神的・身体的資源のごく一部しか使っていない」が起源ではないかとされている。[9] また、フランスの生理学者ピエール・フルーランスの研究を起源とする向きもある。フルーランスは19世紀後半に、脳と神経系がどう働いて協働しているのかを発見したことで知られる。

あるいは、心理学者のカール・ラシュレーが１９２０年代に手がけた研究とも関係しているかもしれない。ラシュレーは、ラットの大脳皮質の一部をなす高次の認知処理をつかさどる領域を取り除いたとき、ラットがその状態でもタスクを学習し直せることを発見した。そこから彼は、「脳のすべての部位が必ずしも使われているわけではない」と（誤った）仮説を立てた。[10] さらには、最初期のＰＥＴ（ポジトロン放出断層撮影法）やｆＭＲＩ（機能的磁気共鳴画像法）検査のニューロイメージに原因があると言う人々もいる。画面に明るいしみが点々と現れ、それに対して、単純きわまりない説明――「何かを手に持つと、脳はこんなふうに反応します」――がなされるだけだったからだ。そうした画像はたいがい、脳のごく一部を明るく表示しているだけだったが、一般の人がそれを見て、「人間は脳のわずかな部分しか一度に使わない」と判断してしまったのだ。[11]

しかしこの当てずっぽうは、その後１００年近くにわたり、無数の広告や映画のなかで生きながらえることになる。小説『ブレイン・ドラッグ』（田村義進訳、文春文庫）を原作とする２０１１年の映画『リミットレス』には、人間は脳の機能の20％しか使っていないという言葉が出てくる。

２０１４年の映画『ＬＵＣＹ／ルーシー』で主張された数値は、「常時10％」。また、リサーチの正確さや、事実や統計を巧みに取り入れた作りで定評があるイギリスのドラマ『ブラック・ミラー』は、２０１７年のある回でこの迷信にスポットを当て、「人間は好調な日でも脳の能力の40％しか使っていない」と説明した。こうした一連の筋書きが着目していたのが、「人間の最大にして秘められた潜在能力を解放する」というアイデアだろう。

言うまでもなく、この迷信は広く浸透している。しかし事実ではない。

アメリカのラジオ局ＮＰＲの短い番組アーカイブに、こんなものがある。司会者の前説に続き、映画『ＬＵＣＹ／ルーシー』のある場面の音声が流される。俳優のモーガン・フリーマンが、あの渋いバリトン声で問いを投げかける場面だ。「もしも脳の機能に１００％アクセスできる方法があったらどうしますか？　どんなことが可能になるでしょうか？」

すると、神経科学者のデイヴィッド・イーグルマンが辛辣なコメントを差し挟む。「私たちがいましていることができるのは、まさしく脳を１００％使っているからなんですけどね[12]」

数多くの証拠がこの言葉を裏づけている。多すぎて紹介しきれないくらいだが、ブリティッシュコロンビア州サイモン・フレーザー大学のベイリー・ベイヤースタイン心理学教授が、この迷信の反証となる主要な科学的知見をいくつか説明している。それを僕なりの言葉で紹介しよう[13]。

・損傷した脳の研究により、ダメージを受けて能力を失わない脳の領域は１つとしてないことが、以前の学説に反して証明されている。また脳スキャンから、どんな活動に対しても、脳の全域が活性化を示すことがわかっている。寝ているあいだも、脳のすべての部位には活動が見られる。

・人間の脳は大量のエネルギーを食らう。脳の重さは体重のわずか2%だが、エネルギーはどの臓器よりも多い20%を消費する。40%以下の能力しか使っていない臓器が、それほどのエネルギーを要するとは思えない。

・脳には領域ごとに異なる機能があり、それぞれ協力しながら働いている。数十年に及ぶ脳の大規模なマッピングののち、科学者は、脳に機能のない領域は存在しないと結論づけた。

・脳は「シナプス刈り込み」と呼ばれるプロセスを通じて変化する。そのため、使わない部分が多いと、広範囲に変性する可能性がある（実際には、脳に疾患がないかぎり変性は起こらない）[14]。

要するに、この迷信は事実ではないのだ。科学誌『サイエンティフィック・アメリカン』のインタビューで、ジョンズ・ホプキンズ大学医科大学院の神経学者バリー・ゴードンは、この迷信は「あまりに間違っていてほとんど滑稽なくらいだ」と述べている[15]。

真相その2：もうおわかりだろう。あなたは、いまのあなたが使える脳の力をすべてもっている。

映画やテレビ番組が描く夢の力は、すでにあなたの掌中にある。ただしなかには、脳をめいっぱい使ったうえで、他人よりうまく使える人もいる。身体を100%使いながら、より速く、より強く、より柔軟にエネルギッシュに使える人がいるように。その域に達するカギは、できるだけ効果的で効率の良い脳の使い方を学ぶことだ。本書を読み終えるころには、あなたもそのツールを手にしているだろう。

新しい信念：脳のすべてを、できるかぎり最高の方法で使えるようになる。

LIEその3：間違うのは失敗するのと同じこと

アインシュタインの名前を耳にするとき、僕らは、ほとんどの者には手の届かなさそうな類いの才能や知的な功績を思い浮かべる。その名前が知性とほぼ同列に語られるのは、アインシュタインならではのことだ。アインシュタインは科学全般の、わけても物理学の発展に、今日のどの科学者より大きな貢献を果たした。彼の発見から、現代の最重要と言うべきテクノロジーのいくつかが生まれた。

そうした輝かしい名声から、アインシュタインはめったに間違いをしなかったはずだと推測するのはたやすい。だが、実際はそうではなかった。第一に、アインシュタインは発達が「遅く」、平均以下の学生だと思われていた。[16] 早い段階から、彼の考え方や学び方は周囲と違っていた。たとえば数学の難問は嬉々として解いたが、「易しい」問題を解くのはあまり得意ではなかった。[17]

やがて学者になったアインシュタインは、自身を代表する仕事のいくつかで、単純な数学の間違いをする。相対性理論の証明段階での7つの有名なミスを筆頭に、実験に関わる時刻の同期ミス、流体の粘度の算出に用いた数学と物理学の計算における多数のミスなど、その数はけっこう多い。[18]

では、アインシュタインは間違いをするから無能な人間だと思われていたのか？　違うだろう。何より彼は、間違えても前進をやめなかった。実験し続け、科学界に貢献し続けた。アインシュタインの有名な言葉に、こんなものがある。「間違えたことがない者は、挑戦したことがない者だ」。そもそもアインシュタインを、彼の犯した間違いで覚えている人はいない。覚えているのは功績だけだ。

だとしたら、なぜ人は間違いをひどく恐れるのだろうか？　これは根の深い問題だ。学校時代に、僕らは間違いによって評価される。テストでいくつ間違えたかで成績が決まる。授業で当てられて間違った答えを言おうものなら、恥ずかしくて二度と手を挙げられなくなる。残念ながら、間違いは学ぶためのツールとしてはあまり使われず、能力を測る手段として使われる。そして間違えすぎると、試験に落ちたり落第したりする。

この状況を変える必要がある。自分の能力を生かせていない人があまりに多いのは、間違うことを恐れすぎているからだ。間違いを失敗の証しではなく、挑戦している証しだと捉えよう。

GEの副会長を務めたベス・コムストックとそのチームは、同社が投資して開発した一連の新製品を廃棄せざるをえなくなったときに、そのことを学んだ。著書の『Imagine It Forward：Courage, Creativity, and the Power of Change（未来志向で想像する：勇気と創造性と変化する力）』で、コムストックは、企業とその従業員がより速く適応し変化することをますます求められている現状について語っている。[19] コムストックたちの場合は、チームの犯した間違いを「失敗」ではなく「重要な教訓」として見られたことが、新たな製品の開発につながり、それが会社を前進させたと彼女は振り返る。[20] つまりコムストックたちは、間違いをひきずる代わりに、そこから何を学べるかを考えたのだ。

真相その3：間違いと失敗はイコールではない。間違うのは、あなたが新しいことに挑んでいる証拠だ。完璧でなければと思ってしまうかもしれないが、他人と自分を比較しても意味はない。どうせ比べるなら、昨日の自分と比べよう。間違いから学ぶとき、その間違いは、過去の自分を超えるための力を授けてくれる。

それから、あなた自身とあなたのした間違いを同一視しないように気をつけてほしい。間違うこと、個人としてのあなたがどうかには関係がない。「だから自分は駄目なんだ」という結論に飛びつくのはたやすいが、あなたは間違いをする側であって、間違いがあなた自身を規定するわけではない。してしまった間違いは足元に置き、踏み台にして次のレベルに上がろう。どう間違うかではなく、その間違いにどう対処するかが、あなたという人間を決めるのだ。

新しい信念：単なる失敗は存在しない。学ぶための失敗があるだけだ。

LIEその4：知識は力である

「知は力なり」という言葉を聞いたことがあるだろう。多くは学ぶ意義の説明として、知識自体が力を授けてくれるような意味合いで使われる。また、逆の意味で使われるのを聞いたこともあるかもしれない。交渉の席などで、自分の手のうちを相手から隠すために持ち出される場合もある。

この「知は力なり」は、哲学者のフランシス・ベーコンの言葉とする見方が一般的だ。もっともこの表現を最初に使ったのは、ベーコンではなくトマス・ホッブズだったらしい。ベーコンの秘書をしていたホッブズは、1651年の著書『リヴァイアサン』（角田安正訳、光文社古典新訳文庫ほか）で「知は力なり」を意味するラテン語「スキエンティア・エスト・ポテンティア」を初めて使い、のちに1655年の『物体論』（本田裕志訳、京都大学学術出版会）で、その考えを膨らませている。あいにく時代とともに、ホッブズの本来の言葉は省略されてしまった。本来の表現で、ホッブズはこう言っている。「知識を学ぶのは力を得るためであり、定理を使うのは問いを構築するためである。そしてあらゆる思索は、なんらかの行為をなすこと、あるいはなされたことを目的としている[21]」

つまり、知識は大事だが、それを力にするのに必要なのは「なんらかの行為をなす」ことだというわけだ。現代の文化は、まさしくこの部分で行き詰まっている。前述したように、僕らは日々膨大な情報にさらされている。人類史上、類がない量の知識が手に入るのに、この情報の氾濫によって、行動することがますます難しくなっている。

僕はかつて「知は力なり」を信じていた。「脳の壊れた子」だったころ、僕が何より望んでいたのは、クラスのほかの子と同じように学べることだった。ところが、それが叶ってすぐに気づいたのは、単に知識があれば人と差がつくわけではないということだった。肝心なのは、その知識をどう使うかなのだ。

真相その4：知識は力ではない。力となる可能性があるだけだ。本書を読んで、書かれていることをすべて学んでも、それを取り込んで応用しなければ何にもならない。世界じゅうのあらゆる本も、ポッドキャストも、セミナーも、オンラインプログラムも、考えるヒントをくれるSNSの投稿も、そこから得た知識を行動につなげないかぎり、力にはならないのだ。

学んだことについて語るのはたやすいが、僕はあなたに、それを言葉ではなく行動で見せてもらいたい。うまく語るよりも、うまくやってみせる。ただ約束するのではなく、実際の行動で証明する。そうすれば、結果がおのずと語ってくれるだろう。

新しい信念：知識×行動＝力

LIEその5：新しいことを学ぶのは大変だ

「学習」という言葉から、多くの人は学校を連想する。「学校にはいい思い出しかない」と言う人は少数派だ。たとえ勉強は良くできても、学校という場所で、僕らは若さゆえの痛みと向き合い、初めての恋をし（たぶん失恋も）、飽き飽きするほどの退屈を味わう。勉強で苦労した人は、それに加えて、恥ずかしさや疑いや、「自分は頭が悪いから学習できない」といった消えがたい感情もその言葉に抱く。学習について考えるとき、困難や葛藤を思い浮かべる人が多いのも無理はない。

分子生物学者のキャロル・グライダーは、がんの解明と治療に大きな期待がかかるテロメア（染色体の末端部にある構造）が年齢とともに変化することを突き止め、２００９年にノーベル賞を受賞した。[22] グライダーはジョンズ・ホプキンズ大学の分子生物学・遺伝学部部長で、ブルームバーグ殊勲教授とダニエル・ネイサンズ教授という名誉ある肩書きももっている。それほど輝かしいキャリアの持ち主なら、学校時代は優等生としてさぞかし評判だっただろう、と思うかもしれない。ところが、現実はその逆だった。

「小学生のころの私は、文字を書くのも話すのもおぼつかない子だと思われていました。それで補習クラスに入れられたのです」とグライダーは振り返る。「担当教員が来て、教室から別の部屋に連れていかれました。私はほかの子よりも頭が悪いんだ、とはっきり思ったのを覚えています」[23]

グライダーは、ディスレクシア（難読症）であることがわかった。言語を処理する脳の領域に関わる学習障害の一種だ。ディスレクシアを抱える人々は、話された音を聞き分けたり、それを文字や言葉に結びつけたりするのが難しく、読み書きや、ときに会話でも苦労する。[24] グライダーは、自分が遅れていると感じた。乗り越えるのは難しい状況だったが、あきらめなかった。

「足りない能力を補う方法を考え続けました。文字が書けなかったので、そのぶん覚えるのは得意になりました。それでのちに、化学や解剖学といった記憶力を問われる授業を取ってみたところ、かなり良くできることがわかりました。キャリアを計画したことはありません。できることをただがむしゃらにやって、障害になりそうな多くのものを乗り越えたのです。そうやって私は前進しました。その時々の状況に適応することは、私が早くから身につけたスキルです」[25]

最初こそ苦労したものの、グライダーは、みずからの障害を埋め合わせるほかの手段を見つけた。そして、適応する能力で学べるようになったばかりか、がんの見方を一変させる研究に貢献できるほどの問題解決力も身につけた。学ぶことはグライダーにとって簡単ではなかったが、そのおかげで障害を克服する方法を見つけ出した。肝はやはり、「どのくらい賢いか」ではなく「どのように賢いか」なのだ。グライダーは学習を通じて自分なりの問題解決法を編み出した。そしていまや、世界に影響を与えるキャリアを手にしている。

学ぶことは確かに、いつでも簡単だとは言えない。それでも努力は必ず実を結ぶ。実際、学習は少し大変なくらいがちょうどいい。楽をしても、すでに知っている以上のことはなかなか身につかない。なまった刃で木を切ろうとしたら、研いだ刃で切るより時間も労力もずっとかかるのだ。それと同様に、モチベーションやメソッドが適切でないと、学習速度が落ちて学ぶことがとても大変に感じられる（この問題への対処法はあらためて紹介しよう）。

そこで大事なのは、小さくシンプルなステップで取り組むことだ。石工を例に取ろう。石工はじっと座って、永遠にも感じられるあいだひたすら石を打ち続けるが、石には小さな欠けやへこみしかできない。ところがあるとき、石はパカンと割れる。そのひと打ちで割れたのか？　違う。地道な努力を積み重ねた結果として割れたのだ。

あなたも石工のように学習に取り組もう。そのためには忍耐強くなり、ポジティブに考える必要がある。自分のニーズにしっかり耳を澄ませる必要もある。手持ちの本1冊で最良の結果を出せるなら、言うことはない。だが、それが自分に合わないとわかったら、そのやり方にこだわる必要はない。自分に合うほかの学び方を探そう。

学ぶことは大変ではないと、ただし努力は必要だと知ろう。といっても、想像するほどではないはずだ。重要なのは「こつこつ続けること」。粘り強く、何度でもあきらめずに挑戦しよう。そうすれば、知識という得がたいご褒美を手にできるのはもちろん、根気よく取り組む力を育むことで、人間的にも成長できるだろう。

真相その5：新しいことを学ぶのは大変なときもある。もっと正確に言うと、学習とはメソッドの集積なので、学び方さえわかれば、いまよりまちがいなく簡単に学べるようになる。

新しい信念：新しい学び方を学んだら、学ぶことは楽しく、簡単で、心躍る挑戦になる。

LIEその6：他人の批判には耳を傾けるべき

何年か前、僕は、作家のディーパック・チョプラが主催するイベントで基調講演を務めた。出番が終わると、観客席に座ってプログラムの続きを見ていた。すると、背の高い人が向こうからやって来て、僕の前にぬっと立った。目を上げると、そこにいたのはなんとジム・キャリー、僕の大好きなコメディ俳優だった。

　僕らは会場のロビーに移動して、創造性をテーマに深い会話を交わした。そのときに、ジムがこう言ったのだ。「実はいま、『ジム・キャリーはMr．ダマー』〔訳注　1994年にアメリカで公開されたジム・キャリー主演のコメディ映画〕の続編の製作にかかっていてね、役作りのためにもっと頭を使えないかと思っているんだよ」

　数週間後、僕はジム・キャリーの自宅で、ブレインコーチとして彼とともに1日を過ごした。レッスンの休憩時間に、キッチンでグアカモレ（アボカドを使った僕のお気に入りブレインフード）を作りながら、僕はジムに尋ねてみた。「いまの演技スタイルはどこから思いついたのですか？　かなり個性的だし、カメラの前ではちょっと極端なこともされますよね」。するとジムはこう答えた。「僕があいうふうに演じるのは、僕の映画を観てくれる人たちに、ありのままの自分を受け入れてほしいからなんだ。この世で最も笑うに笑えない喜劇は、他人の目を恐れて、本来の自分を表現するのをやめたり制限したりすることだと思うんだよ」。この言葉は、ほとんどジムの信仰に近い。彼はそれを「人々を不安から解放する」と称して、アイオワ州マハリシ国際大学の卒業式の来賓スピーチで、次のように具体的に語っている。

「私はこれまでずっと、人々を不安から解放することを人生の目的にしてきました……皆さんはどんな務めを人生で果たしたいですか？　皆さんのどんな才能を世界は求めていると思いますか？　皆さんが見出すべきことはそれだけです……だれかのためにできることは、この世で最も価値ある通貨です。形あるものはやがて腐って朽ち果てます。皆さんがこの世に残せるのは、皆さんの心のなかにあるものだけなのです[26]」

地球上で最も速く学べるのは、子どもたちだ。それは1つには、子どもが他人の目を気にしないからである。子どもは転んでも恥ずかしがらない。歩き方を覚えるまで、300回転んで300回立ち上がり、それを恥だと思わない。ところが成長するにしたがって、そんなふうに開き直るのが難しくなる。歌のレッスンやプログラミングの授業を受けていても、音程を外したりミスをしたりすると、縮こまるかその場でやめてしまう。

リミットレスになるために必要なのは、他人に批判されることへの恐れの手放し方を学ぶことだ。歴史を見わたせば、周囲の否定的な意見を乗り越えて大成した例がいくらでも見つかる。ライト兄弟は、機械で空を飛ぶという偉業を成し遂げたが、当初、それを称える声はほとんどなかった。1903年12月17日の初飛行から帰郷した彼らを待っていたのは、ブラスバンドでも葉巻タバコでも紙吹雪でもなく、疑いの目だった。

ライト兄弟の伝記を書いた著述家のフレッド・ケリーは、故郷の人々が、ふたりの達成したことをなかなか信じようとしなかったと書いている。ある住民はこう言った。「お前さんたちは嘘をつくような人間じゃないし、そんなお前さんたちが機械で空を飛んだと言うなら、信じよう。だがな、カロライナの海岸は特別に条件が良かったんじゃないかね。ほかの場所じゃ当然そうはいかんよ[27]」

熱狂的な反応、とは言いがたいだろう？

新聞やメディアも兄弟の達成を報じなかった。ケリーによれば、当時の著名な科学者が、人が空を飛べない理由を早々に説明していたため、どの記者も笑われるのを恐れて記事にしたがらなかったのだという。[28] 編集者も、「飛行は科学的に不可能」だとする、実績ある科学者の主張を正面きって否定する記事を刷ろうとしなかった。だが世間に認められなくても、ライト兄弟は動じなかった。自分たちはまだ道なかばだとわかっていたから、空飛ぶ機械の改良に取りかかったのだ。そして、やがてその功績にふさわしい承認を得ることとなった。

新しいことに挑戦すると考えるだけで、他人の意見に恐れを抱く人は本当に多い。ライト兄弟の話からわかるのは、世間の想像力はかくも貧弱で、目の前の現実と自分たちの思い込みを簡単には一致させられない、ということだろう。

真相その6：望みどおりの人生を生きることは恐ろしい。だが、それより恐ろしいものは何か。後悔だ。いつか僕らは最後の息を吸う。他人の意見や自分の恐れはどうでもよくなる。そのとき問われるのは、どう生きたかだ。他人の無益な批判には耳を貸さないようにしよう。そうした人は、あなたが何をしようと疑い、批判する。あなた自身も、自分を不当に裁くのをやめないかぎり、自分の真の可能性には気づけない。他人の意見や期待に人生を牛耳られるのは、台無しにされるのは、もうやめよう。

新しい信念：自分を好きになるのは、大切にするのは、尊敬するのは、だれかの仕事ではない。私の仕事だ。

LIEその7：才能は生まれつきのもの

ブルース・リーは今日、映画スター、哲学者、またはスポーツ史上屈指の格闘家として知られる。だが「才能は生まれつきのもの」だとしたら、その生い立ちからリーの将来像を見抜くのは難しかっただろう。

リーの一家は、リーの生後間もなくサンフランシスコから香港に移住した。[29] じきに香港は日本軍に占領され、リーは政治的にも社会的にも混乱する土地で育つことになる。少年時代のリーは、究極のはずれ者としての困難に直面した。生粋の中国人ではないので同級生に笑いものにされ、かといってイギリス人でもないので、通っていた私立校ではよく「東洋人」とからかわれた。いつでも気を張っており、そのためトラブルを切り抜けるために拳に頼るようになった。[30] ケンカはリーの一部になりだした。成績は低く、学校での小競り合いも絶えなかったので、別の小学校に転校させられた。

13歳のとき、リーは詠春拳（えいしゅんけん）の大家で、彼の師となる葉問（イップ・マン）に出会う。リーは入門を許され、カンフーの流れを汲むその武術を習いはじめた。そこでもリーは、彼のような者が詠春拳を学ぶのは「ふさわしくない」と感じる中国人の子どもたちから嘲りを受けた。リーはつねに自分自身と自分の能力を証明しなければならず、ケンカの舞台はおのずと路上（ストリート）に広がった。このような内面の緊張と、ギャングの抗争激しい当時の香港の情勢とがあいまって、リーは勉強そっちのけでケンカに明け暮れるようになる。闘志に満ち、闘う術も心得ていたリーは、やがてストリートで知らない者のない存在となった。

ある日、とりわけ激しいストリートファイトのあと、警察の高官がリーの両親を訪れて、リーが逮捕されることになると告げた。その前の晩にリーがボコボコにした少年が、その高官の息子だったのだ。リーの父親はただちに息子をアメリカに送り返す手配をした（まだアメリカの市民権をもっていたのだ）。かくしてポケットに入れた100ドルとともに、リーは旅立った。「下船後はたいていの中国人の子がするように、最初はレストランで皿洗いや雑用をしました[31]」と、リーはのちにインタビューで語っている。そうした日銭仕事でどうにか暮らしを立てながら、やがて武術を教えはじめた。

リーは教え方がうまかった。しかも教えることに熱心で、人種や育ちの別なくだれでも生徒として受け入れた。ところがそのやり方が、（リーが道場を構えていた）カリフォルニア州オークランドの中国人コミュニティの反感を買ってしまう。中国の武術を中国の血を引かない者に教えるなどあってはならない、というわけだ。そしてついに、リーは教える権利を防衛する必要に迫られる。中国人の伝統主義者が、リーが勝てば道場を続けてもいいが、負けたら道場をたたんで中国系以外に教えるのはやめろと、決闘を挑んできたのだ。

リーのスタイルは、どの武術とも異なっていた。香港時代にリーはダンスのレッスンを受けており、1958年にチャチャの選手権で優勝するほど腕を上げていた。そのダンスで学んだ動きを格闘の技に組み入れたのだ。対戦相手がたいがい足を踏ん張って立つのに対し、リーはつねに足を動かし続け、それが相手の動きに合わせてうまく立ち回るのにひと役買っていた。リーはまた、その後の人生で学んだこともすべて格闘に取り入れた。最終的にリーのスタイルは、詠春拳からボクシング、フェンシング、そしてダンスまで組み込んだものになった。

その決闘は大きな転換点となった――古い道の守護者となるか、それとも新しい道の創造者となるか。当時、妊娠8か月だったリーの妻のリンダは、その場面をありありと、ほとんど笑い事のように覚えているという。リンダの記憶によると、リーは3分ほどで決闘相手を倒した。その敗北の前、相手は部屋を走り回ってリーから逃げようとしていた。

しかし決闘を終えたリーは、勝ったにもかかわらず両手で頭を抱え込んでいたという。自分はこんな闘いをするために修練を積んできたのではない、と彼は妻に言った。リンダによれば、その決闘をきっかけとして、リーはみずからの武道を拓くことになる。

それ以後、リーはもはや知識と教義を1つの箱に収めようとはせず、身につけた技のほとんどを捨てた。詠春拳やカンフー以外の武術から進んで影響を受け、それらを使って、新たな武道の哲学（截拳道〈ジークンドー〉）を作り上げた。後年のインタビューで、リーはこう言っている。「流派にはもうこだわりはない。中国式だとか、日本式だとか、そういうことには関心がないんだ[32]」。その代わり、究極の自己表現の手段としての格闘に目を向けた。「私のもとへ学びに来る人は、護身術を学びたいわけじゃない。動きや怒りや強い意志を通じて、自分を表現する方法を知りたいのだよ」。リーは、どんなスタイルや体系よりも個人が重要だと考えていた。

リーが学問に熱心だったことは知られていない。彼はその不屈の闘志と、対戦能力と、人生観と、さらには従来の思考の箱から抜け出して異なる格闘スタイルを組み合わせることにより、まったく新しい哲学を生み出したことで記憶されている。ではリーは、生まれつきの天才だったのか？　人並み外れた肉体的、精神的、哲学的資質に、生まれながらに恵まれていたのだろうか？

『天才はディープ・プラクティスと1万時間の法則でつくられる』（清水由貴子訳、パンローリング）で、著者のダニエル・コイルは、才能は生まれか育ちかの問題を掘り下げている。コイルは「偉大さは生まれつきではなく獲得できる」ものだと論じる。ディープ・プラクティス（実力よりやや高い目標を設定することで上達速度を上げる練習法）、点火、一流の指導といった要素を通じて、だれでも天才に近いレベルの才能を開花させられるというのだ。[33]

ブルース・リーの娘のシャノンは、僕が毎年主催しているカンファレンスで、父リーの学習や記憶への取り組みについて語ってくれた。シャノンによると、リーは映画スターや武術の指導者として名が売れるころ、すでに何万時間ものディープ・プラクティスを達成しており、少なくともその一部には、少年時代の路上での闘いも入っていたという。あの有名なワンインチパンチにしても、1日で究めたわけではない。そのためだけに何年もハードな練習を続けたのだ。リーは背骨を痛めたあとも鍛錬を欠かさず、体のキレを維持し続けた。それを毎日やると決めてやった。また、彼には点火というモチベーションが、自分がなすべきことをするための燃料もあった。最初の燃料はおそらく、彼が中国系アメリカ人として、中国と西洋双方のルーツから拒絶される土地で感じていた緊張だ。この点火が、のちにリーを究極の自己表現へと駆り立てた。そして最後に、リーは一流の指導者である葉問の訓練も受けた。葉問自身も、幼いころから一流の指導者について修行している。リーが入門したとき、葉問のカンフー歴は数十年に及んでいた。

このように、リーの才能は経験と環境が影響し合って生まれた。それらはリーにはうまく働いたが、ほかの人だったら潰されていたかもしれない。いったい僕らのどれだけが、ケンカの得意な落ちこぼれの少年を見て、「この子は将来一流の指導者と哲学者になる」と予想できるだろうか？

真相その7：才能は手がかりを残す。一見魔法のようでも、その裏に必ずメソッドがある。

新しい信念：才能は生まれつきのものではない。才能はディープ・プラクティスを通じて作られる。

▼やってみよう！

本書を読む前に、7つのLIEのいくつを信じていただろうか？　また、ほかに思い当たるLIEはあるだろうか？　ここに書き出してみよう。

第6章のまとめ

以上の学習をめぐる7つのLIEは固定観念であり、迷信にすぎないと理解することが、リミットレスになるためには欠かせない。このなかのどれであれ、事実だと信じているなら、余計な負荷を抱えていると思ったほうがいい。ここに挙げたのはごく一般的な例だが、人の可能性に制約を課している「社会通念」はほかにもある。よくよく注意して、その素性を慎重に確かめよう。ほとんどの場合、そうした制約は意志の力で乗り越えられると気づくはずだ。

それでは、次の章に進む前に演習をしよう。

- 過去に自分がした間違いのいくつかを、じっくり振り返ってみよう。その間違いによって自分を規定した経験はあるだろうか？　また、その間違いに対する気持ちは、本章を読んでから変わっただろうか？
- 最近（もしくは今日でも）学んだことを行動に移す方法を見つけよう。知識を力に変えると、どんな違いが生まれるだろうか？
- 他人の意見に流されて行動を変えたときのことを思い出そう。自分自身の意見を大事にしたら、同じ状況での自分のふるまい方はどう変わりそうだろうか？

PART 3

リミットレス・モチベーション

――強力で持続する意欲やエネルギーを手に入れる

モチベーション【motivation】（名詞）
行動を起こすための目的。または、特定の方法でふるまうために必要なエネルギー。

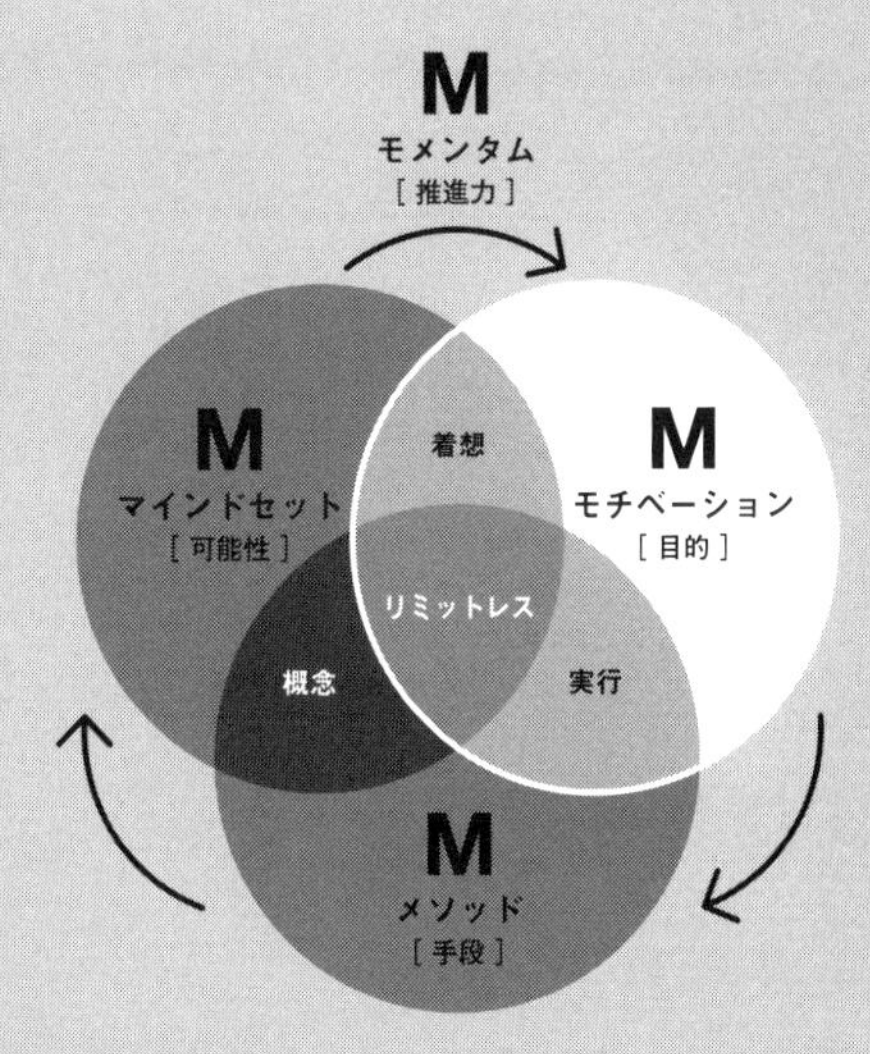

「文化を育むのは人間のモチベーションです。ときどき過小評価もされますが、それは無限の資源なのです」

――リン・ダウティ

映画『リミットレス』で、主人公の作家エディ・モーラは、意欲も集中力も活力もすっかりなくしていた。ところが、ある薬を飲むと急に活発になり、万能になったことで人生が劇的に好転する。モチベーションにもLIEは存在する。そのうちの代表的なものをいくつか解説しよう。第一に、一般的に信じられていることとは違って、モチベーションはマインドセットと同様に固定的ではない。人間のモチベーションに上限はないのだ。「自分にはモチベーションがない」と言う人がいるが、そんなことは絶対にありえない。その人にしても、ベッドに潜り込んだままテレビを見るモチベーションは相当高いはずだ。

また、モチベーションは、やるべきことを楽しまなければならないという意味でもない。僕の友人で起業家のトム・ビリューは運動が嫌いだが、運動するべき明快で納得できる理由があるので、毎朝運動している。僕は冷水のシャワーを浴びるのがとても苦手だが、やはり毎日浴びている（その理由は第9章で説明する）。

最後に、モチベーションは現れたり消えたりするものではない。思考の催眠状態に陥っているとき、僕らはよく「モチベーションが湧かない」と言う。だが、モチベーションは湧いたり湧かなかったりするものではない。それを言うなら、やるかやらないかだ。そして、モチベーションは完全に持続させられる。風呂と違って、しばらくしたら追い焚きしないと冷めてしまう、といったこともない。セミナーで一瞬その気になったら得られるものでもない。モチベーションとはプロセスだ。そして戦略でもあるので、自分でコントロールできる。正しい手順を踏めば、着実に生み出せるのだ。

ここに公式がある。

モチベーション＝目的×エネルギー×S^3

目的、エネルギー、小さくシンプルなステップ（Small Simple Step ＝S^3）。この3つを掛け合わせたときに、持続するモチベーションが生まれる（その究極形がフローの状態）。エネルギーのマネジメントだと考えればわかりやすいだろう。作り、使い、無駄にしない、ということだ。明確な目的や理由は人にエネルギーを与え、日々実践する習慣は、脳やそのほかの体の部位が消費するエネルギーを育む。そして小さくシンプルなステップは、わずかなエネルギーしか必要としない。

PART3では、学習と人生全般に役立つ、強力で持続するモチベーションの育て方を紹介する。「目的を明らかにする」「心身のエネルギーを育む」「小さくシンプルなステップで取り組む」、この3つがその方法だ。ここに「フローの状態に入る」ことも付け加えたい。

目的は、僕らを行動へと促す。あなたはなぜ行動するのか。何を手に入れたいと願っているのか。そのことを理解して、目的を明確にしよう。十分なエネルギーを生み出すことも重要だ。疲れていたり、眠かったり、頭がぼんやりしたりしていては、行動するための燃料を得られない。さらに、小さくシンプルなステップは最低限の労力しか要しないので、大きな目標に圧倒されて身がすくむこともない。最後にフローを見つけられれば、モチベーションは最大限に高まるだろう。

第7章

心に火をつける「目的」を見つける

「理由なくして成果は得られない」

——ジム・クウィック

本章の問い

あなたという人間は、どのような言葉で定義できるか？
あなたの価値は、あなたをどのように規定しているか？
あなたの目的は、あなたをどんな人間だと語っているか？

もうずいぶん長いあいだ、僕の弱点（クリプトナイト）は睡眠不足だった。僕にとって、眠ることが楽だったためしはない。子どものころは徹夜の連続で、長い時間勉強しては学習の遅れを埋め合わせようとしていた。おかげで睡眠障害に悩まされるようになった。学校ではいつもぐったりしていた。それでも努力する気は十分あったし、家族を失望させたくなかったから、疲れていてもがんばった。がんばる目的と理由が明快だったから、それがモチベーションになっていたのだ。ところが、18歳で加速学習のスキルを身につけ、無理に長時間勉強する必要がなくなっても、僕の不眠は治らず、それどころかますますひどくなった。20年近くのあいだ、小刻みの睡眠を毎晩2時間から4時間ほど取れるだけだったのだ。

眠らない時間が長くなればなるほど、現実感を、さらに言えばモチベーションを維持するのは難しくなる。睡眠不足は、人の認知能力、集中力、記憶力、脳の全般的な健康のすべてを損なう。うつや多くの気分障害に共通する原因は睡眠不足だ。僕自身も、睡眠不足のせいで散々な目にあったことがある。講演や海外出張の過密スケジュールにも問題があったのはまちがいない。ある年、僕は235日も家を離れていた。タイムゾーンをまたぐ移動に、時差ボケに、空気の淀んだ慣れないホテルの部屋に……と、そんなことが続いて、脳がいよいよ混乱をきたした。想像してほしい、記憶力のエキスパートが、目が覚めたら自分がどの街にいるのか忘れてしまっているところを！

これには途方に暮れた。というのも、僕は長く瞑想を実践しているので、夜に思考が渦巻いたり考え事が止まらなくなったりすることがないからだ。頭のなかはこれ以上ないくらい平静だった。ところが、眠れない晩が続いて入院するはめになり、それで数年前に、泊まりがけの睡眠検査を受けてみた。すると下った診断は、重度の閉塞性睡眠時無呼吸（OSA）症候群。その身体的な疾患のせいで、毎晩なんと200回以上も呼吸が止まっていることがわかったのだ。

その後、一連の治療を受け、僕の睡眠は見違えるように改善された。閉塞も手術で治せたし、第8章で見るさまざまなツールを使ってたっぷり眠れるようになった。

最もつらかったとき、僕はこの仕事を続ける理由を自問していた。まともに働くエネルギーもないのに、なぜこんなハードなことをしているのか。子ども時代の僕の目的とモチベーション（行動するための動機）は、能力の不足を努力で埋め合わせること、そして「自分はできる」と自分自身に証明することだった。しかし、学ぶ力はもう十分ある。だったらなぜ、ここまでして――疲れ果て、ろくに眠れず、極度の内気なのに――講演に次ぐ講演、動画に次ぐ動画、ポッドキャストに次ぐポッドキャストの仕事を続けるのか？　その答えは、子ども時代の僕を動かしていたものと変わらなかった。僕には、明白で揺るぎない目的がある。「だれも僕のように苦労したり苦しんだりしてほしくない」。僕を動かしているのは、より良い、優れた脳の力を引き出すというミッションなのだ。

もっとも、最大の苦労が転じてその人の最大の強みになることはよくある。少年だったころ、僕の最大の課題は、学ぶことと人前で話すことだった。人生はユーモアを知っているなと思うのは、そんな僕がいまでは人生の大半を費やして、学習に関する話を人前でしていることだ。文字が読めなかったのに、いまや世界じゅうの学習者に、より良い読み方を教えている。脳を理解できずに苦労していたのに、いまでは数千人の聴衆の前で、その人たちがもつすばらしいツールの理解を助けている。こうした経験から学んだのは、困難から得られるものは必ずある、ということだ。それと同様に、20年にわたる睡眠不足は、2つのとても大事な教訓を僕に授けてくれた。

第一に、睡眠不足は、本書の教えを僕自身が身をもって体現することの意義を教えてくれた。これまで学んだツールがなければ、僕が現在のようなパフォーマンスを発揮するのは不可能だろう。だから、教えることはすべて自分でも実践してきた。僕がたいがいの講演に準備なしで臨めるのは、そうしたスキルを日々使っているからだ。僕の人生はスキルとともにある。スキルは僕そのものなのだ。

第二に、睡眠不足は、自分が日々していることをするための目的、アイデンティティ、価値、理由を徹底して明確にすることの重要性を教えてくれた。睡眠が足りないと、手に入るエネルギーや集中力が限られるから無駄にできない。何をしたいのか、なぜそれをするのかをとことんまで突き詰め、優先順位をつける必要がある。この選択の積み重ねが、無尽蔵のモチベーションを引き出してくれたのだ。本章ではそうしたことについて語っていこう。

「なぜ」から始めよ

僕の愛読書『WHYから始めよ！』（栗木さつき訳、日本経済新聞出版）の著者であり、僕の番組でも何度か対談したサイモン・シネックは、自分が何を**なぜ**するのかを他人に伝えることの重要性をしばしば強調する。あなたを動かしている信念――あなたの「WHY（なぜ）」――を説明できれば、相手はあなたが差し出すものを欲しがるはずだ、というわけだ。また、この話もよくする。「人はあなたが**何を**するのかではなく、**なぜ**それをするのかに動かされる。当然ながら、あなた自身がそのことを**なぜ**するのかわかっていなければ、ほかの人にわかるはずがない」

PART1の最後で紹介した、魔法の問いを覚えているだろうか。あの問いの1つを、「これはなぜ使わなければならないのか？」にした理由はここにある（ほかの2つも思い出せるだろうか？）。子どもは「なんで？」という言葉が好きで、しょっちゅう何かを尋ねてくる。周期表や歴史の年号を暗記するのが**なぜ**大事なのだろうか？　そうしなければたぶん忘れてしまうからだ。

目標達成メソッド「SMART」「HEART」

ところでビジネスシーンでは、「目標」や「目的」という言葉がよく使われる。だが、それぞれの意味するところや共通点や相違点について、十分理解できているだろうか？ 目標とは、人が達成したいと願う地点のことだ。そして目的とは、人が目標を達成するために志す理由のことである。

あなたの目標が、週に1冊本を読むことでも、外国語を学ぶことでも、ダイエットをすることでも、家族の顔を見られる時間に帰宅できるよう職場を出ることでも、すべて達成する必要があるのは変わらない。では、どうやって達成すればいいのか。人気の方法の1つに、SMART（賢く）という目標設定のメソッドがある。そう、これも頭字語だ。

Specific（具体的）

目標は、具体的に定める必要がある。「金持ちになりたい」ではなく、「○○ドル稼ぎたい」と言おう。

Measurable（測定可能）

目標は、数値で測れなければ管理できない。「体を鍛える」という目標を数値で測るのは難しいが、「1マイルを6分で走る」なら数値化できる。

Actionable（実行可能）

道も知らずに新しい街を運転するのは無謀だ。目標達成に向けた実行計画を練ろう。

Realistic（現実的）

実家暮らしの身で億万長者になるのは難しい。目標は大きいほうがいいが、大きすぎて挫折しそうなものは避けよう。

Time-based（期限つき）

「目標とは締め切りのある夢」という表現がある。目標達成の期限を設ければ、その目標に届く可能性はぐんと高まる。

SMARTは効果的なメソッドだが、やりにくさを感じる人も多い。このメソッドがよく言えば合理的、悪く言えば頭でっかちだからだ。目標が頭（理念）と手（実効性）の両方をともなうように、それがあなたの感情に沿っているかどうかを確かめよう――HEART（心）の5要素で。

Healthy（健康的）

その目標は、あなたをより健康で幸せにしてくれるだろうか？　目標は、あなたの心身と感情の健康に役立つものがいい。

Enduring（持続的）

目標は、挫折しそうなときにあなたを励まし、支えてくれるものがいい。

Alluring（魅力的）

目標に取り組むのに、いつも険しい顔でがんばる必要はない。目標は思わず引きつけられるような、楽しく魅力的で興味をそそるものにするといい。

Relevant（関連がある）

理由があいまいなまま目標を設定しないこと。目標はできれば、あなたがいま抱えている課題や、あなたの人生の目的や中核的な価値（コア・バリュー）と関わりがあるものがいい。

Truth（忠実である）

近所の人がそうしているとか、親に期待されているなどの理由で目標を決めるのはよくない。目標は、あなた自身が望むことや、あなたの本心に忠実なことにしよう。目標が本心とかけ離れていると、先延ばしやセルフサボタージュ（自分をわざと目標達成から遠ざける行動）をどうしてもしてしまいがちになる。

目的と情熱を混同しない

人生の目的がわかると、自分に誠実に生きられるようになる。人生の目的を知っている人は、自分が何者であり、どんな存在で、なぜいまのような自分になったのかを承知している。そして、自分自身を知っていると、自分の中核的な価値に忠実な人生を生きやすくなる。

人生の目的は、人の人生の中心的な動機となる目的で構成される――つまりは、朝起きる理由だ。

目的は、人生の決断を導き、行動に影響を与え、目標を形にし、方向性を定め、意味を生み出す。僕の人生の目的は、より良い、優れた脳の世界を作ることだ。

英語には、一見同じことを指しているような、入れ替えても意味が通る言葉がたくさんある。たとえば、「nice（感じがいい）」と「kind（優しい）」。この2つは同じ意味合いで使われることが多いが、もとは別々の源から生じている。nice の語源はラテン語の nescius、「無知」という意味だ。一方、kind は、ドイツ語の kin とつながりが深い。kin の原義は、「自然や自然の秩序」または「そのもの本来の特徴や形や状況」。「互いに対する近しい感情」という意味から派生し、「親しみをもって、進んで他人に親切にすること」を意味する言葉になった。[1]

それと同じように、「情熱（パッション）」と「目的（パーパス）」もよく混同される。いずれもネット上で、自己啓発書で、TEDでしょっちゅう語られる。人生に燃え立つような情熱や目的を感じられないと、何かが欠けている気分になりやすい。しかし僕の経験では、両者は同じではない。むしろ一方から他方が生まれている。

情熱を見つけることは、正しい道を選ぶことや、完璧な職業上の使命を見つけることではない。「何が自分の喜びに火をつけるか」を、試行錯誤しながら見定めることだ。情熱は、僕らがありのままの生き生きとした自分を、他人の期待の山に埋もれて声を塞がれていた自分を再発見するときに訪れる。1本の正しい道をたどっていれば自然と見つかるものではないのだ。第6章の迷信のパートで論じたように、固定型マインドセットを成長型マインドセットに置き換えてみれば、人の好奇心が経験や努力や葛藤を通じて育てられることがわかるはずだ。

また、異なる情熱を同時に育てることもできる。どちらか1つにわざわざ絞って探求する必要はない。情熱を見つけることは、真実の愛を見つけることに似ていて、完璧な相手とめぐり合うには何人もの候補と付き合わなければならない。そうして運命の相手を見つけても、魔法のようにすんなりうまくいくとは限らない。関係を築くには努力する必要があるからだ。情熱を見つけることもそれと変わらない――何がビビッとくるかを見きわめるには、試行錯誤が必要で労力がかかる。

要するに情熱とは、あなたの心に火をつけてくれるものなのだ。僕の学習への情熱は、壮大な苦労から生まれ、僕の人生におけるアイデンティティの重要な一部になった。

▼やってみよう！

あなたのいまの情熱はなんだろうか？　3つ挙げてみよう。

一方、目的は人との関わり方に関係している。目的とは、何を世界と分かち合うか、どのように自分の情熱を使うかということだ。それは突き詰めると、「みずからの情熱を通じて他者を助ける」という、僕らのだれもが志す同一の目的に行き着く。人生で最も価値あるタスクは、自分の築いた知識やスキルを分かち合うことだ。それ以上に複雑である必要はない。

あなたの情熱は、水中でカゴを編むような、なんの役に立つのかわからないことかもしれない。だがその技術を分かち合えば、水中カゴ編みは目的になりうる。僕の情熱は「学習」で、目的は「学び方をほかの人に教えること」。これは僕のなかにすっかり根づいているので、あえてしようと思わなくても自然にできる。目覚めた瞬間に取りかかれるし、意欲もあるし、そのことに喜びも感じている。

僕のポッドキャストに出てくれた、グッド・ライフ・プロジェクト社の創業者ジョナサン・フィールズは、情熱は生涯を通じていくつか抱くのが自然だと考えている。人は変わるから、情熱を表現する手段も変わるはずだと。だから、あまりに特殊な情熱で自分を規定していると、人生が変わってその情熱を追えなくなったときに喪失感を抱くかもしれない、とフィールズは言う。そうしたときに重要なのは、情熱の根底にある意味を探って、自分を表現できる新たな方法を見つけることだ。

カーターの例を挙げよう。カーターは、すでに満足のいく仕事をしており、生活にもとくに困っていなかった。眼科技師として患者と日々接しながら働くことや、患者のために力を尽くすことが好きだった。しかしながら、彼の役割ではできることに限界があった。自分の目的を本気で追求するつもりなら、大きな変化が必要だとカーターは悟った。

「もっと患者さんのために働きたかったんです」とカーターは僕に語った。「それで、看護師になるのはどうだろうと思いました。とはいえ、看護課程が大変なことは知っていました。知り合いに何人か看護学生がいるのですが、みんなゾンビみたいにぐったりしていましたし、自分に果たしてやりきれるのかどうかわかりませんでした」

その1年ほど前、カーターは解剖学の入門プログラムを受講していた。「それまで受講したなかでも断トツに難しいクラスでした」とカーターは言った。そのプログラム（科学系専攻ではない人向けの入門クラス〉での経験と、看護の学位取得の難しさを考えるにつけ、カーターは、本当の目的などやはり大それた望みなのかと思わざるをえなかった。

けれどもカーターは、気軽な気持ちから思い立ったわけではなかった。自分はその方向に進むべきだとわかっていたし、パンデミックが起きて、最前線の医療従事者が打撃を受けているのを目の当たりにすると、彼の思いはいっそう強まった。

「現場の人々が直面している負担を減らすために、医療分野に進むべきだと感じました。結局、地元の看護学校への入学を決めたのですが、正直なところ、その課程を修了できるほど自分が賢いとは思えませんでした」

それでも、カーターは自分にあきらめる気がないことを知っていた。そこで僕の〈スーパー・ブレイン〉プログラムを探し出して受講したのだが、それは彼の学習に絶大な効果をもたらした。

「集中力と学習スピードと記憶力を高められることをついに知りました。私の学ぶ力は、有限ではなかったんです。学生時代の成績はずっとAかBでしたが、それは、私がそこそこの出来の学生だったからではなく、学び方を学んだことが一度もなかったのが原因でした。その後は、解剖学の上級コースも含めて、クラスで上位の成績を取るようになりました。自分にできると思いもしなかったことです」

カーターは、小児医療で全国98パーセンタイル（偏差値72前後）の高得点を取り、２０２２年の秋に看護課程の最終学期に入った。カーターはこう語る。看護のクラスの課題に限って言えば、「かつては不可能だったことが、いまでは難なくできる」と。そしてカーターは、最も望んでいた方法で目的をまっとうする一歩手前までたどり着いたのだ。

▼やってみよう！

あなたの人生の目的はなんだろうか？　わかっていればその目的を、まだわからなければ目的になりそうなものを、いくつか書いてみよう。

「私は」に続く言葉で運命は決まる

モチベーションの探求で見落とされがちなものに、アイデンティティがある。自分は何者であるか、もっと言えば、自分は何者だと心の底で思っているかである。英語で最も強力な言葉は、最も短い2単語の組み合わせだとよく言われる。それは「I am」、「私は～」という表現だ。この2語のあとにどんな言葉を続けるかによって、人の運命は決まるとも言える。

あなたが禁煙したいとしよう。医者から注意を受けたのかもしれないし、自分でもうやめようと思ったのかもしれない。だが、自分を喫煙者とみなして、ことあるごとに「私はスモーカーだ」と言っていたら、そのアイデンティティを捨て去るまで禁煙するのは難しい。特定のふるまいにもとづいて自分自身を語るとき、人は事実上、そのふるまいによって自己を規定し、そのふるまいを正当化するように自分を仕向けている。

これは行動変容の要となるポイントなので、強調しすぎてもしすぎることはない。スタンフォード大学のある興味深い研究が、被験者に前もって情報を与えることの効果（プライミング効果と言う）を実証している。研究者のクリストファー・ブライアンは、被験者を2つのグループに分けた。最初のグループは、「投票する」といった表現を含む質問と、「投票することはあなたにとってどのくらい重要か」といった質問に答えた。次のグループは、「投票者であることはあなたにとってどのくらい重要か」といった、若干の変更を加えた質問に答えた。[2] 被験者はまた、近々行われる選挙で投票するつもりかどうかを尋ねられた。その後、ブライアンらは公的な投票記録を使って、被験者の実際の投票行動を確かめた。すると、「投票者」のような個人を規定する表現を含む質問をされた被験者は、単に投票するか否かを尋ねられた被験者に比べて、投票した可能性が13％も高いことがわかったのだ。[3]

新たに築きたい習慣や成し遂げたい目標で自分を規定すると意識的に決めれば、あるいは、もう必要のない習慣に自分のアイデンティティを託すのをやめると決めれば、人はとてつもない力を発揮できる。もしもあなたが、「私は学ぶ速度が遅い」「私は学習できない」とこれまでずっと言っていたのだとしたら、これからは「私は速く効率的に学べる」と言おう。自分の考える自己像に合致した行動をするとき、僕らは最高の力を発揮できる。それは、この世でとりわけパワフルな力の1つだ。その力をうまく利用しよう。

▼やってみよう！

これから60秒間で、「私は〜」で始まる文章を思いつくまま書いてみよう。

価値に優先順位をつける

次に、価値について考えてみたい。よく考え抜かれたすばらしい習慣を打ち立てても、最終的な目標が自分の価値と合致していなければ、その習慣は行動に移されない。だからたとえば、人の名前を覚えられるようになりたい人は、「人間関係と人脈」に価値を置くといい。行動が価値をなんらかの形で支えていてこそ、目標を実現する意欲は生まれる。

価値には階層がある。人生で最も大事なものを問われて、家族を第一に挙げる人は多い。そこで僕は、家族はあなたにとってどんな存在かを問いたい。僕にとって、家族は愛情を授けてくれるものだ。あなたの場合は、帰属感を抱かせてくれるものかもしれない。ここで区別しておきたいのは、家族とは「手段の価値（ミーンズバリュー）」、すなわち目的を遂げるための手段であることだ。一方、「目的の価値（エンドバリュー）」は、愛情や帰属感といった実際の目的になるものを指す。自分の抱く価値が目的（エンド）なのか、それとも別のものを引き出す手段（ミーンズ）なのかは、よく見きわめたほうがいい。

価値には優先順位をつける必要がある。僕の価値は、愛情、成長、貢献、冒険、この順だ。それぞれ次の価値を頼り、支えてもいる。人の価値は、それを変化させる特別な状況――子どもが生まれる、愛する人を失う、人間関係に終止符を打つなど――が起きないかぎり、年ごとにくるくる変わったりはしない。

また、自分と身近な人の価値の違いを認識していないと、衝突が起きやすい。人間関係がギスギスする原因は、たいがい価値の対立にある。あなたの価値が「冒険」と「自由」で、パートナーの価値が「安心」と「安全」だとしたら、意見がたびたびぶつかるのも無理はない。これは、一方の価値が正しくて他方が間違っているということではない。ただ一致していないのだ。たとえ重視する価値が同じ（「尊敬」など）でも、何を尊敬できて何を尊敬できないと考えるかは人によって異なる。「尊敬」の意味について話し合わなければ、食い違いが生じる余地はやはりあるのだ。

モチベーションは理由から生まれる

人生で何をするにしても、理由なくして成果は得られない。僕の睡眠不足の話は、やる気になるのに気分の良さはいらないことの証明だ。気分が良くなければ何もできないというなら、睡眠の問題が悪化したときに脳力開発の仕事などやめていただろう。それに、気分が良いのに「やる」と言ったことをしなかった日がいったいどれだけあるか。やるべき理由が明確でなければ、最高の気分でもやり遂げられないことはある。

目的やアイデンティティや価値と結びついている理由は、人生があの手この手で仕掛けてくる障害に日々直面しているときにも、行動する十分な動機を与えてくれる。元気な70歳が朝の4時35分にジムへ行くのは、そうすることが好きだからではない。寝ていたいのは山々でも、家族と長く過ごせるように健康でいることが、その人のモチベーションになっているからだ。優秀な学生が教科書を開くのは、良い気分だからではない。あこがれの業界でインターンをするチャンスを得るために、試験で高得点を取りたいからだ。

あらゆるタスクの裏には、それをやり遂げるべき理由が（たとえうれしくない理由でも）おそらく存在する。料理が好きでなくても夕食を作るのは、「家族にちゃんとしたものを食べさせたいし、テイクアウトやファストフードに頼りすぎるのは危険だと知っている」から。スピーチが苦手でも引き受けるのは、「プロジェクトを支援してくれる団体を会議で募る必要があり、チームの期待を背負っている」から。経済の授業が嫌いでつまらなくても勉強するのは、「マーケティングの学位を取るにはその授業の単位が必要」で、「学んだスキルを早く実社会で生かしたい」からだ。

学ぶモチベーションが見つからない人や、人生で何もやり遂げられないという人は、そのタスクの「ＷＨＹ（なぜ）」を見出せていない可能性が高い。

そんなときは、自分の情熱や、望ましいアイデンティティや、価値について考えてみよう。それらはあなたの理由をどう支えているだろうか？　人の記憶力は、記憶するモチベーションが強いときに大きく高まることを知っているだろう。反対にモチベーションが見つからないと、人の名前を覚えようとしても、次の会話に移ったとたんに忘れてしまう。

例として、あなたの情熱が「人脈作りの手伝いをすること」で、アイデンティティが「人脈が豊富」、価値の1つが「愛情」だとしよう。あなたが人の名前の覚え方を学ぶべき理由はこうなる。「自分の人脈で人々をもっとうまくつなげて、大切な人たちがより強い人脈を築くのを助けられるように、名前の覚え方を学びたい」

ここで少し立ち止まって、あなたが学ぶ力をつけたい理由を3つ考えてみよう。その理由はこれくらい明確だといい。「義理の父親といつか話せるようになりたいから、スペイン語を学びたい」「子どもの学校の勉強を助けてやりたいから、アメリカの歴史を学びたい」「事業計画を完成させて自社への出資者を見つけたいから、より良いリサーチの方法を学びたい」

次の欄に、あなたの3つの理由を書いてみよう。

理由があれば「やらないこと」も見えてくる

僕の場合は、理由が明確だと何かをするときに迷いがなくなる。それによって、自分を労るために重要な「自分の時間とエネルギー」を守れるのだ。自分の時間、感情、心の健康、空間とそれ以外に境界を設けることは、どんなときにも非常に大事だが、眠れないときにはとりわけ大事になる。睡眠や食べ物などの必要な燃料が足りないと、リソース不足になる恐れがあるので、いまあるものを守ることがとても重要になる。

僕は決断を下すとき、「100％イエス」か「100％ノー」で何事も決めることにしている（あくまでわかりやすい例として）。完全に共感できなければ、そのことに割くエネルギーはないからやらない。FOMO（機会逸失の恐れ）も気にならない。この数週間で社交や仕事関係の集まりに5つほど誘われたが、「本書を書くことに時間を使う」という明確な目的とモチベーションがあったから断った。僕はあなたに、むしろJOMOを称える側に加わってほしい――「機会を失う喜び（Joy of Missing Out）」に。

近頃では、疲れや倦怠感を訴える人がとても多い。それは思うに、自分に向けられるすべての機会や誘いや要求に応えなければならないように感じるからではないだろうか。オープンな心で選択肢を吟味するのは悪くないが、何かに「イエス」と言うときは、自分自身や自分のニーズに知らぬ間に「ノー」と言っていないか、よく注意すべきだろう。

学ばなければ何を失うか

ここであらためて、モチベーションとはなんだろうか？　モチベーションとは、人を動かす燃料になる一連の感情のことだ。では、それはどこから生まれるのか。モチベーションは目的から生まれる。そして、僕らのしたこと（あるいはしなかったこと）の結果を余さず感じ取り、関連づけている。

ここで1つ演習をしよう。本書の知識を使って学ばなかったら、どんな不利益が生じるかをすべて書き出してほしい。現在、または将来に、どんなツケを払うことになりそうだろうか？　たとえばこんなふうに書けるかもしれない。「がんばって勉強し続けても、いまのパッとしない成績や仕事から抜け出せない」「大切な人たちと過ごす時間が取れない」「給料が期待するほど上がらない」。このときに肝心なのは、感情をしっかり味わうことだ。頭だけで考えて書かないこと。人間は自分がどう感じるかにもとづいて判断を下す。その不利益から受けるはずの痛みを心から感じよう。本気で変化してやり抜くには、この作業を避けては通れない。

痛みはあなたの師になりうる。あなたがそれを使って、それに使われるのでなければ。痛みを原動力にして変化を起こそう。このくらい正直に書ければ上等だ。「嫌な仕事をやめられず、お金もろくに稼げず、自分のための時間もだれかのために割ける時間もなく、退屈してイライラしながら、残りの人生を我慢して過ごすことになる」。これは、なんとかしなくては！　いますぐ次の欄に書いてみよう。

さて、ここからはもっと楽しいパートだ。本書のスキルや技術を身につけたら、どんな利益やメリットが得られるかを書き出してみよう。心から楽しみなことや、モチベーションが高まることを挙げるといい。たとえば、こういうのはどうだろう？　「テストでいい点が取れる」「家族と一緒にいる時間が増える」「念願のビジネスを始められる」「世界を旅するために新しい言葉を学べる」「運動して健康になったり、春休みに旅行したり、家族や恋人ともっと過ごしたりする余裕ができる」。あるいは、こんなシンプルなことでもいい。「ついに自分の時間ができて、ひたすらダラダラする！」

もう一度確認するが、あなたの理由は、本物の感情に裏打ちされた説得力のあるものだろうか？本書で学ぶことのメリットを、本気で想像して感じてほしい。さあ、書いてみよう。

目的と価値を合致させる

最後に、ここまで見てきたことを学習に応用しよう。本章を読み返しながら、学ぶことが、あなたの情熱、アイデンティティ、価値、理由のどこにはまるのかを考えてもらいたい。

僕が自分の情熱と目的を見つけたのは、大人になってからだ。苦労して学ぶうちに、僕をリミットレスにしてくれた学習への思いが高まり、ほかの人もそうなれるように学び方を教えることが僕の目的になった。

子どものころは、自分にむち打って勉強し、平均レベルになろうとしていた。解決すべきアイデンティティの問題をいくつも抱えていた。なにしろ「脳の壊れた子」だったし、自分はばかだと思い込んでいたから。こうした自分自身への見方を変えて、「学習できない」という、自分を封じ込めているアイデンティティを捨て去る必要があった。「私は壊れている」ではなく、「私は学習できる」と言うべきだった。

価値については、前にも述べたように、「成長」と「冒険」を重視している。僕にとって、学習はそのどちらにも当てはまることだ。成長に直接つながるし、とりわけ新しいことや挑みがいのあることを学ぶときは、冒険心もかき立ててくれる。それについてあいまいな点はない。学ぶことは、僕が価値に求めるものを直接満たしてくれる。

そして僕の理由の一つひとつが、もっと多くの人の学習を助けられるように、僕の背中を押し続けている。経験者にはわかってもらえるだろうが、本を書くのはなかなか骨の折れることだ。それでも、本書を書く「理由」——僕のオンラインコースを利用するのが難しい、世界じゅうの大勢の人に僕のメソッドを伝えること——は、僕を前に進ませてくれる。

モチベーションを無理に引き出そうとしても、自分を制限している隠れたアイデンティティをそのままにしているかぎり、たいした成功は望めない。行き詰まりを感じたら、目標が価値と矛盾していないかを見直し、どうしたら合致させられるか考えよう。

前章の、人を制限する7つのLIEを思い出してほしい。あれに8つ目を加えるなら、「人間にはモチベーションがあり、毎朝、目覚めると自然に感じられる」となる。実際には、モチベーションは「ある」ものではなく、「する」ことだ。習慣とルーティンからなるもの、価値とアイデンティティに導かれるものであり、突き詰めれば、あなたが毎日行うことなのだ。

第7章のまとめ

情熱を見つけるには、新しいことを経験し、新しい環境に身を置いて、何が自分に火をつけるかを見きわめることが重要になる。制限を感じたり、見た目の悪さを気にしたりしていては、そうするのは難しい。だから制限（リミット）を手放して、その経験を楽しもう。最初は居心地が悪くても、あなたをまったく新しい情熱や人生の目的へと導いてくれるはずだ。

それでは、次の章に進む前にいくつか演習をしよう。

・日頃よく口にしがちな「私は〜」を、いくつか書き出そう。それらの「私は〜」は、あなた自身をどう規定しているように感じるだろうか？
・重視している価値のリストを作ろう。その価値に優先順位をつけて、それらがあなたの思う自分自身とどのように合致しているかを考えよう。
・何かをする前に、「なぜ」を問うことを習慣にしよう。

第8章

脳の燃料補給とメンテナンスを行う10の方法

「体に最高の燃料を与えてあげれば、もっと力が湧くし、強くなれるし、速く考えられます」

――ミシェル・オバマ

本章の問い

脳をできるだけ健康でエネルギーに満ちた状態にするには、どうすればいいのか？
脳の力を最大限に引き出すには、どんなものを食べればいいのか？
どうしたら毎晩ぐっすり眠れるだろうか？

あなたは、明確な目的をもって何かに取り組んでいる。そして、そのプロジェクトなり目標を、小さくシンプルなステップに分解している。それだけすれば、持続的でリミットレスなモチベーションは手に入ったも同然だろうか？

たとえばあなたが、何かの理由から毎日読書することになり、1日に5分だけ読む計画を立てたとする。ところが、それを阻むものがある。疲労だ。心身の活力は、人が活動するための燃料として欠かせない。時間管理の重要性は知っているだろう。それと同様に、モチベーションも、エネルギーをどう管理し最大化できるかがカギになる。

次に紹介するのは、僕が自信をもって薦める、リミットレスな脳のエネルギーを生み出すための10の方法だ。それぞれに対して自分がどのくらい注意を払っているか、10点満点で採点してみてほしい。意外な結果になるかもしれない。

1 脳に良いものを食べる

回復力の専門家であるイヴァ・セルハブ博士は、脳をよく高性能の乗り物にたとえる。「脳は高級車と同じで、プレミアム燃料を得たときにだけ最高の性能を発揮する。ビタミン、ミネラル、抗酸化物質を多く含む良質な食べ物は、脳の栄養になるとともに、脳を酸化ストレスから守ってくれる。体が酸素を使う際に生じる老廃物（フリーラジカル）は、細胞にダメージを与えることがある」[1]。博士はさらに、脳を質の悪い燃料でむりやり動かしても、本来の性能はおそらく引き出せないと説く。たとえば、精製糖は脳の機能を低下させ、炎症を起こし、うつ病の原因になりさえする（がんばった日のご褒美にアイスクリームに手を伸ばすのは、今後はやめておいたほうがよさそうだ）。

『Brain Food（ブレインフード）』『The XX Brain（女性の脳）』の著者で、神経科学と統合栄養学を専門とするリサ・モスコーニ博士は、脳に必要な栄養素がほかの臓器と異なる理由を、僕のポッドキャストのインタビューで説明している。「人間の脳が最高の状態で働くには、45種類の栄養素が必要です。その大半は脳自体で作られますが、残りは食事からとらなくてはならないのです[2]」

脳に効くブレインフード10選

・**アボカド**:血液をさらさらに保つ効果がある、一価不飽和脂肪酸を含む。

・**ブルーベリー**:脳を酸化ストレスから守り、脳の老化の影響を低減する効果がある。記憶力の改善に役立つとの研究もある。

・**ブロッコリー**:認知機能や記憶力を改善することで知られるビタミンKを豊富に含む。

・**ダークチョコレート**:注意力や集中力を高め、エンドルフィン(俗に言う「幸福ホルモン」)の分泌を促す効果がある。認知機能の改善効果が証明されたフラボノイドも含む。ダークなほど糖分の含有量が少ないのでお薦め。砂糖の摂取を控えたほうがいいのは、前述したとおり。

・**卵**:記憶力の向上と脳の強化に役立つ栄養素のコリンを含む。

・**葉物野菜**:脳の老化の影響を低減するビタミンEと、記憶力の改善効果が実証された葉酸を豊富に含む。

・**サーモン、イワシ、キャビア**:脳の老化の影響を和らげるのに役立つ、オメガ3系必須脂肪酸の宝庫。

・**ターメリック(ウコン)**:炎症を抑えて抗酸化力を高めるほか、脳の酸素摂取量を増やす効果もある。認知機能の低下を防ぐとの報告もある。

・**クルミ**:ニューロンを保護して脳の老化を防ぐ効果がある抗酸化物質とビタミンEを豊富に含む。感情の安定に役立つ亜鉛とマグネシウムも豊富。

・**水**:脳の約8割は水分からなる。水分不足はブレインフォグや疲労の原因となり、思考や反応の速度を低下させる。研究により、水をよく飲む人は脳力テストの点数が高いことがわかっている。

良質な食事が健康な脳に直接寄与することはよくご存じだろう。だから脳には、自然が恵んでくれる最良の食べ物で栄養を与えてほしい。このページの上部に、僕が薦めるブレインフードを10種類挙げている。あなたが「野菜なんて見たくも食べたくもない」というタイプなら、リストにいくらか手を加える必要があるかもしれない。だがありがたいことに、脳はダークチョコレートを少量食べると働きが良くなることを示す証拠もある。覚えておきたいのは、食べるものの選択は、とりわけ脳の灰白質にとって大事だということだ。

▼やってみよう!

あなたの好きなブレインフードはなんだろうか? 普段の食事にブレインフードをもう1種類プラスするには、どうすればいいだろうか?

栄養学の専門家モナ・シャルマとは、彼女が医師のマーク・ハイマン博士とともに、フェイスブックの配信番組「レッド・テーブル・トーク」に出演したときに知り合った。

シャルマは、食べ物がいかに人間のエネルギーや、健康の質や、脳の働きに多大な影響を与えているかについて教えてくれた。「良質なオメガ3系必須脂肪酸、野菜に多く含まれる抗酸化物質や植物性栄養素（ファイトニュートリエント）、また消化機能や集中力を高める香辛料などの重要な栄養素は、脳の働きを短期的にも長期的にも支えている」と彼女は言う。脳の能力と活力をめいっぱい引き出してくれる、シャルマの朝、昼、晩（プラスアルファ）の人気レシピを紹介しよう。

モーニング・ブレイン・トニック

【材料（2人分）】

・生姜…5センチ分　皮をむいて薄く切る
・ターメリック（根茎）…5センチ分　皮をむいて薄く切る　※服や調理台にしみがつかないように注意
・浄水…950ミリリットル
・オーガニックの緑茶（茶葉、またはプラスチック不使用のティーバッグ）…2人分
・オーガニックのレモン…2分の1個　果汁を搾る
・黒こしょう…少々

・非加熱のハチミツ（お好みで）

【作り方】

1　ターメリック、生姜、浄水を鍋に入れる。
2　強めの中火でフツフツと沸くまで煮る。緑茶を加え、さらに5分煮る。
3　火から下ろす。レモン汁を加え、黒こしょうを振り、好みでハチミツを入れる。
4　ザルなどでこして温かいうちに飲む。飲んだあとは20分ほど食事を控える。

メモ：あらかじめ「トニックの素」を作っておくこともできる。多めの量のターメリック、生姜、レモンをミキサーにかけ、冷蔵庫で密閉保存する。7日間まで保存可能。湯と緑茶で割って飲む。

モーニング・マジック・スムージー

【材料（1人分）】

・ワイルドブルーベリー（冷凍）…100グラム程度
・ヒカマ（和名：クズイモ）…100グラム程度　皮をむいて角切りにする
・オーガニックのほうれん草…多めのひとつかみ（もっと入れてもOK！）
・ヘンプシード…大さじ2杯

・MCTオイル…小さじ1杯
・オーガニックのスピルリナパウダー…小さじ1杯
・ココナッツウォーター（無糖）…120ミリリットル
・アーモンドミルク（無糖）…120ミリリットル
・氷（お好みで）

【作り方】
材料をすべてミキサーに入れて回す。脳と体に燃料を与えて一日を始めよう！

ブレイン・ブースト・サラダ

【材料（2人分）】
サラダ
・オーガニックのルッコラ…50グラム程度
・オーガニックのほうれん草…50グラム程度
・ザクロの実…45グラム程度
・生クルミ…30グラム程度　細かく刻む
・アボカド…1個　スライスする

・オーガニックの卵…4個　茹でて適当な大きさに切る（ヴィーガン用には、ヘンプシード大さじ2杯とパンプキンシード大さじ1杯で代用する）

ドレッシング

・非加熱のリンゴ酢…大さじ3杯
・エクストラバージンオリーブオイル…60ミリリットル
・レモン汁……半個分
・非加熱のハチミツ…大さじ1杯
・ヒマラヤ岩塩…小さじ4分の1杯
・黒ゴマ（飾り用）…小さじ2杯

【作り方】

1　黒ゴマ以外のドレッシングの材料を、ボウルかシェイカーに入れてよく混ぜる。
2　ルッコラ、ほうれん草、ザクロの実、クルミを大きめのボウルに入れる。
3　2に1をかけて合わせる。
4　2等分して皿に盛りつける。アボカドと茹で卵を半量ずつ盛り、黒ゴマをあしらう。

サーモンとブロッコリーの簡単グリル、スイスチャード添え

【材料（2人分）】

・レモン汁（搾ったもの）…大さじ2杯
・ニンニク…みじん切りで大さじ2杯分
・エクストラバージンオリーブオイル…大さじ5杯
・サーモンの切り身（養殖ではなく天然ものが望ましい）…110〜170グラムを2切れ
・レモンの薄切り…2〜4枚
・オーガニックのブロッコリー…大1個　小房に分ける
・ヒマラヤ岩塩…小さじ2杯
・エシャロット…小1個　みじん切りにする
・オーガニックのスイスチャードかレインボーチャード（和名：不断草）…1束　ざく切りにする
・オーガニックのマスタードシードパウダー…小さじ1杯

【作り方】

1　天板にクッキングシートを敷き、オーブンを200度に予熱する。
2　レモン汁、ニンニク、オリーブオイル大さじ2杯を小さめのボウルに入れて混ぜる。
3　天板の中央にサーモンを置き、2を均等にかける。レモンの薄切りをその上に載せる。

4　ブロッコリー、オリーブオイル大さじ2杯、岩塩小さじ1杯をボウルで合わせ、天板のサーモンのまわりに置く。

5　予熱したオーブンに4を入れて20分グリルする。

6　サーモンとブロッコリーを調理しているあいだ、フライパンに残りのオリーブオイル大さじ1杯を入れて弱火にかける。エシャロットを加え、透き通るまで混ぜながら炒める。スイスチャードと水大さじ2杯を加え、ときどき混ぜながら、スイスチャードが柔らかくなるまで3〜5分炒める。

7　サーモン、ブロッコリー、スイスチャードを2等分して皿に盛る。抗酸化作用のあるマスタードシードパウダーをブロッコリーに振りかける。めしあがれ！

カカオとシナモンと生姜の「ホットチョコレート」

【材料（2人分）】

- アーモンドミルク（無糖）かココナッツミルク（無糖）…950ミリリットル
- 生姜…5センチ分　皮をむいて縦方向に薄く切る
- オーガニックのローカカオパウダー（無糖）…大さじ3杯
- オーガニックのシナモンパウダー…小さじ1杯
- ココナッツシュガー（甘みを足したいとき）…大さじ1〜2杯

・バニラエクストラクト…小さじ2分の1杯 ※バニラエッセンスで代用する場合は量を減らす
・海塩…少々
・シナモンスティック（飾り用）…2本

【作り方】

1 アーモンドミルクと生姜を鍋に入れ、強めの中火にかける。軽く混ぜながら、フツフツと沸くまで煮る。
2 カカオパウダー、シナモンパウダー、ココナッツシュガー、バニラエクストラクト、海塩を加え、粉っぽさがなくなるまでよく混ぜる。
3 もう一度沸いたら火を止める。茶こしを使って生姜を除きながらマグカップに注ぐ。シナモンスティックをカップに1本ずつ入れたら、できあがり！

メモ：夏場は冷やして飲むのもお勧め。また、デザートにするときは、ココナッツクリームを少量垂らせば、甘さとふわっとした口当たりを楽しめる。

2 脳に良い栄養素をとる

前述したように、食事は脳の働きに影響を与える。とはいえ、仕事や生活の都合もあるので、ブレインフードたっぷりの食事を毎回とるのは難しいかもしれない。研究により、特定の栄養素が認知能力に直接作用することがわかっている。信頼できる健康管理の専門家に相談して、どの栄養素が自分に不足しているか確かめるといいだろう。

以前、僕のポッドキャストで、『脳が強くなる食事』（御船由美子訳、かんき出版）の著者マックス・ルガヴェアと、DHA結合型リン脂質をサプリメントでとる効果について話したことがある。脳は、この脂質をもとに健康な細胞膜を作る。[3]これは重要なことだ。というのも、細胞膜は、気分や実行機能、注意力、記憶力に関わるすべての受容体を形成するからだ。また、ビタミンB群は、女性の記憶力を改善すると証明されている。ターメリックに含まれる栄養素のクルクミンにも、認知能力の衰えを予防する効果がある。栄養素と脳へのその効果については、アメリカ国立衛生研究所（NIH）のウェブサイトの一覧表を参照してほしい。[4]

こうした栄養素は、どれも自然界にあるものだが、すべてを食事からとるのは、生活習慣（ライフスタイル）や味の好みもあるので難しいかもしれない。ありがたいことに、これらはすべてサプリメントでも入手できる（ただしサプリメントの質は玉石混交なので、下調べをしてから買うほうが安心だ）。本章で紹介したブレインフードにサプリメントを組み合わせて、脳に必要な燃料を与えてもいいだろう。

3 運動する

「運動をすると、脳は記憶力や思考力の技能を保護するように変化する」と、ハーバード大学広報サイト「ハーバード・ヘルス・レター」の編集長ヘイディ・ゴッドマンは書いている。「ブリティッシュコロンビア大学が手がけた研究で、有酸素運動を定期的に行うことにより、海馬——言語記憶や学習に関わる脳の領域——のサイズが増す可能性があることが判明した」[5]

と、ここまで読んだ皆さんの不満や言い訳の声が聞こえてきそうだ。「運動はつまらない」「運動する時間がない」「ジムの会費が高すぎて払えない」。だが、脳の足かせを外したければ、運動が手っ取り早い方法であることはまぎれもない事実だ。考えてみてほしい。体を動かすと、頭が冴える気がしないだろうか？　脳をトップギアで働かせるために、わざと動き回る人もいる。運動と脳の働きには直接的な相関があるからだ。といっても、そのためにオリンピック級のアスリートになる必要はない。1日10分の有酸素運動でも、大きな効果を得られることを示すエビデンスはたくさんある。体を動かせば、脳もご機嫌に働くのだ。

▶やってみよう！

携帯電話のアラームを1時間おきにセットして、アラームが鳴ったら、何分か体を動かしてみよう。

4 ANTを殺す

ベストセラー『愛と憂鬱の生まれる場所』(廣岡結子訳、はまの出版)の著者であり、僕のポッドキャストの常連ゲストである臨床神経科学者のダニエル・エイメン博士は、ある晩、仕事がことのほか大変だった一日——自殺リスクのある患者、強い不安症状を訴える10代の若者、機能不全の夫婦を診察した——を終えて帰宅したとき、キッチンに無数のアリが這っているのを見つけた。「ぞっとした」と博士は書いている。「さっそく退治しようとしたとき、その3文字(ANT(アリ))が、ふと頭に浮かんだ。このアリだらけのキッチンみたいに、患者たちの脳にもネガティブな思考が充満しているから、喜びや幸せを感じにくいのだな、と気づいたのだ。翌日、私は殺虫剤のスプレーを買ってくると、それを視覚のガイドにして患者の頭のなかのアリをバーチャルに殺してみせた。それからというもの、私は、患者がANTを消すのをせっせと手伝っている」[6]

ANTとは、「automatic negative thoughts(ネガティブな自動思考)」の頭字語。ほとんどの人は、こうした思考の形で、少なくとももときどきは自分に制限をかけている。自分は頭が悪いから本当に望んでいるスキルを習得できない、と思い込んでいるかもしれないし、努力してもしても成果が上がらず、失望の無限ループに落ち込んでいるかもしれない。

ANTはどこにでもいる。それをすっかり消し去れる殺虫剤は、この世に存在しない。それでも人生からANTを取り除くことは、脳のリミットを外すためには欠かせない。理由は単純で、制限に執着していると、その制限をどうしても抱え込むことになるからだ。「できない」「もう歳だから」「能力が足りない」などが口癖になっているかぎり、その人がそれをすることはない。この種の破壊的なセルフトークから踏み出したときにだけ、成し遂げたいことを本当に成し遂げられるのだ。

オリヴィアは、30代になるまでずっとANTと闘ってきた。彼女はこう話す。

「生まれ育った環境は、あらゆる面で自分に不利でした。ポーランド移民の両親のもと、生活に不満を抱え、仕事を忌み嫌い、人生はストレスに満ちて惨めでつらいものだと信じて疑わない家族の姿を見ながら育ちました。私に必要だった類いの助言や導きは、子ども時代には望めませんでした。

両親は腹を立てると、決まって私に怒りをぶつけました。そのため、家にいるときや家族がまわりにいるとき、私は自分の殻に閉じこもるようになりました。いまならわかりますが、幼少期のトラウマの芽生えに耐えていたのですね――自分はどこかおかしい、自分は〝悪い子〟なのだ、という固定観念を育てながら。自尊心なんてないも同然でした」

そうしてオリヴィアはネガティブな思考に頭を支配され、やがて8歳にして薬物中毒になった。ところがある時点で、彼女の直感が、そうした抑圧的なANTから距離を置くようにオリヴィアを促しはじめる。

「どうも変だな、と明らかにわかるんです。何が変なのかはわからないのですが。理屈では説明できないのですが、ただなんとなくピンとくるんです。そうやって私の直感は働きはじめました。この直感的な理解を知的な知識とつなげられたらと願わずにはいられませんでした」

直感が訴えるものを人生の立て直しの計画に結びつけようとしたオリヴィアの試行錯誤は、その後、しだいに実を結びはじめる。

「ようやく健康的なものを食べはじめて、そうすると、集中力や注意力が違うことに気づいたんです。そこから脳の健康に興味をもちました。教えてくれる人も手本になるような人もいなかったけれど、自分のために学びました。それからヨガの指導者養成コースにチャレンジしたところ、物事が動きだしたのです」

オリヴィアは直感を信じ、自分を悩ませているＡＮＴは消せるのだと受け入れた。するとそこから生じたポジティブな変化が、さらに実り多き道へと彼女を導いてくれたのだ。

▼やってみよう！

あなたの最大のＡＮＴはなんだろう？　それをどんな言葉に置き換えられるだろうか？

5　きれいな環境に身を置く

医学誌『ランセット』の２０１８年の記事に、こんな記述がある。「大気汚染は、脳卒中の原因の３割を占めているとされ、したがって世界における脳卒中発生の主要因の１つだと推定される」。記事はこう続く。「脳卒中と心血管危険因子と認知症とのあいだの強い関連性を考えると、大気汚染と認知症にもなんらかの関連があると見ていいだろう」[7]。つまり、あなたが吸う空気の質は、あなたの脳の働き方に大いに関わるということだ。喫煙者とひとつ部屋に閉じ込められたら、その濁った空気を吸いながらまともに考えるのは難しい。反対に、山歩きをしながら新鮮で澄んだ空気を深く胸に吸い込んだら、五感が生き生きしてくるのを感じるはずだ。

大気汚染が蔓延している工業地帯や大都市に住んでいる場合、周囲の空気の質について個人にできることは多くない。だが幸い、家庭やオフィスで使える空気清浄機がある。あるいは、空気のきれいな場所にもっと頻繁に行けるよう自分なりに努力してもいい。

また、きれいな環境は空気の質だけにとどまらない。身のまわりの散らかったものや注意散漫を誘うものを一掃しても、気分がすっきりして集中力が高まる。〝コンマリ〟を見習って、頭のなかをお片づけし、いらないものをきれいさっぱり取り除こう。

▼やってみよう！
自分のまわりの環境をきれいにするために、今日、何か1つできるだろうか？

6 良い仲間と付き合う

脳の潜在能力は、人体の生物学的ネットワークや神経学的ネットワークのほか、社会的ネットワークとも関係している。あなたはあなたが付き合う人のようになる、というわけだ。モチベーションコーチのジム・ローンは、一緒にいる時間が最も長い5人の平均がその人の姿だと言う。それを信じるかどうかはさておき、どんな相手と付き合うかで人生が変わるという考えに、異を唱える人はいないだろう。テンプル大学の最近の研究から、人間――具体的には、この研究では10代の若者――は、ひとりでいるときと他人といるときとで違う行動をすることがわかった。『ニューヨーク・タイムズ』の記事でこの研究を報じたタラ・パーカー＝ポープは、こう書いている。「スタインバーグ博士（論文執筆者の1人）によると、報酬の処理に関わる脳の系（システム）は、社会情報の処理にも関係しているとのことで、仲間の存在が意思決定に大きな影響を与える理由を説明している」[8]

もうおわかりだろう。付き合う相手は、脳の働きにまぎれもなく影響を及ぼすのだ。当然ながら、セルフトークにも影響を及ぼす。ほとんどの人は、自分の考えの少なくとも一部を、相手が自分に対して抱く考えに結びつけている。それどころか、何を食べ、どれだけ運動し、さらにはどれだけ眠るかまでのあらゆることに仲間の存在は影響する。自分のためになる人とそうでない人の見分け方については、世の中にあまたある指南書を読んでもらうとして、ここでは、本章の目的に沿って少し考えてもらいたい。あなたの仲間は、どんな人たちだろうか？　あなたの人生にどのくらい影響を与えているだろうか？　そしてその人たちとの付き合いは、あなたの「リミットレスになる」という望みに、どのような影響を及ぼしているだろうか？

▼やってみよう！

あなたがもっと付き合う時間を取るべき人はだれだろうか？　いま、その人に連絡して、会う約束をしよう。

7　脳を保護する

言うまでもない話だが、脳を保護することは、その力を余すところなく使いたいならとても重要だ。あなたの脳は1つしかない。これから死ぬまでたった1台の車しか持てないとしたら、どれだけていねいに扱うだろうか。きっと、人生が懸かっているかのように大事にするはずだ。

事故は避けられなくても、脳がダメージを受けにくい状況に自分を置けば、最悪の事態を回避できる可能性は高まる。ボディコンタクトの激しい競技や、過激な技を競うエクストリームスポーツなども、この大事な資産をフルに使いたければやらないに越したことはない。制限速度を常時大幅にオーバーしてバイクを飛ばしたりするのもお勧めできない。どうしてもやりたければ、最低でも十分注意して、できるかぎりの安全策を取ろう。

8 新しいことを学ぶ

脳の健康のためにできる最も重要なことの1つは、学び続けることだ。第3章の神経可塑性のパートで話したとおり、人はだれでも、歳を取っても脳のキャパシティを広げられる。

これは言い換えれば、僕らが学び続けるかぎり、脳にも新たな回路が作られ続けるということである。脳を柔軟に保っておけば、新しい情報を適切な方法で処理できる。本気で学べばなおさらだ。新しいスキルをマスターする。新しい言葉に出会う。自分の文化の一部を新たに見出し、自分にとって新しい他者の文化を受け入れる。そのすべてがニューロンを発火させ、新たな回路を生み出す。脳の使い道を増やせば、その能力も増やすことができるのだ。

▼やってみよう!

「これから学びたいこと」のリストを作ろう。何をリストに入れただろうか? ここに2つ書いてみよう。

9 ストレスとうまく付き合う

だれもが、毎日の生活である程度のストレスを抱えている。ときには大きなストレスも経験する。ストレスを感じると、コルチゾールというホルモンが放出され、心身に現れるストレス症状を和らげようとする。ときどきなら問題ないのだが、常態化すると脳にコルチゾールがたまり、正常な働きを妨げることがある。

それだけではない。「慢性的な（長引く）ストレスは、脳の配線を実際に変えるという証拠がある」と、「ハーバード・ヘルス・ブログ」のある記事は論じる。「長期にわたってストレスにさらされた動物は、脳のより高次のタスクをつかさどる部位（前頭前野など）の活動が減り、へんとう体などの生存に関わる原始的な部位が活発になることがわかっている。これとよく似た状態になるのが、体の一部だけを鍛えてほかの部位を鍛えなかった場合だ。よく動かした部分は強くなり、動かさなかった部分は衰える。同じことが、ストレスに常時さらされている脳で起きていると考えられる。ストレスは、その本来の働きから、恐れに対処する脳の部位を強化し、より複雑な思考を扱う部位の強化を二の次にしてしまう」[9]

ここまではっきりわかっているなら、ストレスを減らすか避ける方法をぜひとも見つけるべきだ。本書でも、その対処法をいろいろ提案しよう。

▼やってみよう！

あなたの好きなストレス対処法はなんだろう？　それを最後にしたのはいつだろうか？

10　よく眠る

もっと集中したければ、よく眠ろう。きりっと冴えた頭で考えたければ、よく眠ろう。判断力や記憶力を高めたければ、よく眠ろう。ＮＩＨのサイトにはこうある。

「良質な睡眠――しかるべき時間に十分眠ること――は、食べ物や水と同じように、生きていくためには欠かせません。眠らなければ、学習や新たな記憶の形成に関わる脳の回路を作ったり維持したりすることができず、集中力が低下したり頭の回転が鈍くなったりします。睡眠は、神経細胞（ニューロン）同士のやりとりをはじめ、脳のさまざまな機能を支える重要な役割を果たしています。それどころか脳と体は、睡眠中も驚くほど活発に働いているのです。最近の発見から、睡眠は、起きているあいだに脳にたまった毒素を取り除く『掃除係』の役目をしていることもわかっています[10]」

結論：脳の力をフルに活用するには、よく眠ること、すなわち、質の高い睡眠を十分取ることが不可欠。

睡眠は「選択肢」ではない

「あまり眠らなくても平気だ」と言う人が大勢いるのは知っている。「眠る時間がない」と言う人もいるし、「やることがありすぎて睡眠を犠牲にするしかない」と誇らしげに語る人もいる。しかし、それは間違いだ。あなたがその手の「眠らない人」だとしたら、いますぐ考え直してほしい。

「睡眠は、健康と日々の体の機能全般にとってなくてはならないものである」と説くのは、ジョージワシントン大学精神医学部の臨床准教授で精神科医のジーン・キムだ。「抑うつ、怒りっぽさ、衝動性、心血管疾患など、心身のさまざまな不調に睡眠不足が関わっていることを示す証拠は増えている。ある研究によれば、睡眠は実際に、脳の洗濯サイクルのような役目を担っている。睡眠中に、脳内の血管（とリンパ管）が、日中に蓄積された代謝老廃物を洗い流して排出し、神経毒を取り除くと、細胞の修復を促す成分を行きわたらせる」[11]

オレゴン健康科学大学のジェフ・イリフ博士は、睡眠に関するTEDの講演で、この「洗濯サイクル」について詳しく語っている。イリフは、起きているあいだの脳はほかの活動で忙しいので、老廃物を掃除する余裕がないのだと言う。アミロイドβというその老廃物の蓄積は、いまではアルツハイマー病の進展に関連づけられている。

「目覚めていて最も活発なときの脳は、細胞間の老廃物の処理を後回しにしています。その後、眠りに入って活動が落ち着くと、脳は一種の〝清掃モード〟になり、その日にたまった老廃物を、細胞間のすきまから取り除くのです[12]」

この説明の少しあと、イリフは、世間のじつに多くの人がしていることに警鐘を鳴らしている。睡眠不足を解消するチャンスを得られるまで睡眠を犠牲にすることだ。「睡眠は家事と同じで、地味だし感謝もされないけれど、重要な仕事です。キッチンを1か月掃除しなかったら、家はすぐに住める場所ではなくなるでしょう。ですが脳でそれをしたら、〝汚れた調理台が恥ずかしい〟どころではすまないかもしれません。なぜなら、脳の掃除をしなければ、心身の健康や機能に重大な影響が出るからです。だからこそ、こうした脳のごく基本的な清掃機能を今日理解しておくことは、明日の心の病気を予防し治療するためにも重要なのです[13]」

あなたが最低限の睡眠でやりくりするのを「立派なこと」だと思い込んできた大勢のうちの1人なら、その考えはもうあらためよう。ひと晩ぐっすり眠ることで得られるものは、（夢から学べることも含めて）本当に大きいのだから。

眠れなければ運動しよう

ひと晩ぐっすり眠る、と口で言うのは易しくても、実際にできるかどうかは別問題だ。アメリカでは、国民の約4分の1が毎年、多少なりとも不眠を経験している[14]。

一方で、運動と睡眠の関連には強力な根拠があり、慢性的な不眠に悩む人々も例外ではない。神経学者のキャスリン・J・リードとそのチームが手がけた研究では、睡眠の問題を日常的に抱えていた被験者のグループに対し、有酸素運動がかなり良好な効果を上げたことが明らかになった。「この研究結果は、中等度の有酸素身体活動を行う16週間のプログラムに加えて睡眠衛生の教育が、慢性的な不眠に悩まされる高齢者の睡眠の質、気分、生活の質の向上に、自己申告ながら有効であることを示している」とリードらは書いている。「計画的な身体活動のプログラムが、とりわけ活動量の少ない高齢者において、不眠治療のための標準的な行動療法の有効性を高める可能性をもつことは注目に値する」[15]

ノースウェスタン大学ファインバーグ医科大学院のグループは、得られたデータをさらに掘り下げ、運動と睡眠の相互の関連性を調査することでこの研究を発展させた。そしてわかったのは、次の興味深い点だ。運動は魔法の薬ではない。睡眠の問題は、ジムで一度運動しただけでは解決しない。調査によると、睡眠に対する運動の効果は2か月後もごくわずかだったという。ところが、16週間の調査が終わるころ、成果が目に見えて表れはじめ、被験者は最長でひと晩に1時間15分も長く眠れるようになったのだ。[16]

つまり、運動と睡眠には明らかな関連があるが、結果を出すにはそれなりの時間がかかるということだ。それでも、運動から得られる健康効果全般を考えると、運動を習慣にすることは、すぐには効果を感じられなくてもまちがいなく得策だ。

では、どのくらい運動したらいいのか？　いろいろな意見があるが、一般的には、週2・5時間の有酸素運動に多少のレジスタンス運動（筋肉に負荷をかけるトレーニング）を組み合わせるといいと言われる。「早足のウォーキング、軽い自転車こぎ、簡単なマシンエクササイズなど、話しても息が切れない程度に心拍数を上げるものが、適度な運動だとされています」と、ピッツバーグ大学のクリストファー・E・クライン博士は勧めている。[17]

瞑想で脳を休ませる

不眠の原因はさまざまだが、その1つに、頭を休められないというものがある。あなたにも覚えがあるだろう。大事な会議が迫っているとか、日中に（良いことにしろ悪いことにしろ）大きなハプニングがあったとか、寝る前に電話でむかつくことを言われたとか。そんなときは、枕に頭を乗せても考えが止まらず、家のまわりをぐるぐる走っているような気分になる。横になって悶々としたまま何時間も過ぎ、睡眠がエベレスト山ほど遠く手の届かないものに思えてくる。

幸い、こうなったときに役に立つ、いつでも使えるツールがある。瞑想だ。瞑想の効果は、免疫機能の強化から不安の軽減、脳の灰白質の増加まで多岐にわたる（瞑想に関する本も山ほどある）。そうしたあまたある効果の1つが、不眠に効くことなのだ。

南カリフォルニア大学のデイヴィッド・S・ブラックらは、ある調査で、睡眠の問題を抱える高齢者のグループにマインドフルネス瞑想をしてもらった。すると、2時間のセッションを6回終えるまでに、このグループに不眠の明らかな改善が見られた。[18]

瞑想に取っつきにくさを感じているとしたら（そういう人はこの国の多数派だ、瞑想を実践するアメリカ人は15%に満たない）[19]、瞑想は難しいとか、頭を完全に空っぽにしなければならないなどという話を聞いたからかもしれない。瞑想に役立つヘッドバンド〈ミューズ〉の開発者アリエル・

ガルテンは、瞑想は頭を空っぽにするというより、「いま、この瞬間に意識を向けるように頭を訓練する」ことだと説明する。[20]

ガルテンが言うには、瞑想はいつでもどんな場所でもできるし、たった3分目を閉じて、深呼吸しながら数を数えるだけでも効果を感じられるという。また別の方法として、注意を一点に集中させることも勧めている。呼吸にすべての注意を向けるという、つとめてシンプルな方法だ。呼吸から注意がそれたら（だれでもそうなる）、ただ気づいて戻せばいい。禅の師匠にならなければ瞑想などできないと思っている人は、これで先入観から解放されるはずだ。1つのことに長時間注意を向けたままでいられる人はめったにいない。だから、注意し直すのも同じくらい大事だと知っておくのはいいことだ。

ガルテンはこう語る。呼吸への注意を取り戻すとき、「人は重要なスキルを使っています。〝思考を観察すること〟を学んでいるのです。思考に囚われるのではなく、思考している自分を外側から眺めるのだと。そうして、思考は制御できること、何を考えるかは自分で選べることに気づきはじめるのです」。[21]

これほど単純な方法ながら、瞑想は睡眠を改善してくれる。

▼やってみよう！

あなたが最も頼りにしている快眠法はなんだろう？　ここに書いてみよう。

第8章のまとめ

脳に燃料を与えることは、リミットレスになるための基本中の基本だ。やるべきことはまだまだある。だが、その前に少し足を止めて、本章で学んだことを振り返ろう。

- 本章で紹介したブレインフードで、家にないものを買い物リストに書き出そう。苦手な食べ物もあるだろうが、できるだけ省かないようにしよう。それから、そのリストを持ってお店へ行こう。
- あなたのANTはなんだろうか？　どんな制限を自分に課しているだろうか？　どんなことに「できない」と言いがちだろうか？　少し時間を取って書き出そう。
- 新しいことを学ぶ方法について考えよう。学びたいとずっと思いながら、時間がなくて手をつけられていないことがあるだろうか。外国語？　コンピュータのプログラミング？　営業やマーケティングの新しいスキル？　どうすれば学ぶ時間を生活に組み込めるだろうか？
- 睡眠の量と質を改善するために、本章で見た睡眠のテクニックを1つ使ってみよう。そして最低でも1週間、その経過を記録につけよう。

第9章

小さな習慣が人生を変える

「初めに人が習慣を作り、それから習慣が人を作る」
——ジョン・ドライデン

本章の問い

いますぐ取り組める、最も小さくシンプルなステップはどんなものか？
良い習慣を始めるには、または悪い習慣を断つにはどうしたらいいのか？
どんな毎日のルーティンを築けば、リミットレスになるのを助けてくれそうだろうか？

あなたには、何かを始める理由または目的がある。そのために必要なエネルギーも備えている。では、足りないのは何か。

小さくシンプルなステップ（S^3）。目標達成に向けた最小限の行動（アクション）だ。それは、ごくわずかな労力やエネルギーででき、続けるうちに習慣になる。僕が〈やってみよう！〉という演習を本書のあちこちにちりばめている理由もここにある。

時はさかのぼって1920年代、ロシア人心理学者のブルーマ・ツァイガルニクは、ウィーンのレストランで食事をしていた際にあることに気づいた。混雑した店内を行き交う給仕係たちが、客の注文を驚くほど正確に覚えられる一方で、注文が満たされる（つまり客のもとに届けられる）と、あっけなくその内容を忘れてしまうことだった。

この現象に興味を抱いたツァイガルニクは、ある実験を行った。被験者にいくつか簡単な作業をしてもらい、作業中にときどき中断を入れたのだ。その後、作業内容について尋ねると、被験者は中断なしでやり遂げたことより、中断されながらやったことのほうを倍近く覚えていることがわかった。そこからツァイガルニクはこう結論した。「未完了のタスクがあると意識に緊張感が生まれ、完了するまでそのタスクを意識し続ける」――のちに「ツァイガルニク効果」として有名になる結論だ。

この緊張感は、あなたもきっと味わったことがあるはずだ。人は物事を先延ばしにするとき、同じような緊張感を抱く。やるべきだと知りながらずるずる手をつけないでいると、それが心に重くのしかかり、終わらせるまで何をするのも難しくなる。やるべきことが大変そうに見えたり、ほかのことより退屈そうに思えたり、そわそわしたり、「あとでやっても十分間に合う」と自分に言い訳したりする。たとえ人生のビジョンが明確で、自分が何者になりたいのかわかっていても、やはり苦労する。このように、モチベーションが持続している状況でも行動するのが難しいのはなぜなのだろうか？

一番の原因はおそらく、やるべきことにプレッシャーを感じているからだ。そのプロジェクトや用事がとてつもなく大変で時間を取られるように見え、どうすればやり遂げられるのかイメージが湧かない。そのプロジェクトの全体像を見て、目の前のタスクまで手に負えないように感じ、それで作業をやめるか後回しにしてしまう。「未完了のタスクや先延ばしは、無益で頻繁にループする思考パターンを生み出しがちです」と、心理学者のハダサー・リプジックは言う。「そうした思考は、睡眠に悪影響を与え、不安症状の引き金になり、さらには人の精神的・感情的資源に影響を及ぼすこともあるのです[1]」

自分を責める代わりに解決法を見つける

あなたが何かをやり遂げるのにそれなりの頻度で苦労しているとしたら、そのことにきっと罪悪感を抱き、自分を責めているだろう。だが、それはあなたを助けるどころか、ますます追い込んでいるようなものだ。未完了のタスクが脳で緊張感を生むことはすでに話したが、そのうえ罪悪感や羞恥心が重なれば、タスクの達成はいっそう難しくなり、自分自身も惨めになる。

「（未完了の仕事に対して）仕事以外の時間に罪悪感を覚えるのは、それについて自分が何かできる立場にない場合は、有益ではないし苦痛にもなりうる」と、テキサス大学オースティン校の心理学・マーケティング学教授アート・マークマン博士は書いている。「仕事全般をつらく感じ、友人や家族との時間や娯楽などの活動も楽しめなくなる。一方、羞恥心にも別の問題がある。人間は恥をかくのを避けるために、明らかに先延ばしをすることがわかっている。やり終えていない仕事について恥ずかしく思うことは、問題を改善するどころか悪化させるうえに、ほとんどなんの役にも立たない[2]」

タスクが進展しないことにやましさを感じると、先延ばしはますますやめにくくなる。だから、あまり自分を追い込まないようにしよう。自分を責めても得られるものは何もない。それに本書を読んでいるあなたは、将来の先延ばしを回避するステップをすでに取っているとも言える。

僕の経験では、この問題への最も有効な対処法は、タスクを「ひと口大」、つまりたやすくこなせる程度に細分化する方法を見つけることだ。それが習慣につながり、いずれ成功にもつながる。ツァイガルニク効果で言えば、こうした小さなタスクを完了させるたびに、心から重石が外される。そして、その一つひとつをやり遂げるうちに、タスク全体の達成にそのぶんだけ近づいているのだ。

小さくシンプルなステップを繰り返す

僕のポッドキャストに出演してくれた、スタンフォード大学行動デザインラボの創設者兼所長で『習慣超大全』（須川綾子訳、ダイヤモンド社）の著者BJ・フォッグは、20年以上にわたって人間の行動を研究している。そんなフォッグが見出したのは、わずか3つのことが人の行動を長期的に変えうることだ。その1つ目は、「ひらめきを得る」。ただし、これを自在に呼び起こせるのはごく限られた人だけだ。2つ目は、「環境を変える」。これはほぼ万人に可能だが、いつ何時でもできるとはかぎらない。そして3つ目は、フォッグの言葉を借りれば、「ベビーステップで取り組む」ことになる。[3]

ここに、小さくシンプルなステップの真髄を見事に表した逸話がある。

王の御前で、優れたマジシャンが芸を披露していた。観客も王もその妙技に見惚れていた。芸が終わると、観客はやんやの喝采でマジシャンを称えた。王もこう言った。「すごいことができるのだな。天の与えた才能とはこのことよ」

すると、賢い助言者が王に言った。「畏れながら王さま、才能とは培われるものであり、生まれつき備わっているものではありません。このマジシャンの技は、努力と練習の賜物です。強い意志と鍛錬によって時間をかけて身につけられ、磨かれたものなのです」

王はその言葉にむっとする。せっかくの楽しみに水を差されたからだ。「なんと偏屈で意地の悪い男か。真の天才をよくもけなせたものだ。言ったであろう、才能はある者にはあるし、ない者にはない。お前などにはあるはずもなかろうが」

王は護衛のほうを向いて言った。「この者を最も深い地下牢へ投げ入れよ」。それから助言者に向かってこう付け加えた。「寂しくないように、お前に似たものを2つよこしてやろう。子ブタを2頭、独房仲間にするがいい」

地下牢での最初の日、賢い助言者は子ブタを両手につかみ、独房から牢の扉に通じる階段を駆け上がる練習をした。その後、日がたつにつれて子ブタは育ち、がっちりしたブタになった。そのあいだも助言者は毎日練習を欠かさず、力をつけていった。

ある日、王は賢い助言者のことを思い出し、地下牢でどれだけ反省したのか確かめたくなった。王は助言者を呼び出した。

現れたのは、屈強な体つきの男だった。両脇に大きなブタを抱えている。王は思わず声を上げた。「すごいことができるのだな。天の与えた才能とはこのことよ」

するとと助言者は答えた。「畏れながら王さま、才能とは培われるものであり、生まれつき備わっているものではありません。私の技は、努力と練習の賜物です。強い意志と鍛錬によって時間をかけて身につけられ、磨かれたものなのです」[4]

このように小さな進歩を積み重ねることで、行動を変えられる可能性は確実に高くなる。夕食を作るのが面倒だろうか？　だとしたら、家族の小腹を満たせるものを簡単に作って、それから夕食作りにかかるといい。来月の会議で行う重要なスピーチの原稿がなかなか書けない？　じゃあ、いまはスピーチの要点だけ書いてみよう。経済の授業の課題が読みきれずに途方に暮れている？　ではまず、最初の章を読むことを目標にしよう。賢い助言者のように、一度に1ステップずつ、1日ずつ取り組めばいいのだ。

こうした筋書きを眺めていると、2つのことに気づく。1つは、それが達成可能なものを与えてくれること。タスクの完遂という最終的な目標に至る前に、小さな達成感を味わわせてくれるのだ。そしてもう1つは、タスクを達成しやすい状況をお膳立てしてくれること。台所にすでにいるなら、もう夕食は作ったようなものだ。要点を書けたのなら、その勢いで下書きを何ページか書いてもいいかもしれない。経済の課題書の第1章が思ったほどつまらなくなかったなら、本を開いているついでにもう何章か読んでしまおう。

細かい単位に分解することで、タスク達成までの道のりが明確になるわけだ。

自分が望んでいる状況と、いま現在できていることとのあいだには緊張が生まれがちだ。そんなときは、ツァイガルニク効果の教えを思い出してほしい。やり終えるまで気になって頭が休まらないなら、いっそのこと動きだしてしまおう。途中からでも、どこからでもいい。全部をやりきるエネルギーやモチベーションがなければ、まずは何かを終わらせることから始めよう。緊張が解けてほっとするはずだ。

▼やってみよう！

先延ばしにしている重要なタスクについて考えよう。それはなんだろうか？　どうすればそれを、毎日取り組めるシンプルなステップに分解できるだろうか？

人間は習慣の産物

小さくシンプルなステップを繰り返すと習慣になる。習慣は、人の中核をなす部分だ。さまざまな研究から、人間が毎日行うことの4割から5割は習慣の産物だとわかっている。つまり僕らの人生の半分は、科学者の言う「自動性」に支配されているわけだ。この割合を高いと感じる人がいるかもしれない――僕は初めて聞いたときにそう感じた――が、自分が毎日どれだけのことを深く考

「制限のない自分に生まれ変わろうとすると、必ずしも真理にもとづいていない古い習慣やパターンに出くわすかもしれません。そうした古いパターンが表れるのは、あなたがその多くを何千回も繰り返したからです」

——デビー・フォード

えずにしているか、考えてみてほしい。歯を考えずに磨く。携帯電話を何分かおきに見る。道順をとくに意識せずに職場まで車を運転する。上着のファスナーを上げ、戸棚からグラスを取り出し、テレビのリモコンをなにげなく押す。

もちろん、それも生きていくうえでは大事なことだ。あらゆることをそのつど考えなければならないとしたら、どんなに大変か。歯を磨くのにも「いま、何本目？」といちいち気にしていたら、朝の10時にはぐったりしてしまう。

ベストセラー『習慣の力』（渡会圭子訳、ハヤカワ文庫NF）の著者チャールズ・デュヒッグはこう書いている。「習慣のループがなければ毎日の生活で起こる幾多のささいなことに押しつぶされ、脳は活動停止してしまうだろう。けがや病気で基底核が損傷した人間は、頭脳の活動が麻痺してしまうことが多い。そのような

習慣ループ

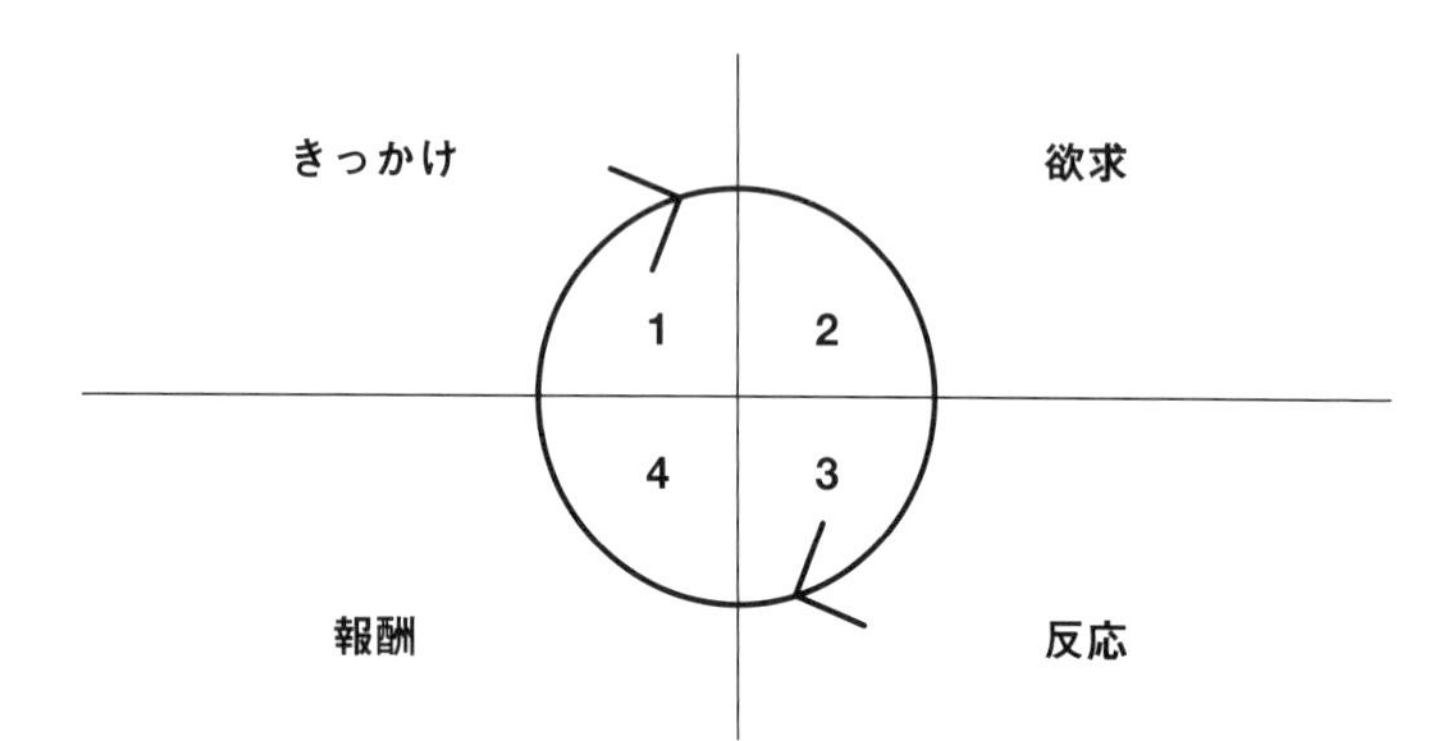

患者はドアを開けるとか何かを食べるとか、基本的な行動に支障をきたす。これは、重要ではない些末なことを無視するという能力を失ってしまうからだ。たとえばある研究で、基底核が損傷した患者は、恐怖や憎悪といった顔の表情を認識できないことがわかった。顔のどの部分を注意して見ればいいのか、よくわからないからだ[5]」（渡会訳）

本書の前のほうでも登場した、『ジェームズ・クリアー式　複利で伸びる1つの習慣』の著者ジェームズ・クリアーはこう言う。「毎日繰り返す（または繰り返さない）習慣は、あなたの健康や豊かさや幸福の大部分を決めています。習慣の変え方を知るというのは、日々をどう自信をもって自分のものとし管理するか、影響の大きな行動にどう注力するか、望みどおりの人生をどう理想から分析して再現する（リバースエンジニアリング）か、といった術について知ることでもあるのです[6]」

「どんな習慣も何かの形で役に立っています」とクリアーは僕に語った。「生きていると、さまざまな問題に突き当たりますよね。それこそ靴ひもを結ばなくてはならないとか。すると脳は、その問題を自動的に解決できるようにします。それが習慣というものです。人生で何度も起きる問題を、そのつど考えなくてもできるようにしてくれるのです。できなくなれば、脳がまた解決策をアップデートします[7]」

その説明として、クリアーは「習慣ループ」という考え方を挙げている。習慣ループは、4つの要素――きっかけ、欲求、反応、報酬――からなる。例として、部屋に入るときに電気をつける習慣を考えよう。その習慣が生まれるきっかけは、部屋に入って暗さに気づくこと。欲求は、その部屋が暗くないほうがいいと感じること。反応は電気のスイッチを押すことで、報酬はもはや部屋が暗くないことである[8]。このループは、どんな習慣にも応用できる。たとえば、仕事から帰ってきたときに郵便物を取りに行く習慣があるとする。その場合のきっかけは、一日の終わりに家の車庫から玄関にたどり着くこと。欲求は、郵便が来ていると期待すること。反応は、郵便受けを見に行くこと。そして報酬は、郵便受けから郵便物を取り出すこと。こうしたすべてをいちいち考えないまま、あなたは実際に郵便物を手にしているはずだ。

「悪い習慣」は「新しい習慣」で上書きする

生活に欠かせない要素を自動化するために習慣を作ることは、人間がたいがい無意識に、多くは自分のためにしている基本的な合理化テクニックである。当然ながら、習慣にしないほうがいいこともいろいろと自動化している。あなたにもこんな経験があるだろう。きっかけはたぶん、キッチンの食品庫の前を通りかかること。欲求は、食品庫に好きなポテトチップスがあると知っていて、それを食べたいと本能的に思うこと。反応は、食品庫に入ってチップスの袋を開け、たっぷりひとつかみ取り出すこと。そして報酬は、パリッとした食感としょっぱくて脂っぽい味を楽しむこと……どう考えても体には良くない。こうした不健康な習慣も、健康的な習慣と同レベルの自動性で働く。あのポテトチップスは、口に入れていると自覚される間(ま)もないうちに、あなたの胃のなかに入っているわけだ。

とはいえ、リミットレスになる途上にいるあなたなら、良くない行動を繰り返すことがいかにスーパーパワーを損なうか知っているはずだ。では、悪い習慣を断ち切り、それと同じくらい強力な、自分のためになる新しい習慣を築くにはどうしたらいいのだろう？

その前に、習慣の形成にかかる日数について少し話そう。ユニバーシティ・カレッジ・ロンドンの研究で、フィリッパ・ラリー、コーネリア・H・M・ファン＝ヤースフェルト、ヘンリー・W・W・ポッツ、ジェイン・ワードルが、健康的な食事や運動の習慣（昼食時に水を飲む、夕食前にジョギングをするなど）の形成プロセスに関する調査を実施した。期間は84日間。調査の参加者はそのあいだ毎日、特定の条件のもとでそれぞれ新しい行動に取り組んだ。ラリーらはこう書いている。「参加者の大多数は、日がたつにつれて自動性が徐々に増していった。この結果は、一貫性のある状況

「習慣は最高の召使いか、さもなければ最悪の主人である」

——ナサニエル・エモンズ

で行動を繰り返すと自動性が高まる、という仮定を裏づけている」。調査が終わるころには、新しい行動が習慣になるまで平均で66日かかること、ただし日数には個人差があり、最短で18日、最長で254日かかることが明らかになった[9]。

また、悪習を断つにはその習慣をやめるのではなく、別のもっと建設的な習慣に置き換えることが有効だともよく言われている。オレゴン大学の社会・情動神経科学研究所所長を務めるエリオット・バークマン博士は、次のように述べる。「代替行動のないまま何かの習慣をやめるより、新しい行動を始めるほうがハードルはずっと低い。ニコチンガムや吸入剤などの禁煙補助薬が、ただ貼るだけのニコチンパッチより効果を上げやすいのは、それが1つの理由でもある[10]」

では、毎日読書をする時間を確保するなどの新しい習慣を始めるプロセスと、食品庫の前を通るたびにポテトチップスを取ってしまうなどの悪い習慣をやめるプロセスが同じ原理にもとづいているのだとしたら、そこにはどんな作用が働いているのだろうか？

本書で論じた多くのことと同じように、ここでもモチベーションが重要なカギを握っている。習慣を断つ努力について、スタンフォード大学医科大学院精神医学・行動科学科の非常勤臨床教授トーマス・G・プランテ博士は、次のように詳述している。「習慣を断てるかどうかは、その人の本気度によります。多くの人はそこがあいまいなのです。体重を減らしたいけれど、おいしいものを食べたい。飲酒を控えたいけれど、ハッピーアワーは好きだ。爪を噛む癖をやめたいけれど、ストレスがあるからしかたがない。したがって、習慣を断つために重要なのは、第一にその習慣をどのくらい真剣に断ちたいと思っているかです。第二に、その習慣がどのように始まったのか。古い習慣のほうが新しい習慣より断ちにくいです。第三に、その習慣を断たなければどんな結果になるのか。パートナーがあなたのもとを去るのか？　職を失うのか？　病気になるのか？　変わらなければ、何か大問題が起きるのか？」[11]

人の行動変容をもたらすフォッグ式行動モデル

前述のＢＪ・フォッグは、行動変容に必要な条件を明らかにした「フォッグ式行動モデル」を編み出した。フォッグはこう書いている。「ターゲット（標的）行動を起こすには、十分なモチベーション、十分な能力、効果的な刺激（プロンプト）がなければならない。この3つが同じだけあって、初めてその行動が可能になる」[12]。言い換えれば、習慣を新たに築くには3つのことが必要になるのだ。1つ、それをする意欲があること（したくないことを習慣にするのは非常に難しい）。2つ、それをするスキルがあること（やり遂げる能力がないことを習慣にするのは不可能に近い）。そして最後に、習慣ループを始めるための何かがあること（ジェームズ・クリアーなどが言う「きっかけ」）。以下、順に見ていこう。

モチベーション

モチベーションについてはすでに話したが、ここでもう一度、フォッグの視点から見てみよう。フォッグは、モチベーションは主に次の3つの動機づけ要因（モチベーター）から生じるとしている。

1　快楽／苦痛：最も直接的な動機づけ要因。これを動機とする行動は、即座に近い報酬――良いものも悪いものも――を得る。「快楽／苦痛は原始的な反応だと思われる」とフォッグは言う。「そして飢えや性交のほか、自己保存や遺伝子の伝播に関わる活動において適応的に働く」[13]

2　希望／不安：1が即時的だとすれば、こちらは将来への期待に関係している。希望があると、人は何か良いことが起きるのを期待する。不安があるとその逆を考える。「日々の行動からわかるように、この要因は快楽／苦痛以上に強く働く場合がある」とフォッグ。「たとえば、人は不安（インフルエンザにかかることへの恐れ）を取り除くために、苦痛（インフルエンザの予防接種）を受け入れたりする[14]」

3 社会的承認／拒否：人間はつねに仲間から認められたいと願っている。仲間はずれが死の宣告になりえた時代から現在に至るまで、これはきわめて強力な動機づけ要因だ。「社会的動機づけの力は、われわれ人間をはじめ、生き延びるために歴史的に集団生活に頼ってきたあらゆる生物に組み込まれているようだ[15]」

能力

フォッグはこれを「容易さ」と同等に見ている。何かがその人にとって容易なら、その行動を実行する可能性はかなり高くなるということだ。その基準を、フォッグは6つに大別して定義している。

1 時間：それをするための時間があること。
2 資金：それをするための経済的資源が足りていること。
3 身体的能力：体力的に楽であること。
4 頭の回転：思考に負担をかけないこと。脳を酷使する必要があることを人は嫌がる。
5 社会的受容：モチベーションが受け入れられること。容易な行動は社会規範とうまくなじむ。
6 日課：その人の普段の日課からかけ離れすぎていないこと。

刺激

最後に、フォッグは、刺激には3つの型があると書いている。

1　スパーク型：このタイプの刺激は、モチベーションに直接働きかける。たとえば、メールを開くことが「そこに何が書かれているか見るのが怖い」という恐れにつながる場合、人はその恐れを変える習慣を作ろうとする。

2　ファシリテーター型：このタイプの刺激は、モチベーションが高くて能力が低いときに働く。たとえば、ある種のソフトウェアを使いたいがコンピュータに疎いという場合、そのソフトウェアを使いやすくするツールを導入することで、その行動を実行する可能性が高まる。

3　シグナル型：モチベーションも能力も高いとき、行動を習慣にするのに必要な刺激の残りの1つは、ある種の注意喚起、つまりシグナルだ。ブレインスムージーを作ることを習慣にしたければ、「朝、キッチンに入ったときにミキサーを見る」ようにすればいい。スムージーを作ろうと思い出すはずだ。

▼やってみよう！

あなたはどんな習慣を断ちたいだろうか？　一日のなかで、ほかの大事なことをするのを妨げている習慣はなんだろうか？　ここに1つ書き出し、その習慣をあなたにさせている「きっかけ」は何かを考えてみよう。

新しい行動を習慣にする「WIN」

フォッグ式行動モデルは、行動が習慣になるために必要な条件のすべてを教えてくれる。そして僕らは、自分にとって良いと思う行動を習慣化することが、自分を成長させるために重要であると知っている。また、悪習を断つには、それを建設的な習慣に置き換えることが重要だとも知っている。では、どうすれば行動を習慣にできるのか。キーワードは「WIN（勝利）」と覚えてほしい。

Want（望む）

あなたは、本当にその行動をしたいだろうか？　したくないことを習慣にするのは至難の業だ。いま取り組んでいる習慣は、フォッグ式行動モデルの動機づけ要因のどれかに当てはまるだろうか？　そうでなければ、その習慣に似ていて、同様の目的を遂げられそうな別の行動を探したほうがいいかもしれない。

Innate（能力に適っている）

その新しい習慣は、あなたの本来の能力に適っているだろうか？　何度やってもうまくできないことを習慣にするのは難しい。一方、それがあなたの得意なことや、やれば得意になるとわかっていることであれば、遠からずその習慣は身につけられるだろう。

Now（いまやる）

その新しい習慣を、いますぐやる気にさせてくれる刺激を設定しよう。携帯電話のリマインダー機能を使ったり、オフィスに何か置いたりしてもいい。それをきっかけにして、「そうだ、あれをしなければ」と思い出せるはずだ。

1つずつ習慣を変えれば人生も変わる

良い習慣を築くことが人生にどれほどの影響を与えうるか、まだ半信半疑だというなら、僕のプログラムの利用者であるジェンの話を聞いてほしい。ジェンは、統合失調症とうつ病を患っていた。自分や他人を傷つけろという心の声がたびたび聞こえ、そのせいで精神科病棟に入ったことも一度ならずあった。その後、しかるべき薬が見つかり、複数回にわたる治療を受けたあと、ジェンは僕のポッドキャストを偶然見つけ、僕がスクールで教えている学習法のいくつかを学んだ。ジェンはポッドキャストを定期的に聴きはじめ、「クウィック・チャレンジ」に参加した。これは、僕がナビゲーターを務める一連のエクササイズで、思考に新しい経験をさせることで脳をつねに学習に適した状態に保とうというものである。

最初のうち、ジェンはうまくできなかった。それで2つのチャレンジに集中することにした。利き手ではないほうの手で歯を磨くこと、そして毎朝、冷水のシャワーを浴びることだ。1週間に1

分ずつ冷水シャワーの下にいる時間を増やし、やがて毎朝、数分間冷たい水に身をさらすという難題もこなせるようになった。その経験からジェンは、自分の人生には限界を突破できていない領域がまだまだあることに気づいた。「クウィック・チャレンジ」の経験を重ねるなかで、ジェンは習慣と行動変容について学んだことをほかの領域に応用しはじめたのだ。

ジェンの人生は劇的に改善された。運転免許の試験を受けて合格した。食生活を変え、糖分の多い飲み物を断ち、毎朝、公園で5分間のジョギングを始めた。読書も始めた（1冊目はキャロル・ドゥエックの『マインドセット』〈今西康子訳、草思社〉だった）。読書中はバロック音楽をかけて、幻聴に邪魔されず読み進められるようにした。読み終えるまで1か月かかったが、それでも最後まで読みきったとき、ジェンはそれまでにない自信が湧き上がるのを感じた。図書館通いが日常になり、もう少し高いレベルの学習に挑もうと、地元大学のコンピュータサイエンスのクラスも受講した。何よりうれしいのは、生涯学び続ける自信がついたことだった。

あなたはこれまで、習慣や日課を変えようとしてことごとくうまくいかず、あきらめの境地にいるかもしれない。ジェンの話は、1日に1つか2つの小さな習慣を変えるだけで、驚くほどの進歩を遂げられることを証明している。利き手ではない手で歯を磨くようなシンプルな行動が、まったく新しい生き方への出発点となることがあるのだ。

脳に良い朝のルーティン

社会人になったばかりのケイシャは、ふとしたことから、自分には「抜本的な変化」が必要だと思うようになった。

「あのときはいつものように寝室で勉強していました。私は昔から、作業にものすごく集中する人間でした。8時間ぶっ通しでやり続けることも珍しくなかったし、週末もめったに休みませんでした。試験になると、恋人と月に1度しか会わないときもありました。でも、あの日はなぜだか違いました。神さまがお尋ねになったんです――いま死んだら、お前の人生はどんなふうに見えるだろうか、と。私は、〝勉強用の椅子みたいに見えるはずです〟と答えました。それから自分が答えたことの意味に気づいて、背筋がぞわっとしました」

ＡＤＤ（注意欠陥障害）と診断されたケイシャは、治療薬を使うかどうかで心が揺れた。薬を飲んだら、「すごく控えめで内向きで落ち着いた、けれどもひどくのっぺりとした」気分になった。だが薬を飲まないと、ときどき自分が「制御できなくなった」。「やたらと元気で、興奮してせかせか動き回り、戸棚のなかのものを食べ尽くしたりしていました」。勉強にはとても熱心に打ち込み、ともすればそれ以外のことが犠牲になるほどだったが、一方で勉強時間を有効に使えていないこともわかっていた。ケイシャは、朝の過ごし方から変える必要があると思い立った。

「まずは毎日のルーティンから手をつけました。毎日、〝私はＡＤＤではない〟と宣言するようになりました。そのアイデンティティは必要なかったからです。テクノロジーのデトックスも重要でした。朝にＳＮＳを見ると、あのきらきらした刺激的なイメージが頭に残り続けることに気づいたんです。そのあと仕事に行っても、そのイメージをまた見たくなってしまって。脳の働き方を学ぶ必要があると思いました」

「SNSについては、それこそ習慣になっていると言わざるをえない状態でした。それで机に向かうたびに、こう自分に言い聞かせました。〝ケイシャ、あなたはいまから10分間、ここで作業をします。そしてその作業を好きになります〟。その10分が20分になり、それから1時間、次いで4時間と延び、ついに24時間のデジタルデトックスに成功しました。それまでは、つねに1000個の思考が頭のなかを飛び交っているような気分だったんです」

ケイシャの熱心な勉強ぶりは変わらなかったが、その後は前にも増して、指数関数的な成果を上げるようになった。その甲斐あって、大学卒業後はコミュニケーションのスペシャリストとして同時に4つの会社で働きはじめた。そのうちの1つは、人々の達成力向上をサポートすることを目的とした彼女自身の会社だ。そしてケイシャは、自分がいまのような能力を発揮できるのは毎日のルーティンのおかげだと言う。

「ルーティンがあると、ストレスをかなり取り除けます。私がすべてをこなせたのも、本当の意味で目的に適ったルーティンがあったからです。早起きをする。その日の目標をやり遂げる。これからの1年で達成したいことについて考える。自分が達成したいことや、それを達成する方法の具体的なビジョンを思い描ければ、停滞とは無縁になれます」

なぜ朝のルーティンはこれほど大事なのだろう？　一連のシンプルな行動で脳を目覚めさせ、一日をトップギアで始めることには計り知れないメリットがあると僕は確信している。加えて、一日の早い時間に勝利のルーティンを設けたら、世界的コーチのトニー・ロビンズが言う「モメンタムの科学」の恩恵も受けられる。一度コマが回りだしたら、静止状態から始めるよりはるかに少ない労力で達成し続けられるという考え方だ。

僕自身も、脳を活性化させて最高の一日を過ごすための朝のルーティンを周到に築いている。全部を毎日やっているわけではないが（家を離れているときはとくに）、大半はやっているし、おかげで頭の働きもパフォーマンスも生産性も積極性も、起きた瞬間から万全に備えられるのを実感している。

たとえば、僕はこんな朝を過ごしている。

起き上がったら、最初にベッドを整える。これは一種の成功習慣で、その日最初の達成だ。難なくやり遂げられるし、寝る前の時間をより快適にできるというおまけのメリットもある。夜、整ったベッドに迎えてもらえるのは気分がいいものだ。軍隊では、朝一番にベッドを整えることが訓練の一部になっている。そうやってなんでも手を抜かずにやることを体に覚え込ませるわけだ。

それから、大きなグラスで水を1杯飲む。起き抜けの水分補給はとても大事だが、その理由は、人間の体が眠っているあいだ、呼吸という単純な行為を通じて多くの水分を失うからだ。覚えているだろうか、人の脳のおよそ75％は水分であることを。だから、脳を元気にするには水分をしっかりとるほうがいい。また、セロリジュースも1杯飲む。セロリジュースは、免疫系を強化し、肝臓から毒素を押し流し、副腎を修復するのに役立つ（これは、医学霊媒（メディカル・ミディアム）のアンソニー・ウィリアムのアイデアを拝借した）。そのあと「第二の脳」への栄養として、プロバイオティクスをとる。

それから、利き手ではないほうの手で歯を磨く。これは、脳に難しいことをさせる訓練のために行う。普段と違う脳の部位を刺激できるし、意識を「いま」に引き戻してくれる。利き手ではない手でうまく磨こうとすると、ほかのことができないのだ。

その後は、3分間の運動。本格的なトレーニングではなく、朝一番に心拍数を上げることを目的としている。睡眠や体重の管理に役立つし、脳に酸素を送ることもできる。

それが終わると、冷水のシャワーを浴びる。「冷水に打たれて一日を始めるって？」と引き気味の人もいるだろう。だが、この種の寒冷療法は、神経系をリセットするのに有効で、かつ炎症も抑えてくれるので一石二鳥なのだ。

シャワーを出たら、全身に酸素を行きわたらせるための呼吸のエクササイズ。それから20分瞑想し、一日を始める前に頭をクリアにする。実践しているのは、「ジーヴァ・メディテーション」という、僕の瞑想の先生エミリー・フレッチャーが考案した瞑想法で、マインドフルネス、瞑想、マニフェステーション（願望実現）の3ステップからなる。

次にブレインティーを淹れる。ツボクサ、イチョウ、ヤマブシタケ、MCTオイルなどをブレンドしたハーブティーだ。そして腰を下ろすと、その日最初に考えたことを日記に書きとめる。また僕は毎日、仕事で3つ、個人で3つの目標をやり遂げることにしているので、その目標もこの時間に決める。それから、30分ほど本を読む。1週間に最低1冊読むという目標を守るために、朝のルーティンの一部を読書に充てている。

最後に、第8章で紹介したブレインフードの多くをミックスした、特製ブレインスムージーを飲む（一応言っておくが、サーモンは入っていない）。

とまあ、読んでのとおり、これをひととおりやるとけっこう時間がかかる。ただし言ったように、毎日すべてをできるわけではない。無理だと感じる人がいるのもわかるし、ほかにも朝の支度をさせなければならない人がいる場合はなおさらだろう。それでも、あなたが本書を読んでいる目的が脳をアップグレードすることなら、多少の差はあれ、この種の朝のルーティンは欠かせないプロセスになる。とくに重要な点を以下に挙げよう。

・ベッドから出る前に夢を思い出す。夢にはたくさんのお宝が眠っている。だから、このステップはぜひとも省かないでほしい。
・水分と酸素を全身に行きわたらせる。
・第8章で紹介したブレインフードで自分自身に栄養を与える。
・一日の計画を立てる。

最低でもこの4つを実践すれば、脳の回転を上げてハイオクレベルで働かせる準備は十分に整う。これらを一日の始まりに、可能なかぎり組み込もう。大事なのは、生産的な朝のルーティンを築くことだ。正しいスタートを切れるかどうかでその日の調子全体が決まるということは、いくら強調しても強調し足りない。

▼やってみよう!

あなたの新しい朝のルーティンを作ってみよう。といっても、やたらと詰め込む必要はない。簡単な3ステップのルーティンでも、朝の活力を一気に上げる助けになる。最高の一日を始めるために、あなたが朝一番に必ずしたいことはなんだろうか? ここに3つ書き出そう。

1

2

3

夢のなかの宝を拾い集めるテクニック「DREAMS」

朝、ベッドから出る前に、僕は少し時間をかけて見た夢を思い出す。夢は睡眠中に潜在意識がしていることの表れで、掘ると意外なお宝が見つかる。

歴史上の多くの天才は、夢から優れたアイデアをたびたび探り当て、偉大な発見を成し遂げた。作家のメアリー・シェリーは、夢のなかで『フランケンシュタイン』(小林章夫訳、光文社古典新訳文庫ほか)の着想を得た。ポール・マッカートニーの名曲『イエスタデイ』や、アインシュタインの相対性理論も夢から生まれたものだ。

だから毎朝、僕は目を覚ますと、枕から頭を持ち上げる前に夢を思い返し、自分がいま取り組んでいることに役立ちそうなアイデアや考え方や、新しい視点がないかを探す。

とはいえ、「夢なんかそうそう思い出せない」という人もいるだろう。そこで夢を思い出す助けになる、ごく簡単な記憶術を紹介したい。DREAMS（夢）と覚えてほしい。

Decide（決意する）

前の晩に、「夢を思い出す」と決意する。強く念じれば、思い出せる確率は大きく高まる。

Record（記録する）

紙と鉛筆を枕元に置いておく。携帯電話のメモアプリを使ってもいい。そして翌朝、目を覚ましたら、頭に残っている夢をすぐに記録する。

Eye（目）

眠りから覚めても、すぐには目を開けないようにする。夢は数分もすれば消えてしまう。目を閉じたままでいると、夢を思い出しやすくなる。

Affirm（明言する）

眠る前に、「私は夢を思い出す」と口に出して言う。明言することは、物事を実現するための必須ツールだ。

Manage（管理する）

これが必要な理由はいろいろあるが、ここでは夢を思い出すために、睡眠を管理して良いルーティンを築くことを心がけてほしい。

Share（共有する）

自分が見た夢についてだれかに話す。そうすれば、夢はもっともっと掘り起こせる。あとで話せるように夢を思い返すルーティンもできるだろう。

第9章のまとめ

習慣がなければ、人はだれも生きられない。それは当然のことだが、だからこそ、建設的な新しい習慣を人生に組み込み、悪い習慣を良い習慣に置き換えようと意識して取り組むことで、あなたのスーパーパワーはかつてないレベルに引き上げられる。

それでは、次の章に進む前に演習をしよう。

- 習慣ループへの理解を深めるために、あなたが最もよくする習慣——朝食を作る、犬を散歩させるなど——の4つの要素を考えてみよう。それぞれのきっかけ、欲求、反応、報酬はなんだろうか？
- いまより建設的なものにしたいと思っている習慣について考えよう。フォッグ式行動モデルを使って、そのモデルにうまくはまる新しい行動を思いつけないだろうか？
- WINを参考に、有意義で新しい習慣を1つ始めてみよう。

第10章

「フロー」に入り極限のパフォーマンスを発揮する

「あるいは、別の言い方をしよう。フローは、クラーク・ケントが着替える電話ボックスだ。そこから超人（スーパーマン）が現れるからだ」

——スティーヴン・コトラー（『超人の秘密』熊谷玲美訳、早川書房より引用）

本章の問い

リミットレスになるのに、なぜフローが重要なのか？
どうしたらフローの状態に入れるのか？
フローの大敵はなんだろうか？

目の前の行為に完全に入り込んだ結果、ほかの一切が消え去り、かつてないほど自然な感覚でそのことができたという経験は、あなたにもあるだろう。そのあいだ、時間が溶けてなくなったように感じられたことが。深く集中するあまり夜になったのに気づかなかったとか、食事をするのを何度か忘れたという話もよく聞く。

この経験がフローだ。

心理学者のミハイ・チクセントミハイは、画期的な著書『フロー体験 喜びの現象学』（今村浩明訳、世界思想社）で、フローとは「1つの活動に没頭するあまりに、ほかのことが気にならなくなる状態、または、その経験があまりに楽しいので、大きな労力がかかっても、ただそれをしたいがためにしてしまう状態」だと説く。チクセントミハイにとって、フローとはまさに「究極の経験」なのだ。[1]

チクセントミハイ博士によると、フローは次の8つの特徴をもつ。[2]

1 完全に集中している
2 目標だけに焦点を合わせている
3 時間が速まっているか遅くなっているように感じる
4 その経験にやりがいを感じる
5 苦労なくできる感覚がある
6 その経験は難しいが、難しすぎるほどではない
7 その行為がひとりでに生じているかのように感じられる
8 やっていることに心地よさを感じる

あなたにも経験があると思うが、フローの状態に入ると、生産性が飛躍的に高まる。最大で5倍

の生産性を得られるという報告もある。コンサルティング会社のマッキンゼー・アンド・カンパニーは、フローがよく起きる職場環境を想像してさえいる。

たとえばピークパフォーマンスの演習中に、「ピークのときに普段の何倍くらい生産性が上がりましたか」と管理職の人々に尋ねると、人にもよるが、上位クラスの管理職では「5倍上がった」という答えが最も一般的だ。大半の報告では、ビジネスパーソンがフローの状態に入るのは、就業時間の10％以下、多くて50％だとされている。ＩＱとＥＱとＭＱ〔訳注　意義指数（meaning quotient）の意〕の高い環境で働く人々が、ピーク時に普段の5倍生産的になるとしたら、ピークの時間が控えめに見積もって20ポイント増えるだけで、職場全体の生産性がどれだけ向上するか考えてほしい――なんと、ほぼ2倍になる。[3]

フローを制する者が人生を制する

僕のポッドキャストの視聴者であるパトリックは、ＡＤＨＤ（注意欠如・多動性障害）と集中力の低さにつねに悩まされていた。それは、物心ついたころからのパトリックの課題だった。気が散りやすかったり、かと思うと、過度に集中して周囲に迷惑をかけたりしていた。ブラジリアン柔術の試合でもそうだった。どの技を相手にかけるべきか決められず、あらゆる動きを（多くはその状況でやってはいけない動きまで）一度にしようとしている感覚に陥ったのだ。職場でも家庭でもその調子で、彼は慢性的に強いストレスを感じていた。

そんなある日、パトリックは〈クウィック・ラーニング〉を聴きはじめ、フローの状態など、高いパフォーマンスを上げられるいくつかの習慣について耳にした。そして学んだことを日々の生活に応用し、たちまち成果を得た。自分が何に苦労していたのかをようやく突き止めて理解できると、その解決にいよいよ没頭した。フローを見つけることが、パトリックの課題を解決するカギだったのだ。

次の試合で、パトリックは強い集中力を発揮し、以前は注意を奪われていた問題から意識をそらすことができた。フローをすぐに見つけ……すると、映画『マトリックス』のなかにいるような感覚になった。対戦相手の動きが、実際にその動きが生じる前から見えたのだ。人生のほかの領域でもフローを見つけられるようになった。試合に勝てるほど日々の生活もうまく回りだした。そしてついに、長年の悩みだったストレスから解放され、人生をもっと楽しめるようになったのだ。

フローの4段階

フローは決まったサイクルで進展する。僕のポッドキャストに出演してくれた、フロー・リサーチ・コレクティヴの創設者で『超人の秘密』（熊谷玲美訳、早川書房）の著者スティーヴン・コトラーは、フローの4段階を次のように定義している。[4]

第１段階：苦闘

フローに達するために必要なことを得ようと模索している段階。計画的な運動、大規模な研究、徹底したブレインストーミングなど、集中力を要することはすべてこの段階を経る。ただしこの時点では、壁に突き当たったように感じることも多い。フローとはむしろ反対の感覚だ。

第２段階：解放

フローに本格的に入る前の、脳に休息を与える段階。「苦闘」で燃え尽きないためにも重要な段階になる。ここで言う休息とは、歩く、呼吸するなど、あくまで緊張をほぐすことが目的で、別の作業に手をつけたりスポーツの試合の得点をチェックしたりといった、いわゆる気晴らしとはまったく異なる。

第３段階：フロー

コトラーが「超人体験（スーパーマン）」と呼ぶ段階。あなたも人生のさまざまな場面できっと経験したであろう、あのフローの状態だ。そこでは究極のパフォーマンスを発揮でき、しかもそれが自動的に生じているかのように感じられる。

第４段階：回復

この最後の段階では、フロー段階で達成したことを統合する。気が抜けたような状態になることも多い。あらゆるポジティブな化学物質が脳内を駆けめぐっていた、あのフローの興奮が収まりつつあるのだ。しかしすぐそこには、また別のサイクルが待っている。

コトラーは、フローを見つけることは、モチベーションを駆動する「ソースコード」だと考えている。フローを見つけると、「脳が作るもののなかでおそらく最強の、報酬に関わる化学物質」が放出される。フローがこの世で最も依存性の高い状態だとコトラーが考えるゆえんだ。

一度フローを経験したら、人はやる気になってフローをもっと得ようとする。だが、フローとモチベーションは車の両輪のような関係にあり、タスクを達成するモチベーションはあっても、フローがなければじきにその人は燃え尽きてしまう。モチベーションとフローは一体となって働く必要がある。そのうえで質の良い睡眠や栄養といった、確実な回復の手順も伴わなければならないのだ。

▼やってみよう！

あなたはフローを体験したことがあるだろうか？　それはどこにいて、何をしていたときだろうか？　どんな感覚だっただろうか？　また、フローに入ったことで何を達成しただろうか？

その状態をイメージしてみよう。難しくても、できるだけ想像してみよう。

どうやってフローに入るか

リミットレスを目指しているなら、フローの状態には極力入ったほうがいい。では、どうしたら入れるのか。５つの方法を紹介しよう。

1　注意散漫の原因をシャットアウトする

注意散漫を誘うものを最小限にすることの重要性については前に話した。フローに入りたければ、そうしたものの排除は絶対に必要だ。いったん集中が途切れたら、元の状態に戻るには長くても20分かかる。

「メッセージの着信が気になる」「仕事に戻る前にＳＮＳを一瞬だけチェック」と、そのたびに注意をそがれていたら、どうやってフローに入るのか。ほかのすべては脇にやり、目の前のことに完全に集中しよう。

2　十分な時間を確保する

フローに入るためのまとまった時間を取ろう。一般的には、条件が整っていれば、フローの状態に達するのに15分、真のピークに達するには45分近くかかると言われる。

30分そこそこで切り上げてしまったら、たいしたことはできない。最低でも90分、できれば２時間フルに使えるようにスケジュールを組もう。

3 好きなことをする

フローについて考えるとき、僕らがよく思い浮かべるのは、きわめてハイレベルなことを平然とやってのける人々だ。ぶっちぎりで試合に勝つアスリート。超絶技巧のソロを奏でるギタリスト。書くというより写し取るようにページを言葉で埋めていく作家。そのような人々に共通するのは、自分にとって大きな意味をもつことをしている、という点だ。彼らがほどほどの出来で満足しないのは、軽い気持ちでタスクに臨んでいないから。皆、愛してやまないことをしているのだ。

僕は長年フローについて話しているが、単なる暇つぶしでフローの状態に入った、とだれかが言うのを聞いたことがない。それはたとえるなら、ガタのきた中古車を運転するのと、アストンマーティンの新車を運転する違いに近い。どちらも通勤の足になるかもしれないが、本当に運転に没頭できるのはおそらく一方だけだ。気になることがあったり、退屈だと感じてばかりいたら、真のフローには入れない。

4 明確な目標をもつ

フローを阻むとりわけ強力な壁は、「明確さの欠如」である。自分が何を成し遂げたいのかわかっていなければ、それを探し回っているうちにフローは遠のいてしまう。

僕の友人の小説家は、まさしくこの理由から、作品のあらすじを練る時間と実際の執筆の時間とを分けている。友人にとって、あらすじ作りは手を止めて考え込むことも多い、根気のいる作業だ。一方で、物語にしっくりくる言葉を選んだり、登場人物に命を吹き込んだりすることには大きな喜びを感じる。前もってあらすじを組み、その日に書くことがはっきりわかっていれば、気づくとたいがい何時間も執筆のフローに入っているという。

だからあなたも、ある程度の時間を確保したら、その時間を使う目的を明確にしよう。それから取りかかれば、楽しみながらやっているうちに深く没入しているだろう。

5　ハードルを高くする……少しだけ

フローについて話していると、少しだけ難しいことに挑んでいるときが最もフローに達しやすい、という声をよく耳にする。要は、それがその人のコンフォートゾーンの外側にあって、かつ外側すぎないのがいいのだろう。このからくりは明快だ。両手を後ろで縛られていてもできることは、飽きるのもたいてい早い。退屈とフローは相性が良くないのだ。

反対に、極端に難しく感じることをしてもフラストレーションがたまり、その感情がフローの発生を妨げる。けれども自分が楽しめて、ほどほどにハードルが高いこと――野球の球をグラウンドの一方の側にだけ打つ、ギターの新しいチューニング方法を試す、新しい登場人物の視点で物語を書くなど――をすれば、興味が持続するので深くはまれる。

フローの敵を退治する

フローにたびたび、一日に何度も入れるように訓練すると、スーパーヒーロー並みのパフォーマンスを発揮できるようになる。だが知ってのとおり、スーパーヒーローにはスーパーヴィランという宿敵がつきものだ。多くはあちこちの物陰に潜み、あなたのフローをつけ狙って、隙あらば消し去ろうとする。

次に挙げるのは、フローを持続させたいなら遠ざけるべき4つのスーパーヴィランだ。

1 マルチタスク

このヴィランについては前にも話したが、繰り返してかまわないだろう。マルチタスクの達人になることと、リミットレスになることは同じではない。それどころか、マルチタスクをする人は、一度に1つだけのタスクに集中する人より生産性の面でかなり劣ることが、再三にわたり証明されている。フローについて知ったいま、マルチタスクがその大敵であることを疑う人はいないだろう。同僚と連絡を取り合ったり、友人にちょこちょこメッセージを送ったり、会社のメールを読んだりしながら、フローの状態に入って超絶ソロを演奏したり、舌を巻くようなプレゼン資料を作ったりすることはできない。

マルチタスクというスーパーヴィランをやっつける唯一の方法は、それを徹底的に無視することだ。ほかの予定は白紙にしてフローに入ろう。

2 ストレス

これはとりわけ強力な、ときに決死の戦いを強いられるスーパーヴィランだ。外的なストレス要因――締め切り、人間関係の悩み、家族の問題、仕事の先行きへの不安など――をいくつも抱えていると、いつこのヴィランに忍び寄られてもおかしくない。まったく別のことを考えているときに、家でのいざこざを思い出して急に気が重くなった経験はあなたにもあるだろう。それが頭に浮かんだら最後、フローに入るチャンスはなくなってしまう。

このスーパーヴィランを倒すには、2つの賢い戦略が必要になる。1つは、戦う前にヴィランをよくよく観察し、フローに入る前にどうしても解決しておくべきことはないかを自問すること。答えがイエスなら、まずはそちらに取り組もう。

もっとも実際には、ノーの答えが大半だろうと思う。そのストレスが偽物だからではない。いますぐ行動を起こす必要がなく、2時間ほどでは悪化しないものが多いからだ。その場合は、自分なりの結界(フォースフィールド)を張ってヴィランを退けよう。目の前のタスクに完全に集中できるように、外的なストレス源が自分の空間に入り込まないようにしよう。

3 失敗への恐れ

心理学系専門誌『サイコロジー・トゥデイ』の元編集長で編集主幹のハラ・エストロフ・マラー

ノは、「完璧主義は創造性やイノベーションを損なう」と書いている。「そこからは負の感情が絶え間なく湧き出す。完璧主義に囚われた人は、ポジティブなものに目を向けようとせず、代わりにその人が最も避けるべきもの、つまりネガティブな評価に注目する。そのため完璧主義は、終わりのない成績表となる。人々は自分のことしか目に入らず、自己評価ばかりに熱中する。そしてひどい焦燥に取りつかれ、不安や抑うつに陥ってしまう」[5]。「絶対に完璧にやらなければ」とか、「失敗したら大変なことになる」などと思い込んでタスクに臨むと、失敗を避けることに気を取られすぎるので、真の能力を発揮できる状態にはいつまでも至れない。

少し前に、フローの理想形の1つは、コンフォートゾーンの少し外に自分を押し出すことだと話したのを覚えているだろうか？　最初はやってもうまくいかない場合のほうが多いのだが、このときに完璧主義というスーパーヴィランに支配されたら、フローなど望むべくもなくなってしまう。そんなヴィランに打ち勝つには、完璧でなくても大丈夫だと、むしろ自分をあるべき方向へ押し出せている証しだと、自分に言い聞かせる必要があるだろう。

4　自信の欠如

3の完璧主義に劣らず邪悪なスーパーヴィランは、自分のしていることへの自信の欠如だ。タレントスマート社の共同創業者、トラヴィス・ブラッドベリーはこう書いている。「脳は不確実なことを脅威とみなし、ストレスホルモンのコルチゾールを分泌する。このホルモンは記憶力や免疫系の働きを弱め、高血圧やうつ病のリスクを増大させる」[6]。

自分なんてどうせたいしたことはできないと考えることは、そうした結果をみずから引き寄せているようなものだ。できるかどうか不安なことを始めるときは、次の問いを自問するといい。「これをするのに必要なスキルはあるか?」「これをするのに必要な情報はそろっているか?」「十分な情熱をもってこのプロジェクトを始めようとしているか?」。答えが1つでもノーなら、イエスと言えるまでそのタスクは脇に置いておこう。反対に3つともイエスなら、堂々とこのヴィランを倒してフローに入ろう。

第10章のまとめ

フローは、だれもが一度は体験する、飛び抜けて〝ハイ〟な経験だ。そしてリミットレスになるのに欠かせないものでもある。ここまで読んだあなたは、フローとは何か、またどうしたらフローに入れるかについて、より良い理解を得られたはずだろう。

それでは、次の章に進む前に、少し時間を取って演習をしよう。

- **過去に経験したフローについて思い出そう。そのとき何をしていただろうか?　その経験に共通することはなんだろうか?　どうしたらその状態にもっと戻れるだろうか?**
- **スケジュール帳を開いて、この先数日間のどこかに、90分から2時間ほどまとまって確保できる空白を見つけよう。それは、あなたがあらゆる邪魔から自由になれる時間だ。では、その時間で**

どんなことをすれば、生産性を大きく上げられるだろうか？

・何かを始めるとき、本章で見たスーパーヴィランにどのくらい頻繁につきまとわれるだろうか？

そのヴィランを倒すために、いますぐ何かできないだろうか？

PART 4

リミットレス・メソッド

――脳に最適な「学び方」を学ぶ

メソッド【method】(名詞)
何かを成し遂げるための具体的な手順。とくに、秩序と論理と体系の整った指導方法。

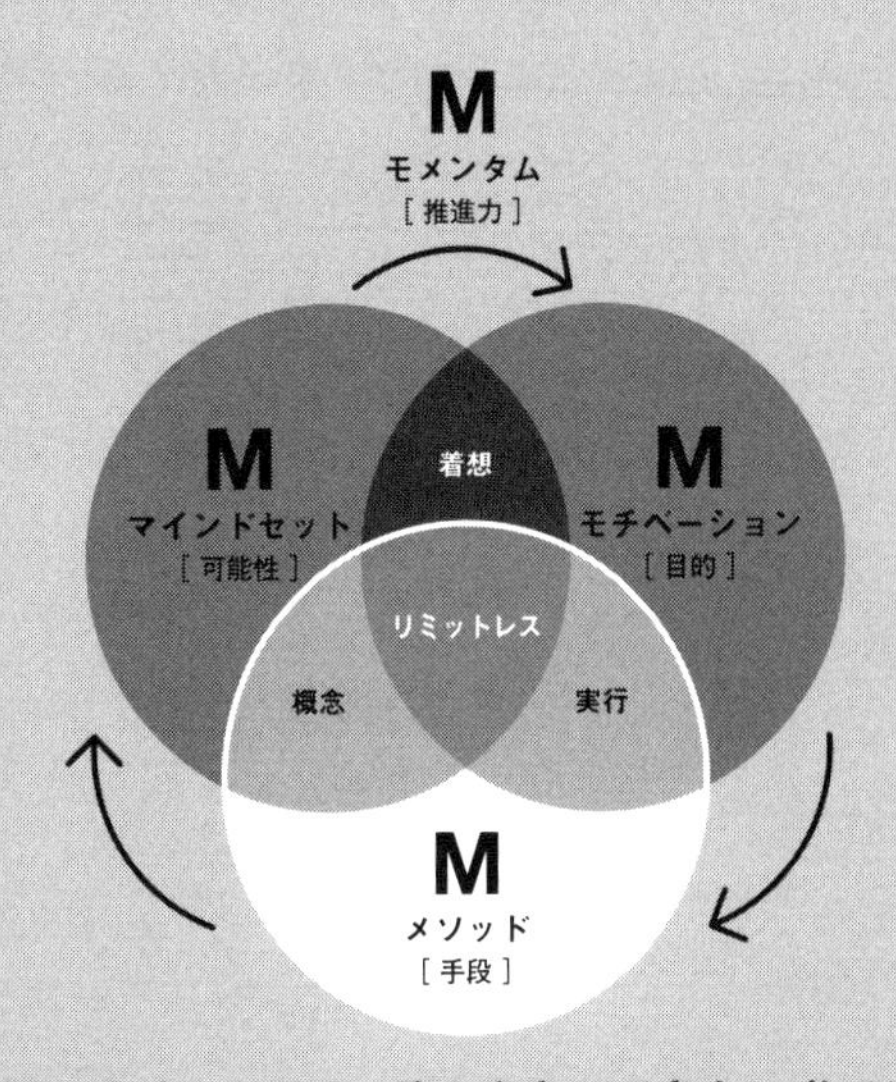

「21世紀に文盲と呼ばれるのは、読み書きができない者ではなく、学習や学びほぐし(アンラーニング)や学び直し(リラーニング)ができない者になるだろう」

――アルビン・トフラー

ここまであなたは、リミットレスになるために必要な2つの要素の解き放ち方を見てきた。生産的なマインドセットで日々のタスクにどう取り組むか、それを最適なレベルのモチベーションでどう行うかを学んだ。しかし、リミットレスな人々とリミットに阻まれている人々を分ける「M」はもう1つある。メソッドだ。

メソッドとは、何かを成し遂げるための方法や手段のこと。本書で言えば、「学び方を学ぶ方法」であり、メタ学習とも呼ばれる。僕らは学校という教育制度を通じて、ひどく古風で非効率な学び方を教えられる。サブボーカライゼーション〈頭のなかで文章を読み上げる行為〉や、機械的学習〈丸暗記〉などのことだ。本書の初めに述べたように、「脳の壊れた子」だったころの僕は学習ができなかった。それは過去を見れば明らかだ。ただし僕ができなかったのは、教えられた方法で学習することだった。新しい学び方——この先の章で紹介するメソッド——を習得して、ようやく脳をうまく使えるようになったのだ。

PART4では、加速学習とメタ学習に関する知見を、集中力、勉強力、記憶力、速読力、思考力の5つの領域で学んでいく。これらは、〈クウィック・ラーニング〉で個人と組織の両方に提供している、5つの基幹プログラムでもある。ここからは、各章の最初にある「本章の問い」をとくにしっかり読み、すべての演習に取り組んでほしい。どれもいったん身につけたら、自然に使えるツールばかりだ。その効力の高さに驚くだろう。

第11章

集中力を高める技法

「何かを成し遂げたければ、目をしっかり見開いて集中し、自分が何を望んでいるかを正しく知ることです。目を閉じたまま的(まと)に当てられる人はいませんから」
——パウロ・コエーリョ

本章の問い

最も集中しているときの自分の状態から何を学べるか?
集中力を高めるには、どうしたらいいのか?
注意散漫になるのを抑えてせわしない頭を鎮めるには、どうすればいいのか?

スーパーヒーロー並みのパフォーマンスを発揮できる人と、スーパーパワーを見つけられない人とでは何が違うのだろうか? 多くの場合、その違いは集中力にある。何かをしているときに、気づくとすっかりのめり込んでいたという経験は、あなたにも幾度となくあるだろう。それは、重要なレポートを書いていたときかもしれない。尊敬するメンターと話していたときかもしれない。あるいは、好物のアイスクリームを食べていたときかもしれない。

そのときのあなたはどんな状態だっただろうか。きっと無心になって、人生で一、二を争うほど良い出来のレポートを書き、メンターからとてもたくさんのことを学び、この世で最後のデザートだと言わんばかりの勢いでアイスをむさぼっていたことだろう。そうできたのは、あなたが目の前のタスクに注意を向け、ただちに取りかかり、何事にも集中を乱されなかったからだ。

ではなぜ、いつもはそこまでの集中力を保てないのか。それはひと言で言えば、「集中する方法を教わっていないから」。現に僕も、小学校で集中力の授業を受けた覚えはない。

子どものころ、晴れた日に虫眼鏡を持って遊びに出かけたときのことを覚えているだろうか。虫眼鏡を葉っぱの上にかざしたら、葉の表面にとても明るい（bright）点が現れ、やがて煙が出て燃えだすのを、わくわくしながら見つめたことを。あのときのあなたがしていたのは、その葉に太陽の熱を集中させることだった。そしてあの明るい点が現れたところに、太陽の熱が最も集まったのだった。

面白いことに、僕らは頭のいい人について話すとき、「あの人は聡明（bright）だ」と言ったりする。虫眼鏡のアナロジー（類推）に戻ると、僕らがその言葉（bright）で本当に言おうとしているのは、その人の知能の高さではないのかもしれない。その人がどのくらい葉を燃やせるか――つまりは集中しているか――なのだ。

集中力があると、あるタスクに対する脳の力を、そのタスクを燃やせるほど高められる。集中したときの人間が成し遂げられることには驚くばかりだ。反対に集中力が足りないと、心身ともにそこまで没入できないので、自分が本当に望んでいることを実現できる可能性は低くなる。集中の最大の敵は注意散漫なのである。

▼やってみよう！
あなたの現在の集中力のレベルを、0から10のスケールで測ってみよう。次に、そのレベルをどのくらい上げたいか考えよう。集中力は筋肉のようなものだ。鍛えれば鍛えるほど強くなる。

1つのことだけに意識を向ける

「集中力は、人間のあらゆる成功と試みの核となるものです」と、ヒンズー教の司祭で、元修道僧にして起業家のダンダパーニは僕のポッドキャストで語っている。「集中できなければ、何かを証明してみせることはできません」[1]

ダンダパーニが言っているのは、集中力とは、あなたが成し遂げたいことの重要な構成要素だということだ。ただし、ここまで見てきたほかの多くのことと同じく、僕らは集中する方法について本格的に教わったことがない。確かに、親や教師に「もっと集中しなさい」と言われたことはあるかもしれない。「どうして集中できないのか？」と、集中力のなさを責められもしたかもしれない。

その答えは単純で、ほとんどの人はやり方を学んだことがないのだ。

ダンダパーニは、集中力は鍛えるほど強くなる筋肉のようなものだと話す。「集中力は身につけられるものであり、訓練によって高められるものです」と彼は言う。[2] ところが、大半の人がその代わりに鍛えているのは、注意散漫力だ。頭が思考から思考へと飛び回るのに任せ、たいていは注意散漫の訓練に役立つテクノロジーを使って、達人級になるまでせっせと訓練に励んでいる。そうならないはずがない、なにしろ毎日十数時間も鍛えているのだから。その時間のほんのわずかでも集中力の訓練に回せばどうなるか、想像してもらいたい。

ダンダパーニが語る集中力の定義はすばらしく明快だ。「私は集中力を、一定のあいだ1つのことに意識を向け続ける能力とみなしています。そして集中が途切れるたびに、意志の力を使って意識を引き戻しているのです」[3]

集中力の欠如を、気移りしがちな頭の働きにあると思っている人は多い。ダンダパーニは違う。もっと役立つメタファーを使う。彼に言わせれば、気移りしているのは頭ではなく意識のほうだ。意識を「明るい光の玉」にたとえて、それが頭のあちこちに移動していると見ているのだ。その光の玉を一定のあいだ、頭の1か所にとどめられるように訓練すれば、集中力を高められる。最初は簡単ではないが、このように意志の力を使って練習するうちに、うまくできるようになる。

この手法は、ほぼどんな状況にも使える。たとえば人と話すときには、全神経を集中させて、その人との会話だけに意識を向けてみよう。意識がそれたと思ったら、光の玉を会話に引き戻せばいい。仕事の書類を読むときには、それ以外のものが存在しないかのように、視線を文字だけに向けよう。どこか別の場所で意識の玉が光りだしたら、その玉を書類に引き戻す。1日に1時間ほど練習すれば、じきに自然とできるようになるはずだ。

そして可能なかぎり、一度に取り組むのは1つのことだけにしよう。マルチタスクについてはすでに少し触れたが、ここであらためて、それがひどく非効率な達成方法であることを思い出したい。ほかのことはなるべく脇にやり、いましていることに集中するようにしよう。電話中にSNSをチラ見しない。朝食の準備をしながら、その日の「やることリスト」を作ったりもしない。一度に1つと決めることで、集中力の「筋肉」が鍛えられてリミットレスなレベルに達する。

集中力を高めるもう1つの秘訣は、散らかったものを片づけることだ。プリンストン大学の研究により、「複数の刺激が視界に同時に存在すると、視覚野全体で誘発された活動を抑制し合う形で神経表現の競合が起こり、それによって視覚系の処理能力を制限する神経相関が生じる」ことがわかっている。[4] 要するに、周囲にモノが散らかっていると、それがあなたの注意を求めて争うので、パフォーマンスが下がったり不安やストレスが増したりしてしまうのだ。

だから、集中力のプロになりたければ、集中する必要があるときには、気を散らされそうなものを必ず片づけよう。パソコンを使うなら、作業に絶対に必要なアプリやタブ以外は閉じること。物理的な空間にあるモノの数も減らそう。デスクに本や雑誌、書類、子どもの絵、休暇のお土産が山積みになっているのを「家庭的な雰囲気」とか「精神が活発な証拠」だと思っている人も多いようだが、そうしたものの一つひとつが集中力をそがれる原因になっていることをお忘れなく。先祖の形見は大事だし、本を捨てろと言っているわけでもない。ただ、生産性が何より大事になる場所では、そこに置くものの数を絞ろうと言いたいのだ。

空白時間を設ける

集中力をリミットレスにするには、目の前のタスクにただ取り組むだけでは足りない。すでに話したように、集中するには、その妨げになるものを排除し、いまやっていることにもてる注意をすべて注ぎ込む能力が求められる。だが、そんなことができるのだろうか？　多くの人は同時に複数のデバイスで、たいがいはそれぞれ複数のアプリを立ち上げて作業している。そのうえ会議に出席し、メールやテキストメッセージに返信し、ＳＮＳに近況を書き込み……と、いくつものことをしている。それなのに、いや、だからこそ、頭を鎮める方法を見つけることがますます重要になっているのだ。

気づいていないかもしれないが、日々接している情報は、総じて多大なストレスをあなたに与えている。そしてほかの多くの人と同様、あなたはその状態をいいことだと思ってさえいるかもしれない。ストレスが多いのは忙しい証しだし、多忙な自分は世界に意味のある貢献を果たしているというわけだ。確かにそうかもしれない。ただしそのために不安を感じていたら、というより、不安があるのに忙しさを肯定していたら気をつけたほうがいい。

「不安で心が弱ると、問題解決のために判断したり行動を起こしたりするのが難しくなる」と、『The Stress-Proof Brain（ストレスに強い脳）』の著者で精神科医のメラニー・グリーンバーグ博士は論じている。「不安は考えすぎにもつながる。考えすぎると不安が増し、それがさらなる考えすぎを呼び込み……と、延々と続く。この悪循環から抜け出すにはどうすればいいのか。不安を抑え込むだけでは解決しない。また現れるだけだし、かえって不安を強めてしまうときもある」[5]

コンサルティング会社、ホワイトスペース・アット・ワークのCEOジュリエット・ファントは、彼女が言うところのホワイトスペース、つまり空白時間を「忙しさの合間の考えにふける時間、戦略的に立ち止まる時間」だと説く。[6]僕のポッドキャストに出てくれたとき、彼女はこうした空白時間を、「ほかのあらゆるものを発火させるための酸素」と呼んでいた。

グリーンバーグ博士もジュリエットも、現代人はもっと頭を空っぽにする時間をもつべきだと主張する。そうすることでメンタルに良い影響が及ぶのは明らかだろう。

一方であまり知られていないのは、それによって集中力や生産性まで劇的に向上するということだ。神経科学のいくつかの興味深い研究がそのことをあぶり出し、注意散漫が実際に脳を変化させることを証明している。そのうちの1つであるユニバーシティ・カレッジ・ロンドンの研究は、メディアのマルチタスク（テレビを見ながらスマホも見るなど）を頻繁にする人の脳とあまりしない人の脳を比較し、前者のグループのほうが、集中力に関わる前帯状皮質（ACC）が小さいことを発見した。反対にドイツのマックス・プランク研究所は、注意力を高める練習をした被験者のACCの厚みが増したことを確認している。[7]

また注意散漫は、時間の浪費にもつながる。カリフォルニア大学アーバイン校の研究では、注意散漫が一日の能率を大きく損なうことが示されている。「頭を切り替える必要がありますから。没入するのにしばらくかかるし、どこまでやったか思い出すのにも時間を取られます」と、この研究の筆頭執筆者であるグロリア・マークは言う。「中断された作業の約82％は、その日のうちに再開されるとわかりました。ところが困ったことに、再び作業に集中するのに平均で23分15秒かかるのです」[8]。つまり注意散漫になると、そのたびに20分以上を浪費するわけだ。あなたは毎日、何度注意をそがれているだろう？

せわしない頭を鎮める3つの小技

瞑想、ヨガ、ある種の武術といったツールは、せわしない頭を鎮めるのにすばらしい効果を発揮する。とはいえ昼間の時間帯によっては、数分以上その場を離れるのが難しい場合もあるだろう。そんなときにもできることはある。次の3つをぜひ試してほしい。

1 深呼吸する

朝のルーティンの一部として、深い浄化の呼吸をする利点については前に話した。しかし朝に限らず、自分の軸を取り戻したいときに、呼吸はいつでも役に立つ。統合医療の専門家であるアンドリュー・ワイル医学博士は、「4－7－8呼吸法」と呼ばれる呼吸のメソッドを考案した。それはこんなふうに行う。

・口からフーッと音を出しながら、息を吐ききる。
・口を閉じ、鼻から静かに息を吸いながら、心のなかで4つ数える。
・息を止めて7つ数える。
・8つ数えながら、口からフーッと息を吐ききる。

これで1呼吸。次にまた息を吸い、このサイクルをあと3回、4呼吸まで繰り返す。[9]

2 ストレスの原因に対処する

この技は、前に話した「先延ばし」と関係している。僕らはいまや（ブルーマ・ツァイガルニクのおかげで）、気になることがあると、それは対処するまで心の重石になり続けると知っている。あなたがなかなか集中できなかったり、同時に10個以上の考えを頭のなかでこねくり回していたりするなら、やるべきことを避けているせいでそうなっている可能性が高い。思い当たるふしがあれば、4－7－8呼吸法を試すか、ストレスの原因となっているタスクを片づけよう。そうして集中力を取り戻してから、ほかのやりたいことに戻るといい。

▼やってみよう！

手をつけるのを避けていて、そのせいで集中力に影響が出ている重要なことが何かないだろうか？　あれば1つ挙げよう。

---

3 「集中しなくていい時間」を設ける

集中すべきときに電話やメールをオフにするのは難しそうだが、実際にできればすばらしいし、その気になれば意外と簡単にできる。それよりずっと難しいのは、心配事や義務感に、いまやろうとしていることの邪魔をさせないことだ。「心配」で「自分の義務だ」と思うからこそ、それを頭からなかなか追い出せないわけだから。

先に見たように、ストレス源にまず対処するのも1つの手だが、それができない場合もある。だとすれば、いっそ注意散漫になる時間をスケジュールに組み入れ、心配事ややるべきことも、そのときに対処するのはどうだろう？　ただし「あとで心配しよう」と言うだけでは、20分後にまた考えていたりする。「これについては4時15分に心配しよう」と具体的に決めれば、そのとおりにできる確率は高くなる。

▼やってみよう！

次の「集中しなくていい時間」をスケジュールに組み込もう。

第11章のまとめ

集中力をリミットレスにするには、スーパーパワーをいかに解き放てるかがカギになる。完全に集中し、心身ともにタスクに打ち込めれば、注意散漫になったり思考が分断されたりしているときには不可能なレベルで、物事を成し遂げられるだろう。

それでは、次の章に進む前に演習をしよう。

- 自分の「やることリスト」をじっくり見て、達成の妨げになりそうな要素（不安やマルチタスクなど）を割り出そう。そして、本章で学んだ集中力を高めるツールを使いながら、そのタスクに取り組む計画を立てよう。
- 集中してより良い仕事ができるように、仕事場の環境をいますぐ変えてみよう。生産性を上げるために、何かできないだろうか？
- せわしない頭を鎮めるテクニックを1つ試そう。それは効果があっただろうか？　もしあれば、それを積極的に使うと決めよう。

第12章

学習効果を最大化する7つの習慣

「系統的に探究する能力ほど視野を広げてくれるものはない」
——マルクス・アウレリウス

本章の問い

生涯学び続けるとしたら、勉強時間をどのように効果的に活用すればいいか？
詰め込み学習は最良の勉強法か？
どうしたらもっとうまくノートを取れるだろうか？

金曜日のある晩、慌ただしい1週間を終えたところで、1本の電話がかかってきた。電話口の男性は、僕と共通の友人がいて、その人から僕に連絡を取るよう勧められたとのことだった。

「そうですか。ご用件はなんでしょう？」と僕は尋ねた。

最初の30秒間、男性は冷静そのものだった。ところがそう尋ねたとたん、男性の声のトーンが跳ね上がった。

「お願いです、助けてください。明日のイベントの登壇者が急用で来られなくなったんです。基調講演をするはずの人だったんですよ」

僕は答えた。それはお気の毒ですが、あいにく、飛び込みの講演の依頼はお引き受けしていないんです。普通は半年前に契約しますし、準備の時間も必要ですから。

男性は引き下がらなかった。くだんの友人が前に見た僕の講演を絶賛していて、急な依頼でも力強いスピーチができる人といったら、それは僕に決まっていると言うのだと。

「どうか私を救ってください」。男性はますます悲痛な声で言った。僕は心を動かされはじめていた。偶然にも、その土曜日は空いていた。会場は僕の住むマンハッタンだ。そこで基調講演のテーマを尋ねてみた。相手が答えたとき、僕は知らない言葉で話しかけられたかのようにまじまじと電話を見た。

「どうして僕に電話してきたんですか？　そんなの、門外漢もいいところですよ」

「ええ、でも、講演をキャンセルした人は本を出していまして」

「それがどうしたんです？」

電話の相手は、待ってましたとばかりに答えた。こうなると踏んでいたにちがいない。「ジムさんは速読家だそうですね。あなたなら、少し早く来て本の内容を勉強したら、うまく話してくださると思ったんです」

まさかの展開とはこのことだ。相手の言葉に耳を疑いながら、僕はその状況で自分にできる唯一のことをした。基調講演の依頼を引き受けたのだ。こんなチャレンジを断るなんて、僕にはありえない。それから条件等の合意を交わし、イベントの参加者についてもう少し教えてもらった。電話を切ったときには、さすがにキツネにつままれたような気分だった。
翌日は、午前10時に会場に着いた。前夜の電話の男性は僕に本を渡すと、静かな部屋を用意してくれた。基調講演は午後1時に始まる。それからの3時間、僕は本を読み、大量のメモを取り、スピーチの簡単な骨子を作った。そしてステージに上がって基調講演をした。それは結果的に、そのイベントで最高の評価を得たスピーチになった。僕はくたくただった。だが同時に、ものすごい高揚感に包まれてもいた。

あなたはこうした状況に置かれたことがあるだろうか？　たぶんないだろう。一方で、それこそ「ありえない」と言われそうだが、僕はこの講演の成功を確信していた。なぜなら、自分にその能力があるとわかっていたから。自慢したくて言っているわけじゃない。そうではなく、人には何ができるのかを伝えたいのだ。テーマを一瞬で自分のものにする方法、学んだことを記憶する方法、最も重要な点を見きわめる方法、人の学び方を理解する方法を身につけたら、どんな制約の感覚も消えることを。言い換えるなら、本書で紹介していることの多くは「実際にできる」のだ。

僕に速く勉強する能力がなければ、あのような基調講演をすることはできなかっただろう。そしてそれは、これまで取り組んできたほかのスキルと同じように、あるかないかで語られる能力ではない。開拓したことがあるかないか、だ。勉強力（勉強する能力）のリミットの外し方は身につけられる。そしていったん身につけば、生涯を通じて使えるスーパーパワーになるのだ。

▼やってみよう！

今月学んでみたいことについて考えよう。あなたなら、それをどんなふうに勉強するだろうか？　いまはどんな勉強法やテクニックを使っているだろうか？

能力の4段階

1960年代から、心理学者は、能力や学習に4段階のレベルがあることに注目していた。その第1段階は「無意識的無能」と呼ばれる。「知らないことを知らない」状態だ。たとえばこの段階では、あなたは速読というスキルがあることすら知らないかもしれない。したがって、いまの自分に速読をする能力がないことにも気づいていない。

次の段階は、「意識的無能」と呼ばれる。「知っていてもできない」状態だ。速読の例で言えば、このスキルを使うと読む速度が大きく向上すると知っているが、あなた自身は一度も訓練したことがなく、どのツールが速読に必要なのかもわからない。

第3段階は、「意識的有能」。スキルの存在を「知っていて、使いこなす能力もあるが、意識しているときにしかできない」状態を指す。できるけれども努力を要するわけだ。同じく速読の例で言うと、一応速くは読めるものの、それは速読のスキルを意識して使っている場合に限られる。タイピングや車の運転などの技術を習いはじめて間もないころと同じで、この段階では、できるとしても意識的に注意を払う必要がある。

第4段階は「無意識的有能」と言い、生涯学び続ける者が追求するレベルになる。この段階では、スキルを使いこなす術を知っているし、そのやり方が身についている。速読で言えば、速読がデフォルトの読み方になっている。無理に速く読まなくても自然とそうできるのだ。タイピングや車の運転にしても、いちいち注意を払わずにできる。

「意識的有能」から「無意識的有能」へと達するカギは、もうおわかりだろう。練習だ。練習すれば進歩できる。

心理学者が提唱するモデルはここまでだが、僕は第5の段階として、「真の熟達」を付け加えたい。この段階では、「無意識的有能」を超えて達人レベルでやすやすとスキルを使いこなせる。これがリミットレスのレベルである。

では、どうしたら達人レベルになれるのか。スーパーヒーローのように勉強するのだ。

古い勉強法を手放す

それにしても、勉強力に制限を抱えたままの人が多いのはなぜなのだろう？　ほとんどの人は効率的な勉強の仕方を知らないが、その理由はやり方を教わっていないことにある。勉強の仕方くらい知っている、と当然のように思っている人も少なくない。問題は、そうした勉強法の大半が古いうえに非効率であることだ。多くは数百年前から変わっていない。

僕らはいま、情報が遍在する、競争のきわめて激しい情報時代に生きている。にもかかわらず、情報を取り込んで処理するために使っているメソッドは昔のままだ。学習に求められるものは大きく変わっているのに、ほとんどの人は学校で教わったとおり、勉強とは試験中に答えを思い出せるようにテキストを何度も繰り返し見直すことだと思っている。詰め込み学習がいかに良くないかについてはすぐに話すが、結論だけ先に言うと、詰め込み学習はベストな勉強法からはほど遠い。

世界の成功者は一生を通じて勉強している。新たなスキルを学び続け、その分野で最新の情報についていき、ほかの分野から得られそうなことを敏感にキャッチし続けている。本書の前のほうでも話したように、生涯学び続けることには莫大な利点がある。だから、リミットレスな学習者になるという目標に近づきたければ、勉強を人生の一部にしたほうがいい。

これは、僕の生徒のジェームズが気づいたことだ――少し時間はかかったけれど。ジェームズは学校の勉強で苦労し、高校卒業後は、ビジネスマンとして成功する夢をもちながら、酒屋で3年間働いていた。しかし、夢を叶えるにはやはり大学に行く必要があると思い至った。

ジェームズはこんな話をしてくれた。「死に物狂いで勉強しました。最終的に会計学の学位を取り、会計事務所に入って、そのあと銀行に転職しました。でもずいぶん長いあいだ、ウェルスマネージャー[訳注 富裕層の資産管理を担当する職]には昇格できませんでした。アナリストとして入ったのですが、覚えることや勉強することが多くて、ついていくのがやっとでした。接客は得意だし、規律も守れたけれど、勉強が本当に苦手でした。いまでこそたくさん資格を持っていますが、以前は何度か試験に落ちました。働きながらCFP（公認ファイナンシャルプランナー）の試験を受けたときは地獄かと思いました」

ジェームズは、CFP試験の6週間前――通常は12週間の勉強期間を要する――に、僕の速読のプログラムを受けはじめた。それをきっかけに勉強のコツをつかむと、「集中的に勉強しているあいだ脳を健全に保てる」ようになった。それは試験の日に強力な援軍となった。

CFPの資格を取ったジェームズは、ウェルスマネージャーとして顧客と直接やりとりするポジションに就くことができた。新たに磨きをかけた学習スキルも使い続け、読んで理解しておくべき大量の目論見書も楽々と読みこなしている。

ジェームズは、途中で「もういいや」と自分に制限をかけることもできたはずだ。だがその代わりに、古い勉強法を手放すことを学び、キャリアの障害を克服したのだった。

一夜漬けがダメな理由

一夜漬けは、昔からあるおなじみの勉強法だ。多くの人が学校を出たあとも長く続けている。なぜ一夜漬けをするのだろうか？「大事な試験やプレゼンの準備を先延ばしにしていた、もしくは後回しにしていた」というのがおおかたの理由だろう。一夜漬けのような詰め込み型の勉強法を、最も効果的な準備方法だと信じている人も多い。しかしながら、それはどうやら正しくなさそうだ。

「現実には、詰め込み学習をすると心身の働きが低下し、その環境に対処する身体能力を保てなくなる」と、ジャーナリストのラルフ・ハイブツキは『シアトル・ポスト＝インテリジェンサー』紙に書いている。ハイブツキが引用したハーバード大学医科大学院の研究によると、詰め込み学習は精神機能の低下をはじめ、多くの好ましくない副作用をもたらす。[1]

そのうえ詰め込み学習をすると、普段の睡眠量のすべてか少なくとも大半をあきらめなければならず、詰め込みの本来の目的をかえって損なうことがある。カリフォルニア大学ロサンゼルス校の精神医学教授アンドリュー・J・フリグニは、詰め込み学習に関する研究を共同執筆し、この学習の副産物と期待される成果とのあいだに明らかな相関を見出した。「学生は勉強すべきでない、とはだれも言っていませんよ」とフリグニは語る。「ですが、十分な睡眠も学業の成功には欠かせません。この結果は、睡眠不足が学習の妨げになることを示唆する、最近の研究結果とも一致しています[2]」

僕自身もあらゆる年代の生徒と働くなかで、詰め込み学習は思ったほど有益ではないことを学んだ。長時間1つのことを勉強し続けても、その情報を覚えていられる可能性は低い。以前、記憶力の初頭効果と新近効果について説明したが、最初と最後の記憶が残りやすいなら、そのあいだの大量の情報は詰め込んでも忘れることが多くなるだけだ。もっといい方法をすぐに紹介しよう。

あなたが高校3年生で、一流大学に入学することを目標に5つのAPクラス［訳注　大学の教養課程レベルの授業］を履修しているなら、あるいは企業の幹部として、急速に変化する業界のトップにとどまる必要に迫られているなら、2つの困難に同時に直面している可能性が高い。つまり、ものにすべき情報の山と、それをものにする時間の少なさだ。心当たりを感じたら、自分が最大限効率的に勉強できているか確かめたほうがいい。

それでは、僕がより速く、より良く学ぶ方法を長年教えるなかで見出した、勉強力をリミットレスにするためのシンプルな習慣を7つ紹介しよう。

習慣1 アクティブリコール（想起学習）を活用する

アクティブリコールとは、「能動的に思い出す」という意味。テキストを復習して、その直後にどのくらい思い出せるかを確認する作業のことだ。それによって、単なる認識（そのページの文字に見覚えがあること）と、想起（内容を記憶の一部として能動的に思い出せること）を区別できる。「ほとんどの学生は、自分の力で思い出すことがどれだけ重要かに気づいていない」と、テキサスA&M大学の神経学者ウィリアム・クレム博士は述べている。「これは1つには、学生が多肢選択式テストで受動的に思い出すことに慣らされているためだろう。多肢選択式テストは、提示された正解に気づくだけでよく、正解を生み出すこととはそもそも対極にある。学生の学習活動に関する研究でも、覚えようとしている情報を想起することは、記憶の形成に重要な役割を果たすことがわかっている[3]」

アクティブリコールは次のように実践しよう。

・勉強中の素材（教科書や講義の録画など）を復習する。

・本を閉じ（音声や動画なら停止し）、復習した範囲で思い出せることをすべて書き出すか、声に出して言う。
・もう一度、素材を確認する。どのくらい思い出せていただろうか？

このプロセスを何度か繰り返せるように、十分な勉強時間を確保しておこう。前述のクレムはこう指摘している。「最も学習効果が高かったのは、最初の学習セッションで、対象範囲の反復学習と強制的な想記テストを最低4回連続で行ったときだった」[4]。ここから、次の取り入れるべき重要な習慣を導き出せる。

習慣2 時間を空けて復習する

前述したように、詰め込み学習には多くのデメリットがある。ついついサボりたくなる気持ちはわかるが、膨大な量の課題を一度に勉強しなくてはならない状況に自分を追い込んでも、まず実にならないと思ったほうがいい。脳本来の働きに逆らうことをしているからだ。

それとは反対に、復習の間隔を空けて、そのあいだに忘れた情報を重点的に学習できたら、脳の力をフルに活用できる。「間隔反復が単純ながらきわめて効果的なのは、脳のしくみをうまく利用しているからだ」と、オンライン学習プラットフォーム、シナップのCEOであるジェームズ・グプタは同意する。「学習で負荷がかかると、脳は筋肉のようにその刺激に反応して、神経細胞間の

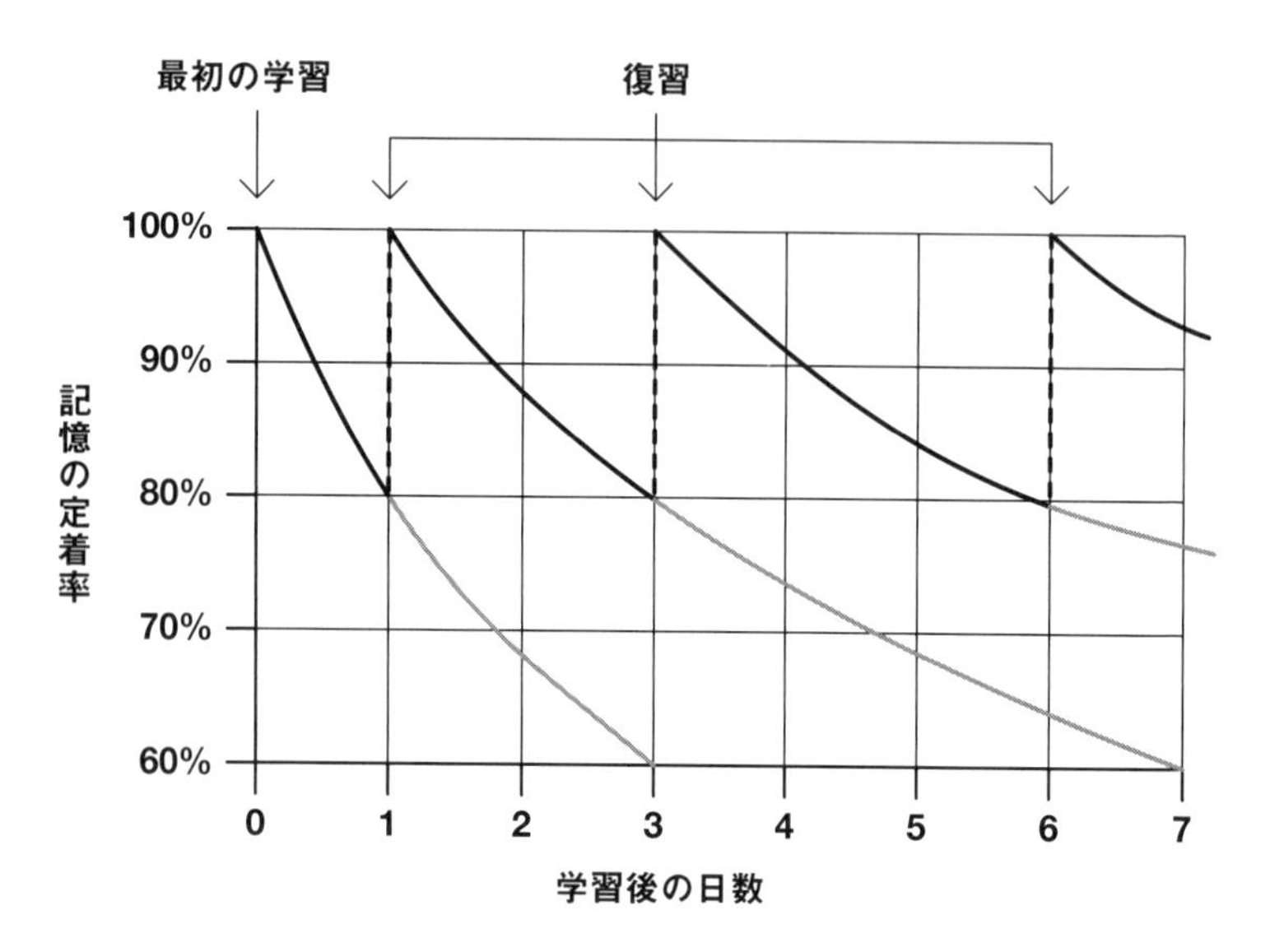

つながりを強化する。一定の間隔を置いて反復することで、このつながりはそのつどさらに鍛えられる。その結果、知識をより長く保持し続けられるのだ。私の知るかぎり、間隔反復を実践しはじめた人々は、この勉強法に絶大な信頼を置いている」[5]

間隔反復は、内容を一定の間隔で復習できるときに最も効果を上げるという。十分な時間を取ることが大切なのはそのためだ。たとえば、午前中に1回見直し、夕食前にもう1回見直すプロセスを4日連続で繰り返したら、今度は別の勉強したいものを同様の間隔で見直す。この手法とアクティブリコールを組み合わせて使おう。勉強した範囲を復習し、どれだけ覚えているか確かめたら、少し時間を置いてまた復習するといいだろう。

習慣3　心の状態と姿勢に気を配る

本書の前のほうで述べたように、何かをしているときの自分の状態は、その活動の成否に大きな影響を与える。ものすごく嫌なことがあった日に、仕事でスピーチを頼まれたり試験を受けたりしても、全力を出せる可能性はおそらく相当低い。心の状態がパフォーマンスを下げるからだ。一方、上機嫌でいれば、同じ状況でも結果は確実に良くなる。ポジティブで充実した状態でいるほど、より良い成果を得られるわけだ。勉強も例外ではない。

また、姿勢も心の状態に関わる。勉強するときは、人生を左右する重大な情報を学ぼうとしているかのように座ろう。姿勢を変えたくなったら、変えたあとの集中力の度合いに注目してほしい。正しい姿勢で座っているときは、呼吸がしやすく、脳や体に必要な酸素がスムーズに行きわたる。前かがみの姿勢は、呼吸に関わる臓器を圧迫するので疲れてしまう。

▼やってみよう！

椅子に座った状態で、机にもたれかかったり、うつむいたり、浅く呼吸したり、顔をしかめたりしてみよう。そうした姿勢で、どのくらい「よし、やろう」と思えるだろうか？　どのくらい能率が上がりそうだろうか？　どれも勉強中の学生がよくやる姿勢だが、これでは勉強が嫌いになるし、がんばっても結果が出にくいのは当然だ。次に、背筋をしゃんとして笑顔を浮かべてみよう。どのくらい気分が良くなっただろうか？

習慣4 嗅覚を活用する

こんな経験をしたことがないだろうか。部屋に入ると、いいにおいが漂っているのに気づく。オーブンで焼けるスパイスのにおいかもしれない。そのにおいを嗅いだとたん、幼なじみのAちゃんと遊んだ日の記憶がよみがえる。Aちゃんの言った冗談がおかしくて、鼻から牛乳を噴いてしまったのだ。スパイスのにおいから、なぜそんなことが思い出されるのか。理由は、Aちゃんといたときにそのスパイスのにおいがしていたから。においは、記憶を脳の奥から引っ張り出してくる働きにとりわけ優れているのだ。ちなみに、ローズマリーの香りは記憶力を向上させることが証明されている。ペパーミントとレモンは集中力を高める。

「答えは脳の構造にあるようだ」と、ペンシルバニア州立大学医科大学院の博士課程修了研究者ジョーダン・ゲインズ・ルイスは書いている。「外から入ってきたにおいはまず、嗅球（きゅうきゅう）という、鼻の奥から脳の底部に沿って伸びる組織で処理される。嗅球はへんとう体と海馬と直接つながっている。どちらも感情や記憶と関わりが深い脳の領域だ。興味深いことに、視覚、聴覚、触覚の情報はこの領域を通らない。嗅覚がほかのどの感覚より感情や記憶を刺激するのに長けているのは、このためだと考えられる[6]」

ここからわかるのは、においはとても重要だが、まだ十分活用されていない記憶のツールだということだ。あるにおいが子ども時代に一気に引き戻してくれるとしたら、別のにおいを使って思い出す速度を上げることも可能なはずだ。たとえば、大事な試験を控えているなら、精油を手首に少量つけて勉強し、試験前に同じ精油をつけるようにするといい。重要な会議の前にこれをしても同様の効果が得られる。ただし、周囲の迷惑にならないよう、めったやたらにつけないこと。思い出す力を高めるには、ほんの1、2滴でいい。

習慣5 脳にいい音楽を聴く

勉強を始めたばかりのころ、どうやって物事を学習していたか思い出してほしい。あなたがアメリカ人なら、アルファベットを歌で暗記しなかっただろうか？　あるいはテレビ番組『スクールハウス・ロック』の歌を聴いて、連邦議会で法案が成立するしくみを知ったかもしれない。音楽がこの世に生まれて以来、親たちは音楽を通じてわが子に人生の基本を教えてきた。それが有効だったからだが、音楽が学習に役立つことには、ちゃんとした科学的根拠がある。

数多くの研究が、音楽と学習を関連づけている。カナダの心理学者E・グレン・シュレンバーグ博士が発表した「覚醒度・気分仮説」は、音楽と気分の相関や、そこから生じる気分と学習の相関を明らかにしており、音楽を聴くことで学習能力を高められるとしている。[7]

なかでもバロック音楽には優れた効果があるようだ。「音楽は心身のリズムを落ち着かせ、大量の内容情報の処理と学習を可能にする深い集中状態を生み出す」と、音楽と学習の専門家であるクリス・ボイド・ブルワーは述べている。「バッハやヘンデルやテレマンが作曲したような、BPM（1分間の拍数）が50から80程度のバロック音楽は、集中するのに適した雰囲気を作り出し、学習者をアルファ波の出る深い集中状態に導く。こうした音楽を聴きながら語彙の勉強や暗記や読書をすると、とてもはかどるのだ[8]」

ラップやKポップで同じ効果を得られる確証はないが、音楽への反応は個人差が大きいから、その手の音楽があなたに効く可能性もある。もっとも、音楽はいまやストリーミングで手軽に聴けるので、勉強中のBGMにバロック音楽を加えることを、僕としては勧めたい。アマゾンミュージック、アップルミュージック、スポティファイにはバロック音楽のプレイリストがあるし、もっと深掘りしたければ、勉強のために特別に編集されたクラシック音楽のプレイリスト（大半はバロック音楽）も各配信サービスで見つかる。

習慣6　脳全体で話を聞く

勉強力のリミットを外したいなら、聞く技術も万全に磨いておきたい。聞くことと学ぶことにはとても強い関連がある。それに僕らの4人に1人以上は、耳から情報を取り込むことを主な学習手段とする「聴覚型学習者」なのだ[9]。

聞くことは学習に欠かせない。人間は、目覚めている時間のかなりの割合を聞くことに費やしている。しかしほとんどの人は、聞くことをそれほど得意としていない。「多くの研究がこの現象について調べている」と書いているのは、『The Plateau Effect（プラトー効果）』の共著者ボブ・サリヴァンとヒュー・トンプソンである。「聞くことは人間のコミュニケーションの核と言ってよく、平均的な成人は、話す量の倍近く話を聞いている。その一方で、多くの人は驚くほど聞き下手だ。それをよく表した調査結果がある。被験者が口頭による発表を10分間聞き、それから聞いた内容を説明するように求められた。すると、成人の被験者の半数が発表のすぐあとでも内容を説明できず、48時間後には、被験者のじつに75％が発表のテーマを思い出せなかった」[10]

ではなぜ、僕らは他人の話をうまく聞けないのか。脳の力をすべて注いで聞いていないことが1つの理由だ。デジタル注意散漫の特質に関するカーネギーメロン大学の研究を主導した前述のサリヴァンとトンプソンは、こう指摘する。「人間の脳は、1分当たり最大４００語の情報を取り込む能力がある。ところが、早口のニューヨーカーでさえ、1分間に１２５語前後しか話さない。つまり脳の4分の3は、だれかの話を聞きながら別のこともしている可能性が高いのだ」[11]

この問題を解消するために、僕は、脳全体を使って話を聞くのに役立つテクニックを編み出した。頭文字で、ＨＥＡＲ（聞く）と覚えてほしい。

Halt（中断する）

だれかの話を聞いているとき、その場ではたいがい別のことも起きている。ほかの人がうろついていたり、携帯電話が鳴ってメールの着信を知らせていたり、背後で音楽やテレビの音がしていたり。そのあいだ、あなたも「やることリスト」や、次に出る会議や、今晩の夕食を何にするかについて考えている。そのすべてをどうにかして頭から締め出し、相手の話に全身で耳を傾けよう。また、聞くのは言葉だけとは限らないこともお忘れなく。声の抑揚、身振り手振り、顔の表情などからわかることもあるし、追加の情報も授けてくれる。聞くこと以外のすべてを中断したときにだけ、こうした情報をまるごと受け取れる。

Empathy（共感する）

「話し手の靴を履いている」自分をイメージできれば、つまりは、相手の立場に立って話を聞くことができれば、ただ漫然と聞いているより多くを学べる。

相手はどんな人で、その話をすることで何を伝えようとしているのか。それを理解しようと心がければ、相手の視点からそうしたことを感じ取れるようになる。

Anticipate（期待する）

わくわくしながら話に耳を傾けよう。学習は学ぶ人の状態に左右されることを思い出してほしい。感情と結びつければ、その話し手から学べることは長期記憶になる。聞いていることへの関心が、その話を真摯に聞く能力を大きく高めるのだ。

Review（振り返る）

相手と直接話すチャンスがあれば、話してみよう。疑問に思ったことを尋ねたり、もう一度説明してもらったりしてもいいかもしれない。

メモを取れるなら取り、あとで内容を振り返ろう。それを自分の言葉に置き換えて、だれかに教えるところを想像しよう。そうすることで、頭のなかの記憶が強固になる。

習慣7　脳に最適なノートの取り方をする

最高の条件で勉強すると、思い出す力が飛躍的にアップする。勉強の下準備としても勉強の効率を上げるためにも、ノートを取る力（ノート力）を高めるのはすこぶる有益だ。

ノートを取ることの究極のメリットは、覚えておくべき情報を自分の語彙や考え方に合わせてカスタマイズできることだ。質の高いノートは、情報をあとで使いやすい形に整理したり加工したりできる。

ところが多くの人は、効率の良いノートの取り方をしていない。そうした人がやりがちなのは、ノートを書くのに気を取られて肝心の情報を聞き逃す、聞いたことを残らず書こうとする、あとで使えない形で書いてしまう、といったことだ。こうした落とし穴はどれも、気づきさえすれば避けるのはたやすい。というわけで、ノート力を強化するコツを順に説明しよう。

まず、ノートを取る目的を理解する。たとえば同じノートを取るにしても、学期半ばの授業と、試験前の復習の授業とでは取る目的がかなり違う。同様に、チームの週例ミーティングで取るノートと、大事な取引先へのプレゼンを控えた週に取るノートも、それを使って成し遂げたいことは異なるだろう。

ノートを取る目的がはっきりすれば、自分にとって重要な情報とそうでない情報の区別をつけやすくなる。僕の友人の作家は、文字起こしのサービスを使うほうが時間の節約になるとわかりつつ、すべてのインタビューの文字起こしを自分ですることにこだわる。自分ですれば、原稿に「使える」とわかっている部分だけを起こすので、本筋と関係のない会話にその部分が埋もれてしまうのを避けられるのだという。その結果、残るのは核心に近い内容だけだ。同じように、目的を意識しながらノートを取れば、取るノートすべてが自分にとって重要なものになる。

目的がはっきりしたら、積極的にノートを取る。必要な情報を逃さず聞き取るつもりで聞き、あとで思い出しやすい方法で書く。略語や短縮形を使うときは、なじみのあるものにすること。自分にも解読できないノートを書いてしまうことだけは避けたい。

なるべく自分の言葉で書くことも重要だ。先にも述べたが、ノートを取るときにやりがちなミスに、全部を書きとめようとすることがある。これには2つの明らかなデメリットがある。1つは、人間はたいていの人が話す速度で文字を書けないこと。平均的なアメリカ人は、1分間に100語前後を話すが、手書きできるのは1分間に10語から12語に限られる。キーボードを使っても（すぐに説明するが、この方法はお勧めしない）、話者が話したことの半分ほどしか記録できない。

しかし、それよりもっと根本的なデメリットがある。だれかの言葉をそのまま書いたら、その情報を自分のものにできない可能性が高いのだ。なにしろ学習の最も貴重な瞬間に、脳の大部分を使って書き取りの作業をしているのだから。だが自分の言葉でノートを取れば、情報を自分の頭で咀嚼しはじめるので、はるかに深く学習できる。

また、書くことについて言えば、ノートは手書きをお勧めしたい。ノートを保存するためにタブレット機器を使うなら、電子ペンを使って書こう。手書き文字をテキスト変換してくれる便利なアプリがある。ただしその場合にも、最も重要なのは手で書くことだ。情報をその場で咀嚼する必要があるし、そのほうが効果的であると証明されている。

「本研究からうかがえるのは、ノートパソコンは、ノートを取るだけのために使ったとしても、情報の取り込みが浅くなるので学習効果を損なう可能性があるということだ」と、この問題を調査したパム・A・ミュラーとダニエル・M・オッペンハイマーは書いている。「ノートパソコンでノートを取った学生は、手書きでノートを取った学生に比べて、概念の理解に関する問題の正答率が低かった。つまり、ノートを取ること自体は有益だが、情報を咀嚼したり自分の言葉で言い換えたりせずに教師の言葉をそのまま打ち込んでいくパソコン利用者のノートの取り方は、学習に悪影響を及ぼすのである」[12]

そして何より、ノート力を上げる一番の秘訣は「真剣に聞くこと」だ。あなたは秘書としてそこにいるのではない。あとで使う情報を受け取るためにいる。だからこそ、相手の言葉にしっかり耳を傾けることが重要なのだ。強調されたポイントをノートに取ろう。話の主旨を理解できているかどうか確かめ、チャンスがあれば質問しよう。情報を受け取ることと、それを記録することに少なくとも同程度の注意を払えなければ、真剣に聞けたとは言えない。

ノートの取り方でお勧めなのは、僕が「キャプチャ・アンド・クリエイト」と呼ぶ方法だ。紙の真ん中に線を引き、左半分でキャプチャする、つまりノートを取る。そして右半分でクリエイトする、つまりノートを作る。右半分には、キャプチャしたことへの気づき（これはどう使えるのか、なぜ使わなければならないのか、いつ使えるのか、など）を書くといい。

ひととおりノートを取ったら、すぐに見返そう。何日も放っておくより、記憶の定着率が段違いに高まる。頭のなかの情報がまだ新しいので、書き逃したことを補える利点もある。

ノート力をさらに高めるコツ

ノートを取る力をいつでも確実に、また十分に活用したければ、次のＴＩＰ（コツ）を覚えよう。

Think（考える）

ノートを取る前に、その時間から何を最も得たいかを考えよう。考えることで、目的に沿った価値の高い情報を選り分けやすくなる。

Identify（見きわめる）

提示された情報によく耳を傾け、ノートを取る目的と照らし合わせて、その情報の最も重要な部分を見きわめよう。前にも言ったが、全部を書こうとすると情報を一度に処理しきれないので、勉強が難しくなる。一番必要な情報を見きわめてノートに取ろう。

Ｐｒｉｏｒｉｔｉｚｅ（優先する）

書いたノートを見返しながら、最も自分のためになる情報を優先的に抜き出そう。必要ならメモを足したり、要点をまとめたりしてもいい。

第12章のまとめ

リミットレスになるというのは、つまるところ、一生涯学び続けるということだ。そのことがわかれば、勉強の仕方がきわめて重要であることも理解できるだろう。

それでは、次の章に進む前に演習をしよう。

- アクティブリコールを試そう。何か新しい情報を勉強して、その直後にどのくらい思い出せるかを確かめてみよう。
- 勉強がはかどる音楽のプレイリストを見つけよう。いろいろなものがあるが、自分に合った音楽は、情報を取り込む力を高めてくれる。だから、少し時間をかけて、好みのリストを探してみよう。それをＢＧＭにしながら、本書の残りを読んでもいいかもしれない。
- 習慣７のノートの取り方を試してみよう。この章をもう一度、ノートを取りながら読んでみてはどうだろうか。ＴＥＤの動画を見ながらノートを取ってもいい。本章で学んだスキルを使って、より良いノートの取り方を体験しよう。

第13章

短時間で大量にインプットして忘れない記憶の技法

「人がもてる能力を発揮すれば、文字どおり自分に仰天するはずだ」

――トーマス・エジソン

本章の問い

記憶力をいますぐ高めるには、どうすればいいのか?
大量の情報を記憶する方法には、どんなものがあるか?
その情報は、どうしたら必要なときにたやすく引き出せるのか?

数年前のことだ。ある朝早くオフィスに来ると、だれもいない部屋で電話が鳴りだした。受話器を取ったとたん、女性の感極まった声が聞こえてきた。

「好きです、大好き、愛してる!」

断っておくが、こんな電話がしょっちゅうかかってくるわけじゃない。

「ええっと、どちらさまですか」

「アンです。あなたのクラスを受けた」そう言うなり、女性は声を張り上げた。「あったのよ!」

まあ、人違いではなさそうだ。「何があったんです？」

「思い出したのよ。どういうことかはわからないんだけど、あなたに教えてもらった例のエクササイズを全部やったら。やっていないときにも、人の名前や会話の内容が頭に浮かんでくるの」

なるほど、この質問にも答えてくれないのか。どうやら、話したいように話してもらうしかなさそうだ。それから数分のうちに、僕は、アンが何年か前に祖母から由緒ある品を譲り受けたことを知った。それはアンの家に代々伝わるネックレスで、彼女のおばあさんは、自分の娘と3人の姉をスキップしてアンにそれを譲ったのだった。アンはそのことをとても名誉に感じ、大事に扱うと誓った。だが、1つだけ問題があった。大事にしようと思うあまり、どこだか思い出せない場所にネックレスをしまい込んでしまったのだ。行方不明になったのに気づいて探しはじめたが、どれだけ探してもネックレスは出てこなかった。アンの不安はいよいよピークに達した。家族への後ろめたさはそれにも増して強かった。

3年後、アンはネックレスを見つけるのをあきらめることにした。なくしたのか、でなければ盗まれたのだろう、と。それからしばらくして、僕に電話をかけてきた日の深夜2時に、アンははっと目を覚ました。2階下の地下室に降り、急ぎ足で給湯タンクに向かうと、裏側に回り込んで窪みに手を伸ばした。ネックレスを引っ張り出し、安堵のあまり倒れそうになった。

「それはよかったですねえ」と僕は言った。「ただ、気になるんですが、僕はなくしたものの見つけ方は教えていませんよ。うちのクラスでは、そういうのはやってませんから」

「ええ、でも、それよりずっと貴重なことを教わりました。なぜだかこの数週間、いろんなことを思い出すの。最近のことばかりか、もう何年も忘れていたことまで」

そしてアンは言った。「ジム、私に脳を取り戻させてくれて、どうもありがとう」

彼女があの興奮を通じて表現していたことこそ、僕が長年伝えようとしていることだ。確かに、あなたの脳は臓器だ。だが筋肉のようにも働く。「使わなければ衰える」という点において、脳と筋肉はとてもよく似ている。人間の脳は、それを健全に保とうと努力するときにだけ健全に働く。その努力を怠れば——だらけたり、テクノロジーに頼りすぎたり、新たなことを学ぶのをやめたりすれば——たるんでしまう。

こう考えてみてほしい。腕を半年間包帯で吊っていたら、いま以上に強くなることはないだろう。それどころか、包帯を外したあとはまともに動かすのも難しいはずだ。脳も同じだ。定期的に鍛えなければ、いざというときにベストの力を発揮するのは難しい。けれども最高のコンディションを保つ努力をすれば、スーパーヒーロー級の働きができるよういつでも備えておける。そしてヒーローさながらに、僕らの呼びかけに応えてくれるのだ。

記憶力こそ、その人のすべて

記憶力は、学習のプロセスで最も重要な要素だとされている。覚えられなければ、何も学習できない。記憶なくして知識は存在しないのだ。ところがおおかたの人は、理想的とは言いがたい記憶力のスキルしか身につけていない。なぜか。僕が思うに、その原因は、学校で教わるものの覚え方

――たいていは丸暗記――にある。今日でも大半の学校は、事実や文章を、それが一時的に頭に焼きつくまで繰り返し唱えることで暗記する方法を教えている。もっとも、そうして覚えた情報はいらなくなったとたんに忘れがちだし、丸暗記したからその題材に詳しくなれるということもめったにない。

記憶力は、人間のとりわけ大事な資産でもある。それは、人生のあらゆる領域であなたを支えている。試しに記憶力に頼らずに行動してみてほしい。控えめに言って、人生は途方もなく難しくなる。毎朝、目が覚めたら、昨日までの記憶がすべて消えているとしたらどうだろうか。ベッドからの起き上がり方、服の着方、歯の磨き方、朝食の食べ方から車の運転の仕方まで一から学ばねばならず、不便なこと極まりない。幸い、あなたはすばらしい記憶力をもって生まれた。あとは、その使い方を教えてもらえばいいだけなのだ。

▼やってみよう！
いまのあなたの記憶力に点数をつけるとしたら、何点くらいだろうか？　どんな部分を改善したいだろうか？

脳のパフォーマンスを大幅に高めようとするなら、記憶力のリミットを外す必要がある。記憶力は、大半の脳機能の根幹をなす部分だからだ。その点を踏まえて、とても大切なことをあなたに伝えたい。記憶力に良し悪しは存在しない。訓練された記憶力と、訓練されていない記憶力があるだけだ。あなたが人の名前を覚えるのが苦手だったり、メモなしでプレゼンができなかったり、毎朝、車の鍵を見つけるのに苦労していたりしても、それはあなたの記憶力がお粗末だからではない。そうではなく、ただ訓練を受けていないのだ。

ジャーナリストのジョシュア・フォアは、記憶力は訓練できると強い確信を抱いている。2005年、フォアは、頭脳のアスリートと呼ばれる人々の知られざる世界についてレポートする仕事を引き受けた。そして記憶力の全国大会（全米記憶力選手権）を訪れると、そこで目にした光景に興味を引かれ、大会の参加者のことをもっと知りたくなった。フォアを驚かせたのは、彼がインタビューした参加者のほぼ全員が、記憶術の原則を学んで訓練する前は、記憶力が悪いか人並みだったと語ったことだった。いまや記憶力の最高峰の大会で競っている人々がそう言うのだ。

その話を聞いたフォアは、記憶力には限界がなく、運動技能のように訓練できるのだと思い至った。そして学んだことを実践しはじめた。1年後、フォアは大会に戻ってきた。ただし今度は競技者としてだ。大会の当日、僕とフォアは競技の合間に昼食を一緒にとり、一見天性の才能に見えるものが、実際には学習で身につけられるケースが多いことについて感嘆し合った。その日の午後、フォアは見事優勝してトロフィーを持ち帰った。この経緯は、フォアの画期的な著書『ごく平凡な記憶力の私が1年で全米記憶力チャンピオンになれた理由』（梶浦真美訳、エクスナレッジ）にまとめられている。

なぜリミットレスになるのに記憶力がそれほど重要なのか？　なぜなら記憶力は、あなたが現在、または将来取りうるすべての行動の基礎を担っているからだ。もしもパソコンの記憶域（ストレージ）が極小だったり、保存した情報へのアクセスが不安定だったりしたら、どうなるだろうか。大半の機能がまともに働かないだろう。メールを書こうにも、相手のメールアドレスが連絡先に登録されているのかどうかがわからず、書いたあともメッセージを無事送れたのかどうか怪しい――しかも、それを処理するのに耐えがたいほど時間がかかるのだ。

本書で僕は、人間の脳をスーパーコンピュータにたとえてきた。一方で僕らは、両者にはさまざまな違いがあることも知っている。最大の違いはおそらく、推論する能力だ。目の前の事実や状況を見きわめる能力、またはそうした事実や状況を足がかりに行動し、新たなものを生み出し、前に進んでいく能力と言ってもいい。推論をするには、十分な情報にもとづいた生産的な判断を下すために、過去に有益だと証明されたツールを使って、記憶の豊かな蓄えを吟味する必要がある。

「〝ここまではわかっている〟という感覚がなければ、未来に向けて創造的に考えることはできない」と、ブランダイス大学の神経科学教授イヴ・マーダー博士は書いている。「われわれ研究者はよく、領域を横断してつながりを作ったり新たな発見の道筋を見出したりできる、学際的で統合的な思考の持ち主を求めている、などと言う。しかし、そうした未来の創造的なリーダーが、〝調べればいいから〟と、学んだことを簡単に忘れる学生のなかから出てくるとは思えない。だいいち、それほど多くを忘れていたら、何を調べたらいいかわからないだろう」[1]

第12章で紹介したウィリアム・クレム博士は、記憶力を高めることの重要性を、次の5つの理由を挙げて説明している。

1 記憶することは頭の鍛錬になる。

多くの頭脳が怠けて注意散漫になり、ろくに考えていないか、まともに考えられない時代に、この鍛錬は大いに必要だ。記憶することとは、集中力を高めて頭を勤勉に働かせるトレーニングになる。

2 いつでも「ググれる」わけではない。

インターネットが使えないときもあるし、重要な情報がすべてウェブ上にあるわけでもない（重要ではない情報はいくらでも検索に引っかかるが）。外国語の自然な言い回しを知りたい、即興で書いたり話したりしなければならない、何かの専門家になりたいといった状況で役に立つ情報も、検索ではなかなか見つからないだろう。

3 記憶することは思考の幅を広げる。

情報がまったくない状態で考えられる人はいない。何かの分野の専門家になるには、前提となる知識が必要だ。

4 人間はワーキングメモリ（作業記憶）に保存されたアイデアを使って思考する。このメモリには、脳に蓄えられた記憶から高速でアクセスすることしかできない。

より良く考えて理解するには、ワーキングメモリの情報が欠かせない。この情報（つまりは知識）がなければ、頭のなかがぐちゃぐちゃになってしまう。

5 記憶力を鍛えると、学習と記憶のスキーマが開発されて学習能力が向上する。

記憶すればするほど、ますます学習できるようになる。[2]

とくに最後のポイントを強調したい。あなたの記憶力は、容器やコップやハードディスクのように、満杯になるとそれ以上入らないというものではない。むしろ筋肉に似ていて、鍛えれば鍛えるほど強くなり、より多くの情報を蓄えられるのだ。

記憶力を高める3つの心がけ「MOM」

本章では、記憶力の訓練に役立つツールやテクニックをいくつか紹介する。頭脳の基本的な性質を応用すれば、もっと自然に、たやすく、楽しく学び（覚え）ながら記憶力を高められる。

その際に頼りになるのが、MOM（お母さん）だ。あなたの記憶力を即座にパワーアップすべく考案した次の3項目を、記憶力の訓練をするときにはつねに心がけてほしい。

Motivation（動機）

身もふたもない話だが、僕ら人間は、覚える意欲があることに関しては覚えていられる可能性がかなり高い。「明日の電話、忘れないでくれよな」とだれかに言われても、その人に電話する予定を思い出せるかどうかはわからない。ところが「明日の電話、忘れなかったら5000ドルあげるよ」と言われたら、まずまちがいなく思い出す。

人間は、それをする強い動機があると、そのことを記憶できる確率が飛躍的に高まる。だから、記憶力を高める訓練をしたければ、その訓練をするための強い動機づけを自分に与えよう。理由なくして成果はないから、なぜ記憶できるようになりたいのかを自分のなかで明確にしよう。「記憶することには価値がある」と自分に思わせられたら、そうできる確率は確実に高まるはずだ。

Observation（注意）

人の名前を聞いた瞬間に忘れがちだとしたら、原因はおそらく、名前を聞くときに十分注意を払っていなかったことにある。部屋のなかをきょろきょろ見回して知り合いを探していたのかもしれないし、その直前に交わした会話のことをまだ考えていたのかもしれない。理由はどうあれ、心ここにあらずだったわけだ。

何かを思い出せないときには、問題はたいがい、「覚えていない」ことではなく「注意していない」ことにある。本気で記憶力を高めたければ、記憶したいことがある状況に完全に注意を向けられるよう、自分の態勢を整えよう。

Method（手段）

本章で紹介する一連のツールは、何かを覚えたいときに抜群の効果を発揮する。このツールを頭の道具箱に入れていつも持ち運び、意識しなくてもできるようになるまで使い込んでほしい。

自分なりの関連づけをする

覚えようとしている対象になんらかの参照ポイントを盛り込めれば、それを覚えられる可能性は大きく高まる。

いまから数十年前、研究者のジリアン・コーエンが、人の名前と顔を一致させる能力を調べる研究を行い、のちに「ベイカーベイカーパラドクス」として有名になる現象を発見した。その研究で、被験者はいくつかの顔写真を見せられ、その人たちの名前や属性を教えられたあと、名前を思い出すように指示された。すると、被験者は人の名前より職業の名前を、たとえ同じつづりであったとしてもずっと容易に思い出せたことがわかった。どういうことかと言うと、だれかの名字が「ベイカー」であることより、その人の職業が「ベイカー」であることのほうが格段に思い出しやすかったのだ。

この点について、先述のジョシュア・フォアがこんな説明をしている。

写真の男性の職業が「ベイカー」(パン屋)だと聞くと、その事実は、パン屋とは何かに関わる知のネットワーク全体に取り込まれる。この男性はパンを焼き、大きな白い帽子をかぶっていて、いいにおいをさせながら仕事から帰宅する、といった具合に。
一方、名字の「ベイカー」は、男性の顔の記憶と結びついているにすぎない。そのつながりはとても弱く、切れたら最後、失われた記憶の冥府に吸い込まれて二度と復活しない。ところが、それが職業の名前だと、記憶を引き戻すための紐が何重にもなる。
パン屋だと最初は思い出せなくても、何かパンっぽかったなとぼんやり覚えていたり、男性の顔から白い帽子が連想されたり、近所のパン屋が頭に浮かんだりするかもしれない。その絡まり合った関連性のなかに、男性の職業につながる結び目がいくつも見つかるのだ。[3]

この「ベイカーベイカーパラドクス」からわかるのは、自分なりの関連づけをすると、記憶力を飛躍的に向上させられるということだ。

ここからは、僕がとりわけ効果を実感している関連づけのテクニックを紹介しよう。

機械的な暗記は退屈で非効率

大人数を前に話すとき、僕がよくすることがある。30個から100個ほどの単語をランダムに挙げてもらうと、逆から順に復唱してみせるのだ。すると決まって感嘆の声が上がるが、それがこの技を披露する目的ではない。そうではなく、1つの大事な点に気づいてほしくてやっている。つまり、これと同じことをする能力はだれにでもあるのだということを。

記憶力が脳のほぼすべての機能に対して重要な役割を担っていることについては、すでに話した。あなたが自分の脳の、すなわち自分自身のリミットを外したいなら、記憶力のリミットも外す必要がある。これは言い換えれば、大量の情報を保持できてたやすく引き出せるようになるまで、記憶力を鍛えることにほかならない。

僕が壇上で100個の単語を使ってしているのは、まさしくそのことだ。余興っぽくその場を沸かすこともできるかもしれないが、そうなるまで僕が自分自身を訓練した方法を使えば、だれでも大量の情報を記憶して引き出せるようになる。たとえば、自社の全製品のスペックを覚えて説明できるかもしれない。数学の長い公式を暗記できるかもしれない。子どもの習い事の送り迎えで、車に乗せて行く全員をピックアップする順路を覚えられるかもしれない。なんであれ、このテクニックは使える。

それでは初めに、単語のリストの覚え方を見てみよう。使うテクニックはどの単語でも同じだが、あることに着目するとスムーズに覚えられるようになる。

以下に、簡単な単語をいくつか列挙している。上の段から順に覚えてほしい。30秒以内に目を通して、それからページを伏せよう。さあ、開始！

消火栓　ダイヤモンド
風船　騎士
電池　雄牛
樽　歯磨き粉
板　看板

どうやって覚えただろうか？　頭のなかで何度も繰り返した？　「消火栓、風船、電池、消火栓、

風船、電池、消火栓、風船、電池、樽……」といった具合に。リストが頭にしみ込むまで、単語を繰り返し口に出して言う必要があっただろうか？　もしくは、イメージで覚えようとしただろうか？　たいていの人は、最初に挙げた2つの方法のどちらか一方を、または両方を組み合わせて使う。このように、情報を何度も復唱したり書いたりして記憶する作業のことを、「反復学習」あるいは「機械的学習」と呼ぶ（ここで言う「機械的」とは、文字どおり考えずに繰り返したり丸暗記したりすることを意味する）。

あなたがアメリカ人なら、小学2年生のときに、九九の表を機械的学習で覚えただろう。「7掛ける7は49、7掛ける7は49、7掛ける7は49……」とぶつぶつ唱えたり、「7×7＝49、7×7＝49、7×7＝49」と紙を埋め尽くすまで書いたり。ちなみに、小学校で単語のつづりを学ぶときもほぼ同じ手法を使う。先生に言われて「chair（椅子）」の字を紙に50回書いた、という人もいるかもしれない。だがこれをすると、その人本来の学ぶ力は抑え込まれる。そして飽き飽きするまでこのやり方を続け、しまいには白旗を揚げる。「はい、100回目、コロンブスの新大陸発見は1492年。もう暗記はうんざりだ！」

機械的学習を、ひどく単調で退屈な作業だと思わない人はまずいない。頭が疲れるし、ほとんどのことを覚えるにはきわめて非効率でもある。そうやって時間をかけて覚えても、覚えた情報の最大85％はわずか48時間で失われるという。一夜漬けに頼る学生がいるのはそのせいだ。彼らは、にわか知識のはかなさを知っているのだ。

単語を物語に仕立てる

機械的学習が非効率である理由の1つに、脳のごく一部しか使われないことがある。人間は通常、脳のより分析的な部位を使って、情報を処理したり学習に必要なことを蓄えたりしている。機械的学習をするときには、そうした知能の一部しか使われず、潜在能力に至ってはさらにわずかしか使われない。

従来型の学校教育で、あなたはこんな暗記の仕方を教わったかもしれない。

歴史：「カルビン・クーリッジはアメリカ第30代大統領、クーリッジ30、30クーリッジ……」
化学：「グルコースは$C_6H_{12}O_6$、グルコース$C_6H_{12}O_6$、グルコース$C_6H_{12}O_6$……」
フランス語：「コマンタレブーは『お元気ですか』、コマンタレブーは『お元気ですか』、コマンタレブーは『お元気ですか』……」

と、このリストがどこまでも続く。そこで自問すべきはこの問いだ。「小学校で教わった学び方は、いまの自分にとっても最善の学習法だろうか？」

答えはおそらく、ノーでまちがいないだろう。学校は「読み・書き・計算」を教えてくれる。僕はそこに「想起」、つまり思い出すことも入れるべきだとつねづね思っている。学習に求められることは、時代や年齢とともに大きく変わる。小学生なら反復学習もそれなりに有効だろうが、いまの世界であなたがしても、情報と精神疲労の海で溺れるだけだ。

このセクションでは、それぞれの人が自分に可能だと思っていたレベルを超えて効果的に物事を覚えられるようになるスキルを紹介したい。それらは、「私はきっと思い出せる」という期待を、「私は必要なときにいつでも情報を取り出せる」という確信に置き換える助けになってくれる。

それでは、前のページを見返さずに、さきほどの単語のリストを順番に思い出してみよう。思い出せるだけ書いてみてほしい。制限時間は1分。さあ、やってみよう。

どうだっただろうか？　よほどの記憶力でなければ、覚えていられたのは2、3語だったはずだ。

▼やってみよう！

ここで息抜きタイム。1分ほどストレッチをしよう。深呼吸も何回かするといい。頭を空っぽにし、吐く息に合わせて体の力を抜こう。そうして少しリラックスしたら、また続きにかかろう。

次に、心を落ち着けて、巨大な消火栓のそばに立っている自分を想像しよう。見たこともないほど大きな消火栓だ。では、その消火栓のてっぺんに風船の束をくくりつけてほしい。風船がものすごくたくさんあるので、消火栓は地面から離れて空高く浮き上がる。そのとき、電池がいきなり大量に飛んできて風船にぶつかり、風船が破裂する。見ると、電池の入った大樽が空に向かって次々に打ち上げられている。樽の打ち上げ台になっているのは、シーソーに似た木の板だ。巨大なダイヤモンドがその重心を支えている。特大サイズの、まばゆいばかりにきらめく宝石だ。そこに輝く甲冑をまとった騎士が現れ、ダイヤを奪って逃げるが、雄牛にすぐさま行く手を塞がれる。先へ進むには、雄牛の歯を歯磨き粉で磨くしかない。雄牛が脇にどいたところで現れたのは、「おめでとう」の文字が光る巨大なネオンサインの看板。そして大爆発が起きる。

それでは目を閉じ、1分かけて、いまの小ばなしを振り返ろう。必要なら読み返してもいい。それができたら先に進もう。

▼やってみよう!

いまの話を、記憶だけを頼りに書いてみよう。

もうお気づきだろう、10個の単語をストーリーに仕立てたのだ。次に、このストーリーを頭のなかでなぞりながら、リストにあった単語を思い出せるだけ書き出そう。それから答え合わせをして、正解の数を書きとめよう。

「記憶力を育む秘訣は注意力にあり、注意力の強さは対象への興味によって決まる。心に深い印象を残したことを、人はめったに忘れない」

——トライオン・エドワーズ

二度目はどうだっただろう? 一度目よりは思い出せたのではないだろうか。面白いことに、このやり方で記憶力を鍛えはじめると、膨大な量の情報を覚えられるようになる。僕はこのテクニックを使って、台本のセリフをまるごと覚えたい俳優たちや、元素の周期表を暗記したい学生たちの手助けをしてきた。セールスの担当者が、まるで自分で開発したかのように製品について詳しく語れるようになったこともある。前にも話したが、記憶力に良し悪しはない。訓練されているか、いないかだけだ。このテクニックを日頃から実践すれば、あらゆる状況で記憶力の訓練ができるようになるだろう。

能動的に記憶する

ここで1つ、大事なポイントを挙げたい。一般的に、学習は受け身の行為だと思われている。本やノート、あるいは授業で情報にたまたま出会い、それを自分のものにできればラッキーだが、できなくてもしかたがないと。しかし、これでは学習が場当たり的になる。その情報を保持できるのは、注意力や技術よりむしろ運や反復学習によるものだというわけだ。もっと能動的に学習に取り組めば、より大きな成果を上げられるし、自分の力で考えて気づくことで満足感も得られる。受動的な学習は弱く、能動的な学習は強い。

次に挙げる4項目――視覚化（ビジュアライゼーション）、関連づけ（アソシエーション）、感情（エモーション）、場所（ロケーション）――は、能動的に記憶するためのキーワードだ。

視覚化

視覚的な記憶はとても強力だ。ストーリーが描くものを、それを表す言葉だけではなくイメージでも見ることで、より効果的な記憶の手段を生み出している。思考もイメージの活用を通じて行われる。

例として、あなたのベッドについて考えてほしい。何がぱっと思い浮かんだだろうか？　クイーンサイズのマットレス、木製のヘッドボード、紺色のシーツ、大きな枕、そのあたりだろうか。ただし、「紺色のシーツ」や「大きな枕」といった言葉はおそらく見えず、その言葉を象徴するイメージが見えたはずだ。人間の頭はそんなふうに考えている。嘘だと思うなら、自分に尋ねてみるといい。あなたは眠っているとき、夢を言葉で見ることがよくあるだろうか（たぶんないはず）。イメージを覚えるのは、千の言葉を覚えるにも等しい価値があるのだ。

「あらゆる思考は連想の産物だ。目の前にあるものが、知っているとも気づかなかったことを脳裏に浮かび上がらせる」

——ロバート・フロスト

関連づけ

この手法は、記憶とあらゆる学習を理解するカギになる。新しい情報を学ぶには、その情報を、すでに知っていることと関連づける必要があるのだ。

もう一度言おう。新しい情報を覚えるには、それを既知の情報と関連づけなければならない。気づいていないかもしれないが、あなたは生まれてからずっとこの作業をしている。簡単なテストをしてみよう。サクランボについて考えるとき、何が頭のなかに思い浮かぶだろうか？　赤い、甘い、果物、パイ、丸い、種がある、といったところだろう。あなたはこうした言葉やイメージを、サクランボに結びつけて覚えている。要は、知っていることと知らないことを関連づけたのだ。さらにこの関連づけは、自転車に乗ったり、食事をしたり、人と会話したり、何かのやり方を学んだりするときにも行われる。単語でストーリーを作るのも同じことだ。単語同士を意図的に関連づけることで思い出しやすくしている。

人間の頭脳は、分刻みで絶えず無数の関連づけをしており、そのほとんどは無意識のうちになされている。これが「学習する」ということだ。それを聴くと特定の人を思い出す歌はあるだろうか？　その記憶が関連づけだ。子ども時代のひとときを思い出すにおいは？　その記憶が関連づけだ。こうした情報を使って意図的に関連づけを行い、もっと効率良く学習しよう。

感情

何かに感情を結びつけると、その対象は記憶に残りやすくなる。情報はそれ自体では忘れられがちだが、感情をともなった情報は長期記憶になる。

感情を結びつけるときは、大胆で、大げさで、ユーモラスなものにするといい。記憶できる確率が大きく高まる。

場所

人間は、場所を思い出すのが非常にうまい。狩猟採集民だったころ、数字や言葉を覚える必要はなかったが、何がどこにあるかは覚えておかなければならなかったからだ。きれいな水はどこにあるのか。肥沃な土地はどこにあるのか。食べ物はどこにあるのか。場所と関連づけられれば、その情報は記憶に残りやすくなる。

記憶力を高めるコツはいくつかある。本章の残りのページでは、具体的なテクニックや、さまざまな状況で使える応用法を紹介しよう。ストーリーで覚える方法がうまくいかなかったとしても、心配ない。最初はできなくて当然だし、たぶん少し練習が必要なだけだ。想像力を使うのは子どものころ以来だという人も珍しくない。ストーリーを何度か読み返すといい。創造的に頭を使う良いトレーニングになる。いま、やってみよう。

あるいは、ストーリーを終わりから逆向きになぞってみてもいい。どんな順でも、関連づけられればそれでいいのだ。練習して確かめてみよう。

その成果にきっと目を見張るだろう。機械的な学習法を使うと、単語のリストを覚えるのにたいてい10分から30分かかり、そのわりには記憶が長持ちしない。ところが、このストーリーは1分もあれば覚えられるし、それきり見直さなくても、数日どころか数週間先まで覚えていられる。力任せに覚えるのではなく、コツをつかんで賢く覚えるからだ。これがイメージの力であり、頭脳の力だ。もう一度やってみよう。

覚え方の自分なりのパターンを見つける

友達に頼んで、適当な単語を10個リストアップしてもらおう。または、自分で10個選んでもいい。その場合は、なるべくランダムなリストにするために、本や新聞、雑誌、近所のスーパーのチラシなどの手近な印刷物を見て、冒頭の10段落から、各段落の初めに出てくる名詞（「私」「その」「いつ」

など は避ける)を1つずつ抜き出す。同じ単語を2回以上使わないこと。選んだら紙に書き出そう。

次にその紙を裏返し、リストアップした単語を順に書いてみよう。それから、書いたものを元のリストと突き合わせよう。どうだっただろうか? 全部は思い出せなかったかもしれないが、かといって10個全部を忘れてもいなかったはずだ。ここから読み取れるのは、才能は手がかりを残すということ。つまり、あなたの頭の使い方からあなたの知性の傾向がわかるのだ。自分のしたことを記憶できるような法則が何かしらあったはずであり、その生かし方がわかれば記憶力はもっと良くなる。

次に、思い出した単語を声に出して読み、なぜそれらを思い出せたのか考えてみよう。こうすると、自分の覚え方のパターンが見えてくる。たとえば、リストの最初と最後の単語は思い出せた確率が高い。これは第4章で見た、記憶の初頭効果と新近効果として知られるおなじみの現象だ。ほかの単語はどうだろう? 何か共通点はあるだろうか? 同じ文字で始まるとか、すべて行動に関わる言葉だとか。そこから何がわかるだろうか? また、なんらかの規則性はあるだろうか? 特定の感情を呼び起こしたり、自分なりのパターンが見つかったりするだろうか?

このあたりで、ほかより先に思い出せた単語には一定の特徴があることに気づくはずだ。そして思い出せなかった単語には、自分の心に響く特徴がなかったようだと。逆を言えば、より多く覚えるには、それぞれの単語に記憶に残る特徴を与えればいいわけだ。こんな感じでやってみよう。

・さきほど挙げた10個の単語を順番に使って、オリジナルのストーリーを作ってみよう。文学賞を目指すわけではないので、多少つじつまが合っていなくてもかまわない。大事なのは、すべての単語に具体的なイメージを与えることと（たとえば「外」という単語なら、広大な平原にいるところを想像する）、そのイメージを使って単語をリストに出てくる順に「つないでいく」ことだ。前にも言ったが、感情に訴える大げさなイメージであるほど覚えやすくなる。

・次に、別の紙を用意して、自分の作ったストーリーを思い出しながら、単語をもう一度、リストの順に書き出してみよう。今度はどうだっただろうか？　前よりはできたと思うが、まだ完璧には思い出せないはずだ。

・次にもう一度、今度は逆から順に書いてみよう（前に書いたものは見ない）。これをするには、ストーリーを別の角度から眺める必要があるが、記憶を定着させる効果は絶大だ。

ここまですれば、すべてではなくてもかなりの数を思い出せただろう。と同時に、こんなことを考えているかもしれない。

「どうやったらこれを、次のプレゼンの内容を暗記するのに役立てられるだろうか？」

メモなしで大量の情報をプレゼンする方法

前述したように、記憶力は、人間のほぼすべての活動の根幹をなしている。よく鍛えられた記憶力なくして、自分自身をリミットレスにできるはずがない。なぜなら記憶力は、推論する能力や、起こりうる結果を予測する能力、また他者のリソースとして働く能力を制御しているからだ。さらにはときおり、膨大な量の情報を、個人やグループに向けて一度に伝える能力を求められることもある。役員会で業績を報告したり、会合でスピーチしたり、あるテーマに関する専門知識をクラスの前で披露したりと、さまざまな状況が考えられる。そして多くの場合、メモを手にせずにそうした話ができることが肝心になる。メモが見えると、その話題に十分精通していないような印象を与えてしまうからだ。

僕はビジネス界のリーダーや学生や俳優などに、メモなしでプレゼンテーションをする、昔ながらのテクニックを教えている。ここで言う「昔ながら」とは、まさしく言葉どおりの意味。僕が教えている、そしてこれから紹介するメソッドは、「座の方法」〔訳注 「メモリーパレス（記憶の宮殿）」「場所法」などの別名もある〕という記憶術の一種で、2500年以上前から使われているものなのだ。

座の方法には、こんな言い伝えがある。古代ギリシャの詩人ケオスのシモニデスは、建物の倒壊でその場にいた多くの人が命を落とすなか、ただ1人生き残った。当局が犠牲者の身元を判別しようとしたときに手伝いができたのもシモニデスだけだった。倒壊したときに立っていた場所から、どの犠牲者がだれであるかを思い出せたのだ。その体験をきっかけに、シモニデスは、紀元前500年の昔もいまも有効な記憶のツールを編み出した。

「座（loci）」とは、ラテン語の locus の複数形で、「特定の地点や場所」を意味する。つまり座の方法とは、覚えたいことを、自分がよく知る特定のスポットや場所に関連づけて覚える記憶術なのだ。僕は、次のようにこのメソッドの使い方を教えている。

・プレゼンの要になる主張、つまりはプレゼンの要点を10個挙げる。盛り込みたいキーワードやフレーズ、または引用句などでもいい。段落をまたぐほど長いものは避けること。まどろっこしいし、プレゼンがぎこちなく、練習のしすぎに聞こえる原因になる。プレゼンのテーマをよく理解し、取り上げる題材に多少でも通じていることは大前提だ。このメソッドの目的は、プレゼンの各要点を、必要なときに確実に記憶から引き出せるようになることにある。

・次に、よく知っている場所を思い浮かべる。自宅の一角、いつも歩く通り、近所の公園など、普段からなじみがあって、苦労しなくても鮮明に思い出せる場所がいい。

・今度は、その場所をめぐるルートを考える。そしてその部屋のなかの、すぐに頭に浮かぶスポットを10か所挙げる。1つは、入って一番に目につく角のランプかもしれない。別の1つは、そのランプの左隣にある椅子かもしれない。このルートをできるだけ順序立てて思い描こう。空間をジグザグに横切るのはあまり効率が良くない。そのスポットを通り過ぎるときにいつも気づくものを意識しながら、時計回りに歩いている自分を想像しよう。

・10か所選んだら、それぞれのスポットにプレゼンの要点を配置する。要点の順と、ルートを歩く順が合っているようにしたい。たとえば部屋を一周するとして、最初の要点がプレゼン全体の基調メッセージだとすれば、それをランプに割り当てる。2番目の要点が製品の特性か開発の主な経緯であれば、それを椅子に割り当てる、といった具合だ。

・次に、いよいよプレゼンの練習をする。その場所を頭のなかで歩きながら、プレゼンの主要なメッセージを1つずつ思い出していく。プレゼンの各要素が、必要なタイミングで思い浮かぶはずだ。

どんなツールもそうだが、この記憶のツールも、使いこなせるようになるまでは少しかかるかもしれない。だが、すぐに助けになってくれるはずだ。練習を重ねれば、メモを見なくても多くの情報をまとめて引き出せるようになる。思い出す力が桁違いにアップし、スピーチも自然な印象になる。何かを大量に覚える必要が生じても、この手法で乗りきれるだろう。

人の名前をすばやく覚える方法

前にも話したとおり、会ったばかりの人の名前のようなものを覚えられないのは、その場に十分注意を向けていないことが原因になっている場合が多い。その点に関しては、MOMを思い出すことが非常に有効だ。

ここではそれに加えて、人の名前を覚えることに特化した、実践的なテクニックを紹介したい。頭字語でBE SUAVE（スマートにふるまう）と覚えてほしい。

BELIEVE（信じる）

「自分はできる」と信じることが、成功への第一歩だ。「自分は名前を覚えられない」と頑なに思い込んでいると、そのとおりになってしまう。

EXERCISE（練習する）

本書のほかのツールと同じく、このツールも使いこなすには練習が必要だ。もっとも、すぐに楽々と使いこなせるようになるだろう。

SAY（言う）

耳慣れない名前を聞いたら、「○○さんですね」と声に出して復唱してみよう。正しく聞き取れたかどうか確認できるし、相手の名前をもう一度聞くチャンスも得られる。

USE（使う）

会話のなかでその人の名前を使おう。こうすると名前が記憶に残りやすくなる。

ASK（尋ねる）

名前の由来を尋ねてみよう。「ジム」みたいなよくある名前だとちょっと苦しいが、変わった名前の人と会ったときにはかなり有効だ。

VISUALIZATION（視覚化する）

座の方法で見たように、視覚はきわめて強力な記憶のツールである。覚えたい名前に具体的なイメージを結びつけてみよう。たとえば、メアリーという名前の人に会ったら、その人が結婚式でウエディングベールをかぶっている姿を想像するといい。

END(終わる)

別れるとき、その人の名前を言ってから会話を終わらせよう。

第13章のまとめ

よく鍛えられた記憶力はリミットレスになるための必須要素だということを、あなたもいままでは理解できたのではないかと思う。記憶力が最高の状態にあると、なまった記憶力でどうにかしようとしているときとは、別次元の力を発揮できる。

それでは、次の章に進む前に演習をしよう。

- 記憶することにもっと高いモチベーションを抱けるようになる方法を考えてみよう。「記憶力が良くなるといいな」と思うだけでは、足りないかもしれない。
- 何かを集中して覚えなければならない状況で、注意散漫の影響を極力減らしながら取り組める方法を考えてみよう。のちの章でもいくつか役に立つツールを紹介するが、もっと集中するために、いますぐできることはないだろうか?
- 本章で学んだ記憶力向上のツールを1つずつ試してみよう。すぐに目に見える変化が表れるはずだ。

第14章

誰でも読書スピードを速くできる速読の技法

「良書を読まない者は、良書を読めない者に何も勝らない」

――マーク・トウェイン

本章の問い

なぜ読書は大事なのか？
読書中の注意力と理解力を上げるには、どうしたらいいのか？
毎回の読書からもっと多くのものを得るには、どうしたらいいのか？

オプラ・ウィンフリー、トーマス・エジソン、ジョン・F・ケネディ、ビル・ゲイツ、この4人の共通点は何か。4人とも優れた読み手として知られることだ。リーダーは読書家なのである。

データ時代へようこそ。歴史上、現代ほど情報過多な時代はない。なにしろここ数十年で、過去数千年をしのぐ量の情報が生み出されたのだ。グーグルの元CEOエリック・シュミットによれば、「文明の黎明期から2003年までに5エクサバイト（500京バイト）の情報が生まれたが、いまやそれと同じだけの情報が2日ごとに作られている」。そして、その速度は増すばかりだ。こうした情報が寄ってたかって、現代の競争を苛烈にしている。最新の情報についていける人が、学業や仕事はもちろん、それ以外の人生の大事な局面でも、成功に必要な競争力を得ることになる。

読書力と人生の成功に直接的な関係があることは、研究で証明されている。読む力に秀でた人は、より良い仕事に就け、収入が増え、人生のあらゆる領域で成功をつかめるチャンスが高まる。こう考えてみよう。あなたの読書スキルが平均的なら、物事を理解する力も世間の平均と変わらない。だとしたら、競争で優位に立てるとは思えないだろう？

残念なことに、多くの人が、読書を「退屈」で「時間のかかる」「つまらない」ことだと考えている。本のページを目で追いながら、こんなふうに思ったことはないだろうか。「あれ、いま、何を読んでたんだっけ？」。そう思ったことがあるのは、あなただけじゃない。

僕が大学生活の初めに直面した困難については前にも話した。知ってのとおり、あまりにつらくて、本気で退学を考えたほどだ。ところが、授業の課題として読むべきものに加えて週に1冊本を読むというチャレンジを始めると、学力が目に見えて伸びだした。もっとも、伸び具合まで把握していたわけではなかった。ある日、驚くことが起きるまでは。

子ども時代の僕は、自分にスポットライトが当たるのをとにかく避けていた。内気だったし、人前で注目を浴びるよりも風景に溶け込んでいるほうが安心できた。その気質は大学に入っても変わらなかった。講堂での大人数の授業は、僕にとってとくに魅力的だった。隅に座っていれば目立たずにすんだからだ。

そうした教室の1つで、数百人の学生と授業を受けていた日のことだ。教授は前方にいて、プロジェクターを使いながら講義をしていた。講義の途中で、教授が何かの引用文をプロジェクターに映し、僕はとっさに声を上げて笑った。面白い文章だったから、ごく自然に声が出たのだ。ところが講堂は静まり返ったままで、大勢の学生がいっせいに頭を僕のほうに向けた。彼らのほとんどは、僕が同じ授業を取っていることにそのとき初めて気づいたんじゃないかと思う。

僕は穴があったら入りたかった。あれほどがんばって目立たないようにしていたのに、これでは自分から見てくれと言っているようなものではないか。僕は顔から火が出そうなほど真っ赤になり、できるだけ小さく体を縮こまらせた。

すると数秒後、ほかの学生たちが笑いだした。初めは僕のことを笑っているのかと思った。だが笑い声はさらに増え、顔を上げると、誰ひとりこちらを見ていなかった。皆、プロジェクターの文章を読んでいる。その瞬間にすべての合点がいった。要するに、僕の読むスピードがずば抜けて速かったので、講堂内の誰よりも先にその文章に反応していたのだ。読む速度や読解力が上がっている自覚はあった。けれども、それがどれほど貴重で、かつ学習できる能力なのかということには、そのときまで気づいていなかった。

うっかり笑いだしたことにまだ少し気まずさを感じつつ、僕は、自分の学習が完全に新しいステージに上がったのに気づいて興奮していた。独学で身につけた技術によって、読書が僕のスーパーパワーの1つになり、学習の巨大な壁を打ち破ったのだ。「もうあんな大声では笑わない」と誓いながらも、僕は学ぶことに、そして芽生えはじめたほかのスーパーパワーを見つけることに大きな期待を抱きながら、講堂をあとにした。

読書が脳をリミットレスにするわけ

学ぶ力をリミットレスにしようとするなら、読書は何をおいても外せない。記憶力が脳のほぼすべての機能の基礎であるように、読書力はほぼすべての学習の土台になる。もしも本を読まないと言う人がいたら、その人は「学ぶのをやめた」と言っているのに等しい。確かに、動画やポッドキャストや映画から学べることはある。くだらなさ満点のコメディドラマからも、何かしらのことは学べるかもしれない。しかし、読書に真剣に取り組まない人が、学習で人生を変えたり立て直したりするのはまず無理だ。このことが事実である理由を以下に挙げよう。

読書は脳を鍛える

読書をするとき、人間は脳の多くの機能を同時に使っている。これは、脳にとって高負荷な、だがやったらやっただけ効果が得られるトレーニングになる。

ハスキンズ研究所の所長兼研究部門長のケン・ピュー博士は、こう指摘する。「読書をすると、視覚や言語や相関学習など、本来別の機能のために発達した脳の部位が読書のための特別な神経回路でつながるが、これは脳にとても負担がかかる。文章というのは、大量の情報を簡略的に表したものであり、読み解くには脳による推論が必要とされるのだ[1]」。つまり読書をすると、頭脳を比類のないレベルで鍛えられるというわけだ。

脳は、その鍛錬に挑めば挑むほど強くなる「筋肉」なのである。

読書は記憶力を高める

読書をすると脳がハードに鍛えられるので、脳はより高いレベルで機能する。その主な利点の1つは、記憶に関わるものだ。

ラッシュ大学医療センターのロバート・S・ウィルソン博士が手がけた研究で、読書が記憶力の減退に有意な効果があることが証明された。ウィルソン博士はこう述べる。「読書や書き物などの日常的な活動には、子ども、自分、親、祖父母と、どの世代に対しても無視できない効用がある。今回のわれわれの調査は、脳のエクササイズになるこうした活動を幼少期から高齢期まで生涯を通じて行うことが、齢を重ねてからの脳の健康に重要である可能性を示している[2]」

読書は注意力を高める

腰を据えて本を読んだり、新聞にじっくり目を通したりするとき、人がやっていることの1つは、そのことだけに注意を向ける訓練だ。ネットサーフィンをしたり、ユーチューブの動画を次々に再生したりしているときと違い、読書中はたいてい読んでいるものに注意の大部分を向けている。この訓練ができていると、ほかのことをするときにも同じ水準の注意を向けやすくなる。

読書は語彙力を養う

世の中には、知性がにじみ出るような話し方をする人がいる。そうした人に会ったら、どう反応するだろうか？　きっと普段以上に敬意を払い、接し方もていねいになるのではないだろうか。知的に話す人には、幅広い語彙を巧みに使いこなせる人が多い。読書をすれば、語彙を有機的に構築できる。読むほどに出会う言葉の範囲が広がり、それをさまざまな文脈で使えるのだ。また、読書は注意力向上のツールとしても優れているので、読書をすると語彙を大量に吸収でき、それを必要なときに引き出せるようになる。

読書は想像力を強化する

学校や職場でストーリー・プロンプト（一問一答の形で文章を創作する練習）を体験したことのある人は、少しの刺激があると創造的に考えるのが楽になることを知っているだろう。読書は、このストーリー・プロンプトを次々に行っているのと本質的には同じことだ。「この人の立場に置かれたらどんな感じがするか？」「どうしたらこのスキルをもっとうまく使えるのか？」「ジム・クウィックがリミットレスになるのを助けてくれるとしたら、最初に何をするだろうか？」

優れた想像力があれば、人生により多くの可能性を見出せる。そして読書は、あなたの想像力を高い水準に引き上げてくれる。

読書は理解力を高める

学習のあり方は多様で、成功のツールとしてもさまざまな側面がある。成功に欠かせないのは俊敏な思考と技術の習熟だが、共感力や理解力も無視できない。
読書をすると、これまで知らなかった人生、思いも及ばなかった経験、自分とは大きく異なる考え方に触れられる。そうしたすべてが、他者への共感や、自分の枠を超えた世界の成り立ちを理解する力を育んでくれるのだ。

▼やってみよう！
もっと速く、もっと深く、もっと楽しみながら読めるとしたら、今月はどんな本を読みたいだろうか？　読んでみたい本を3冊挙げよう。

読書速度を測ってみよう

さて、ここからは実践に移ろう。最初にしてほしいのは、あなたの現在の読む速度、いわゆる「読書速度」を知ることだ。読書速度は、1分間に読む単語［訳注　日本語の場合は文字］の数で測定される。測定するためには、楽に読める小説、鉛筆、タイマーを用意する。やり方は以下のとおりだ。

1　タイマーを2分にセットする。

2　用意した小説を無理のない速さで読み、タイマーが鳴ったら読むのをやめる。最後に読んだところに印をつける。
3　小説の任意の3行（語や句読点の数が平均的な行）の単語数を数え、その数を3で割る。これが1行の平均単語数になる。
4　読んだ行数を数える（語や句読点が行長の半分以上ある行だけ数える）。
5　1行の平均単語数と読んだ行数を掛け合わせる（3と4の数を掛け算する）。
6　5の数を2で割る（2分間読んだから）。この答えがあなたの読書速度だ。これをいま、やってみよう。必ず答えを出してから先に進んでほしい。

あなたの現在の読書速度はいくつだろうか？　毎分［　　　　　］語／文字

英語話者の平均的な読書速度は、毎分150語から250語程度だとされている［訳注　日本語の平均は毎分400～600文字］。この語数は、テキストの難易度によっても変わる。あなたの読書速度が毎分100語を大きく下回るなら、もっと易しいテキストで再挑戦するか、速度を改善できる手立てを探したほうがいいかもしれない（本章で学ぶスキルもかなり役立つはずだ）。

たとえば、毎分200語で読む人が、1日に4時間を読書や勉強に充てるとしよう。毎分400語（つまりは2倍の速度）で読めれば、その人の学習時間は半分ですむ。速く読めれば、毎日少なくとも2時間を節約できるのだ。

▼やってみよう！

毎日2時間節約できるとしたら、その時間で何をするだろうか？　毎日2時間のボーナス時間をどう過ごしたいか、少し時間を取って書いてみよう。

速読を阻む3つの壁

読書をまったくしないか、本はたまにしか読まないという人がいる。その理由はいろいろある。一日何時間も働いて疲れきっていたら、テレビや映画や音楽などを受け身で楽しむほうが、読書のような頭を使うことをするよりも楽だというわけだ。同じ労力を費やすなら、ビデオゲームをするほうがいいという人もいる。その気持ちはよくわかる。それでも、先に挙げた読書の効用を実感できれば、日常的に、つまり毎日少しでも読む時間を取ることの大切さがわかるだろう。

読書が敬遠される理由はほかにもある。読書は時間がかかるからだ。1ページを読み通すのに5分かかっていたら、300ページの本を読むうちにニューヨークからジョージア州まで歩けてしまう。

では、なぜ人はゆっくり読みがちなのか。その原因の1つは、多くの人が比較的早い時期――おそらくは小学2年生か3年生のころ――に読む練習をやめてしまい、その状態で学び続けても、読む力（そしてもっと重要なことに、読む技術）の水準は、そこでほぼ頭打ちになってしまうことにある。また、読むときに十分注意を向けられない人もいる。子どもの話を聞きながら、テレビを「ながら見」しながら、数分おきにメールをチェックしながら読んでいる。そのため注意が疎かになって内容をよく理解できず、同じ段落を何度も読み返してしまうのだ。

読書の効率は、「読む速度」と「読解力」という2つの主要素からなる。この効率を高める方法はいろいろあるが、それらを見る前に、まずは人を速読から阻んでいる3つの壁を確認しておこう。

壁その1　逆行

あなたにこれが起きたことがあるだろうか？　本のどこかの行を読んでいて、気づくと同じ行をまた読んでいたことが。あるいは、「うろうろ読み」（無意識に前の文章に戻って読み直すこと）をしたことは？　逆行とは、このように視線が一度読んだところへ戻って、同じ言葉を読み直す傾向を表した用語である。

ほとんどの人がこの逆行をある程度、たいていは無意識に行っている。そうすると理解が深まるような気がするからだが、現実にはそうならない。逆行、つまり返り読みをすると、読んでいる文章の意味や要点はたちまちぼやける。逆行は読書プロセスを著しく破壊し、読む速度もスローダウンさせてしまう。

壁その２　子どものころと同じ読み方

読書は知能の程度よりもむしろ技術が問われるものであり、したがってそのスキルは、あらゆる技術と同じように、習得できるし向上させられる。リーディング（読解）の授業を最後に受けたのはいつだろうか？　小学４年生か５年生だという答えがほとんどだろう。そしてたいていの人は、読むスキルがそのころからほとんど変わっていない。

そこで問題だ。いまのあなたの読む量と読むものの難易度は、そのころと同じだろうか？　読むものははるかに複雑になっているのに、読むスキルは当時のままということもある。

壁その３　頭のなかで音読してしまう

サブボーカライゼーションとは、内なる声を格好良く表現した言葉だ。これを読んでいるとき、頭のなかで文章を読み上げる声がしているだろうか？　それは、あなた自身の声だ（そうだといいのだが）。サブボーカライゼーションは、読書速度を毎分わずか２００語に制限する。つまり、読む速度が「考える」速度ではなく「話す」速度に抑えられてしまうのだ。実際には、あなたの頭はずっと速く読むことができる。

サブボーカライゼーションはどこから生じるのか。一般的には、文章の読み方を学びはじめて間もないころに生じる。そのころ、あなたは正しく読めていることが先生に伝わるように、声に出して読む必要があったはずだ。授業で順番に教科書を音読したのを覚えているだろうか？　あれに大きな緊張を感じていた人は多い。上手に読まなくてはと思うとプレッシャーだったし、発音を間違えないことも重要だった。そのときに脳が関連づけをしたのだ。読んでいる言葉をきちんと理解したければ、その言葉を正しく声に出せなければならない、と。

その後、もう声に出さなくていいから、黙って自分に向かって読みなさいと言われる。このときに「読む声」が内在化され、それ以降はほとんどの人が頭のなかで音読するようになる。なにしろ聞こえなければ理解できないと思っているからだが、その考えは正しいとは言えない。

一例を挙げよう。アメリカの元大統領Ｊ・Ｆ・ケネディが、毎分５００語から１２００語で読む相当な速読家だったことは知られている。速読の先生を呼んで側近にも訓練させていたというから筋金入りだ。一方で、ケネディのスピーチの速度は、毎分２５０語ほどだった。読書中のケネディが脳内でさほど音読していなかったのは明らかだろう。言葉を理解するのに、音に置き換える必要はないわけだ。

ここで少し時間を取って、1台の自動車を想像してもらいたい。自分のでも、だれかのでもいい。どんな見た目だろうか。色は？　いま、やってみよう。

どんな特徴の車が思い浮かんだだろうか？　「色は青、タイヤが4つ、茶色い革張りのシート」といった感じかもしれない。では、質問。「青」「タイヤ」「革」などの言葉が頭のなかに浮かんだだろうか？　それとも、そうした特徴をすべて備えた車をイメージしただろうか？　人の頭脳は、主として言葉ではなくイメージで考える。記憶力をテーマにした前の章で論じたように、言葉は思考やイメージを伝えるための道具にすぎないのだ。

文章を読むときには、その内容をイメージで捉えると、読む速度と読解力の両方を大きく高められる。すべての言葉を「音読する」必要はない。時間がかかりすぎるし、句点や読点や疑問符を文中に見つけてもいちいち読み上げないのと同じことだ。「私はアボカドとテンプルーベリーとテンブロッコリーを買いましたマル」とは読まないだろう。句読点は、さまざまな意味を表す記号にすぎないと了解している。

言葉も記号だ。人間は言葉の95％を、読む前にすでに見ているという。そうした言葉は発音しなくてもいい。「――」や「……」を発音する必要がないように。音にしなくても見ればわかるのだ。重要なのは、その言葉が表している意味だ。そして意味はたいがい、イメージの形のほうがうまく表せるし、覚えられる。この考えを理解することが、サブボーカライゼーションを減らす第一歩になる。

速読にまつわる3つの誤解

速読には、さらに次の3つの俗説がついて回る。

俗説その1　速く読む人は内容をよく理解していない

これは、遅読の人々が広めた俗説であって事実ではない。それどころか、読むのが速い人は、遅い人よりも内容をしっかり理解していることが多い。

たとえば、こんなアナロジーがある。空いた道路でゆっくり車を走らせていると、いろいろなことができる。ラジオを聴いたり、グリーンジュースを飲んだり、近所の人に手を振ったり、好きな歌を歌ったり。あなたの注意はどこにも定まらない。ただ流れてさまようだけだ。一方、サーキットでアクセルをめいっぱい踏み込みながらヘアピンカーブを曲がっているとしたらどうだろうか？　もっと注意するかしないか、どちらだろう？　きっと車の正面、後方、そしてコースの前方と、神経を張りめぐらせているはずだ。クリーニングに出した服のことなんて考えている余裕はない。同じことが読書にも言える。深く理解するには注意力と集中力が欠かせないのに、読む速度が遅すぎて、頭をすっかり退屈させている人がいる。頭は退屈すると十分集中できない。本当なら大量の情報を処理できるのに、大半の人は、読みながら一度……に……一語……しか……取り込まない。そのせいで脳が飢えてしまうのだ。

あなたの頭が集中できず、空想にふけりがちだとしたら、読む速度の遅さが原因かもしれない。脳は必要な刺激を与えなければ、注意散漫という形で別の楽しみを探しだす。夕食に何を食べるか、明日のデートで何を着るかをぼんやり考えていたり、廊下のおしゃべりに聞き耳を立てていたりする。読んだばかりの箇所を思い出せないことについて前に話したが、あれも読むのが遅すぎて脳が飽き、単に興味を失っていただけかもしれない。あるいは、本を鎮静剤代わりにしてうとうとしていたのかもしれない。速く読めば脳を刺激し続けられるので、自然とより集中することになり、結果として深く理解できる。

俗説その2　速く読むのは難しくて大変だ

実際には、読む速度が上がるとかかる労力は減る。訓練された読み手は、遅い読み手ほど返り読みをしないことがその一番の理由だ。読むのが遅い人は、読んでは止まり、読み返し、別の言葉へ移り、また前の言葉に戻り、といったことを読んでいるあいだじゅう続ける。これは相当大変だし、飽きるし、とても疲れる。速く読める人は、それよりもずっと楽に短時間で文章を読む。かかる時間は減るのに得るものは増えるから、このほうが効率的だ！

俗説その3　速く読む人は味わって読めていない

これも事実ではない。絵画を味わうのに、筆づかいの一本一本まで観察する必要はないだろう。同じように、本の価値を知るのに一語一語を読み込む必要はない。訓練された読み手であることの利点の1つは、柔軟性だ。退屈な（あまり重要ではない）箇所は読み流し、面白い（重要な）情報はゆっくり読むか読み返す、といったふうに自分で読み方を選べる。柔軟性は力になる。速く読める人は、読む作業にまるまる一日取られないとわかっているので、ほとんどの文章を味わって読める。

指を使って読む

子どものころ、文字を指さしながら読んではいけないと言われなかっただろうか。そうすると読むのが遅くなると、昔から信じられている。しかし子どもが自然とするように、指をガイドに使えば、視線を指先に集中させて目がふらふらさまようのを防げる。目は動くものに引きつけられるので、指を使って読むと、読む速度はむしろ上がるのだ。

この事実を頭で知っていることと、実際にやってみることはまた別だ。読書速度の診断のために読んだ文章を、今度は指を使って読んでみよう。指で文字をなぞりながら、同じ範囲をもう一度読んでみるのだ。単なる練習なので、読解は気にしなくていいし、時間も測らなくていい。この練習の目的は、指を使いながら読むのに慣れることにある。

読み終わったら、タイマーを2分にセットしよう。そしていま読み終えたところから、タイマーが鳴るまで続きを読んでほしい。これで新しい読書速度を計算して（算出方法は前回と同じ）、ここに書いておこう。

新しい読書速度は、毎分［　　　］語／文字

研究により、指を使って読むと、読書速度が率にして25%〜100%上がることがわかっている。練習するほど結果も良くなる。車の運転を初めて習うときのように、最初は少し違和感があるかもしれないが、しばらく辛抱して続けてみよう。スキルをいちから磨くのは、のちに学習を通じて強引に習得するよりも労力がかかるものなのだ。

指を使いながら読むと、触覚という別の感覚も学習プロセスに組み込まれる。嗅覚と味覚に強い

結びつきがあるように、視覚と触覚も密接に結びついている。子どもに何か見慣れないものを見せたことがあるだろうか？　その子は本能的に触りたがったはずだ。

また、指を使うと返り読みが大幅に減る。この練習をすると読む速度が上がる理由の1つはそこにある。目は自然に動きを追うので、指を先へ先へと動かすと、視線が前に戻ることがずっと少なくなるのだ。

指を使って読む練習をしよう。このツールを使うだけで、読む速度や読解力が飛躍的に上がり、学習に目覚ましい変化が起きる。指が疲れたら、腕全体を動かして練習しよう。腕の筋肉のほうが大きいので、指よりは疲れにくいだろう。

もっと速く読むための３つのコツ

読む速度をさらに上げるのに役立つ、３つのコツを紹介しよう。

負荷をかけて読む

ジムで筋トレをするとき、筋肉を甘やかして鍛えられるとはだれも思わない。筋肉を増やすには、ややつらく感じるまで筋肉に負荷をかける必要がある。同じことは読書にも言える。自分に負荷をかけて速く読もうとすれば、あなたの「読む筋肉」は強くなり、それまで大変だったことが楽になる。

速く読めるようになるには、速く読む訓練をするしかない。ランナーはそのことを知っている。トレッドミルで定期的に走っていると、ペースが徐々に上がっていくのを実感できる。より高い負荷を自分に課したから、前にきつかったペースが1週間後に苦しくなくなったのだ。

読む速度をもっと上げるために、次のトレーニングをやってみよう。楽に読める小説、鉛筆、時計かタイマーを用意してほしい。

1　指か視線のガイドになるものを使いながら、無理のない速さで4分間読む。まずはタイマーを4分にセットし、普段どおり読む。タイマーが鳴ったら、そのとき読んでいた行に印をつける。そこがあなたの「ゴールライン」になる。

2　次に、タイマーを3分にセットする。ここでの目標は、タイマーが鳴るまでにゴールラインに達することだ。準備ができたら、1で読んだ範囲を（指を使って）3分で読む。

3　今度は、タイマーを2分にセットする。内容は理解できなくていい。タイマーが鳴る前に、2分でゴールラインまで読んでみよう。視線のガイドを使いながら、1行ずつ読むのが肝心だ。目をできるだけ速く動かして指を追っていこう。

4　さあ、追い込みだ。タイマーを1分にセットし、がんばって1分でゴールラインにたどり着こう。ただし1行も飛ばさないこと。いまは文字を追えればいい。

5　ここで深呼吸。タイマーを2分にセットする。ゴールラインを起点に、新しい文章を読んでみよう。内容を理解しながら、快適なペースで読み進めること。そして読んだ行数とその本の平均単語数を掛け、2で割ってほしい。それが、あなたの新しい読書速度だ。ここに書いておこう。

毎分［　　　］語／文字。

どうだっただろうか？　これであなたの読む速度は上がったはずだ。たとえば、こんな類推ができる。高速道路を時速100キロで運転したあと、道が混んできたので65キロに落としたら、ずいぶん遅くなったように感じる。もっと速いスピードでの運転に慣れていたからだ。とはいえ、実際にはそこまでの差はない。体感というのは相対的なのだ。

同じ原理が読書にも当てはまる。自分に負荷をかけて普段の2、3倍の速さで読み、そのあと楽に読める速さに落としたら、元のペースは遅く感じる。

この12分間のトレーニングを、満足のいくレベルになるまで、1日に最低でも1回は練習してほしい。練習時間をスケジュールに組み込もう。これも筋トレと同じで、一度やれば生涯身につくというものではない。定期的に練習しなければ、読む筋肉は衰えてしまう。

周辺視野を広げる

周辺視野とは、ぱっと見て目に入る文字や単語の範囲のことを指す。周辺視野が広がれば、一度により多くの言葉を見て取り込める。学校で教わるのは一度に1語ずつ読む方法だが、実際には人間はもっと多くの語を読むことができる。

初めて読み方を学んだとき、文字は単語という、より大きなかたまりを構成していると教わっただろう。幼いころのあなたは、単語を1文字ずつ発音していたはずだ。たとえば「report」という単語は、R、E、P、O、R、Tとばらばらにすれば、小さい子でも読める。一方、成長したいまのあなたは、文字はさほど意識せず、代わりにもっと大きなかたまり、つまり単語に目を向ける。

読む速度が制限される原因の1つとして、この「一度に1語を読むこと」も挙げられる。だが、「report」の後ろに「card」を付けると「Report Card（通知表）」になる。この2語はそれぞれ別個の意味をもつが、人間の頭は1つの単位として認識する。このように2語をまとめて見られるなら、もっと多くの語のグループも一度に見ることができるはずだ。それができれば、読むスピードはますます速くなる。

あなたが個々の文字ではなく単語を見るように、熟達した読み手は、個々の単語ではなく単語（あるいはアイデア）のグループを見る。342ページに、もっと「見える」読み手になりたい人向けのおまけのコツを紹介しているので、参考にしてもらいたい。

数を数える

ここまでに説明したツールを使えば、サブボーカライゼーションの問題は減りはじめるだろう。速読を実践すると、たとえ頭のなかであっても、言葉をすべて音読するのは自然と難しくなる。あるペース（毎分約300〜350語）を超えると、音読はほぼ不可能になり、このあたりから、脳は言葉を音ではなくイメージとして捉えだす。本を読むことが映画を観ることに似てくるのだ。

数を数えることは、こうした内なる声を消すのに使える、もう1つのツールだ。やり方はあっけないほど簡単。文章を読みながら、「1、2、3……」と声に出して数えればいい。数を読み上げながら頭のなかで同時に文章を音読するのは、かなり難しい。この作業をすることでサブボーカライゼーションが減り、言葉を音ではなくイメージで捉えられるようになる。その結果、読む速度と読解力が向上するのだ。

一般的に言って、情報は耳で聞くより目で見るほうが記憶に残りやすく、理解しやすい。たいていの人が、耳で聞いた名前より目で見た顔のほうをよく思い出せることを思えば、それも納得だろう。以上のようなテクニックを練習すれば、音読をしなくなるので、あなたの読む速度は確実にアップする。初めは少しとまどう（そして読解力が下がりさえする）かもしれないが、すぐに頭が数えるのに飽きて意識しなくなる。練習を重ねるうちに、読解力はじきにまた上向いてぐんぐん伸びる。そのころには、読むべき文章がいっそう明瞭に見え、理解できているだろう。

読む速度が3倍になった！

僕のもとには、速読に成功したという生徒からの体験談がたびたび寄せられる。その話だけで本が1冊書けそうだし、ＳＮＳにもよく投稿している。ここに、今日届いた話を紹介しよう。

セアラは読むのがとても遅く、集中するのが苦手で、人の名前や予定を覚えるのに大きな困難を抱えていた。そのことで何年も苦労したあと、もはや自分の読む力や学ぶ力はどうにもならないとあきらめの境地にいた。

ところが僕のプログラムで、完璧にやることよりも進歩することを目指そう、と僕がいつも話している励ましの言葉を聞き、共感を覚えた。そして、これまで頼りにしてきた複雑な方法と違って、僕らの教えるツールやテクニックが――単純なので軽く見られがちだが――とても実践しやすいことに気づいた。セアラは自分を疑う心の声をはねのけ、本気で速読に取り組むことにした。

結果はおのずとついてきた。セアラの読む速度は、以前の3倍になった。毎分235語から838語に上がったのだ。セアラはいま、朝起きたらまず読書をしている。おかげで毎朝をポジティブなモメンタムとともに、達成感を抱きながら始められている。

別の生徒のヘイズは、幼いころ脳に損傷を負った。それでもどうにか高校までは良い成績を維持していた。ところが、しだいにヘイズは、彼が言うところの「脳の霧（ブレインフォグ）」に悩まされはじめ、その問題を抱えたまま大学に入学した。そのため大学での成績は、高校までとは打って変わって悪くなった。ヘイズはこんな話をしてくれた。

「1年目は最悪でした。初めてF（落第）を取り、モチベーションは過去最低でした。2年目も、専攻を変えたので厳密にはまだ大学1年生でしたが、やっぱり惨憺たる成績でした。自分ができそこないのように感じました。いつも疲れていたし、精神的な疲労もとにかくひどかったです。この脳の霧を解決して、教育と人生を自分の手に取り戻さねばと思いました」

僕と同じく、ヘイズもスーパーヒーローに解決のヒントを見出した。

「『THE FLASH／フラッシュ』の主人公が信じられないほど速く本を読むのを見たとき、〝自分にこれができたらどうする？〟と思ったんです。それから『ドクター・ストレンジ』で、本を勉強したストレンジがたちまち魔術師になったのも覚えています」

ヘイズは読書を楽しいと思ったことがなく、学校で課題を出されたときにしか本は読まなかった。ところがスーパーヒーローの仲間たちを見て、速読コースが自分の道筋を変えてくれるかもしれないと思うようになったのだ。

「速読のやり方を学んで、本を1冊読むのに1か月もかける必要はないことに気づきました。1週間で読めるようになったのです。そこから読書への情熱に火がつき、この12か月で100冊の本を読みました」

ヘイズは言う。「朝の速読はとりわけ有益です。毎朝20分間、速読をやっていますが、早朝に脳のトレーニングになることをするのはメリットがあると感じています。脳の霧が消えたし、認知機能もかなり改善されたんですよ」

もっともっと速く読むためのおまけのコツ

本を立てて持つ

本を机に広げて置いている人は、次のどちらかの状態になっているかもしれない。

1　テキストを不自然な角度から見ている。そのせいで目を不必要に緊張させている。

2　テキストをよく見ようと前かがみになっている。これは（知ってのとおり）体内の酸素の流れを悪くし、疲れる原因になる。

読む時間を20分から25分で区切る

初頭効果と新近効果を思い出そう。目が疲れてこわばってきたら、休憩を取るのも忘れないように。まぶたを閉じて目を休ませよう。

読書を習慣にする

人生で大きな成功を収めている人々は、ほぼ例外なく熱心な読書家だ。優れた読み手は本をよく読む。その秘訣は、読書を習慣にすることだ。この習慣を自分のものにしよう。

▼やってみよう！

読書の時間を毎日最低15分確保し、スケジュール帳の目立つところに書き込もう。「読書を毎日の習慣の一部にする」と自分自身に誓おう。

第14章のまとめ

読書と学習のリミットから解放されると、信じられないほどの自由が手に入る。学ぶ力を存分に使える人は、どんなタスクや困難にも負けない自信をもって、達成感を味わいながら世界を謳歌できる。

それでは、次の章に進む前にいくつか演習をしよう。

- 現在の自分の読み方で変えたい部分はあるだろうか？　何が自分の壁になっているのかを見きわめ、練習中のどんなときにそれが生じるのか観察するといい。
- 視線のガイドを使って読む練習を毎日しよう。1日10分でもそのための時間を取って、「読む筋肉」を鍛えよう。
- 今月、読んでみたい本のリストを作ろう。それらを読み終えたら、あなたの人生はどう変わりそうだろうか？　想像して書き出そう。

第15章

指数関数的な進化をもたらす思考の技法

「考えることは世の中で最も過酷な作業だ。考える人がとても少ないのはそのためだろう」
——ヘンリー・フォード

本章の問い

さまざまな視点から考えることは、なぜ重要なのか？
人間の知能の使い方には、どれだけバリエーションがあるのか？
他人と違う考え方をすると、どんなスーパーパワーを引き出せるだろうか？

大きなことを成し遂げるには、新しい考え方がしばしば必要になる。そのことでよく引き合いに出されるのは、アルベルト・アインシュタインの「問題を作り出したときと同じ考え方では、その問題を解決することはできない」という格言だ。そして言うまでもないことではあるが、この言葉はまったく理に適っている。

僕らは仕事で、家庭で、勉強で、ある視点を採用するとき、一方でその視点にそぐわないほかの見方を実質的に締め出していることがとても多い。しかし、そこには2つの大きな難点がある。第一に、本来ならあらゆる視点が定期的にその有効性を検討されるべきなのに、それができないことだ。たとえば、企業が倒産するとき、市場へのアプローチが1つに固定されすぎたせいで顧客の心が離れているのに気づけず、気づいたころには手遅れとなるケースがよくある。第二に、問題は特定の型の思考から生じる場合が多く、別の新しい考え方を導入することでしかその問題は解決できないのだが、固定された視点ではそうするのが難しいことである。

ではなぜ、ほとんどの人は限られた範囲でしか考えようとしないのか。僕が思うに、その答えは、集中力の章で話したことと同じだ。つまり、学校時代にどういうわけか「考え方の授業」を受けそこねているのだ。幸い、その授業を受けるのに遅すぎるということはない。僕がいますぐあなたを招待しよう。

思考の型から抜け出すための「6つの帽子」

心理学者のエドワード・デ・ボーノ博士は、人が陥りやすい思考の型から抜け出すためのツールとして、〈6つの考える帽子〉という思考法を編み出した。[1] これは通常、組織などがより生産的な問題解決法を見つけるために使われるツールだが、頭を柔軟に保ちたい個人もたやすく応用できる。

その基本的な考え方は、6つのバーチャルな帽子を順にかぶることで、思考を6つの異なる機能に振り分けるというものになる。以下、やり方を見てみよう。

・情報収集のモードのときには、**白い帽子**をかぶる。このモードでは、解決したい問題に取り組むために必要なデータを集めたり、事実を洗い出したりすることに注意を向ける。「白＝情報」と覚えるには、研究者の白衣をイメージするといい。

・次に**黄色い帽子**をかぶり、問題を楽観的に考える。このモードでは、いま直面しているどんな問題や課題にもポジティブな要素を見つけてみる。「黄色＝ポジティブ」と覚えるには、黄色い太陽を思い浮かべるといい。

・次は**黒い帽子**をかぶり、問題のネガティブな面や隠れたリスクに注意を移す。ここでは、問題にうまく対処できなかったときの結果と向き合うことになる。覚えるコツは、裁判官の黒いマントをイメージすること。

・それから、**赤い帽子**をかぶり、感情に表現の場を与える。ここでは、問題について感じていることを表に出せる。恐れを感じていれば語っていいし、憶測や直感を会話に混ぜ込んでもいい。「赤＝感情」と覚えるには、赤いハートをイメージするといい。

・次は**緑の帽子**だ。この帽子をかぶっているときは、創造性のモードにある。ここまで問題を分析的、また感情的に見てきたが、今度はどんな斬新なアイデアを問題に関する既存の知識にもたらせるかを自問する。これまで考えたことのない方法で問題に取り組むとしたら、どんなことができるだろうか？　記憶のヒントは緑の芝生。

・最後に、**青い帽子**をかぶって管理者のモードになり、問題に生産的に取り組めたか、かぶったすべての帽子のメリットを生かしながらそれができたかどうかを確かめる。会議を青い帽子で始めて（目標を設定）、最後にまたかぶる（成果を検証）ということをしている組織も多い。個人で6つの帽子をかぶるときにも、この手法は使えるかもしれない。「青＝全体像」と覚えるには、青空をイメージしよう。

デ・ボーノ博士のこの問題解決法は、思考の力をフル活用するための、独創的で見事に体系化されたメソッドだ。その根底には、問題をあらゆる角度から見て効率良く定義しようという狙いがある。

まず、取り組むべき問題を明らかにする。次に、手に入る事実をすべて把握できていることを確かめる。次いで、その問題にポジティブな態度で取り組めているかどうかを確かめる。それから、いま抱えている課題を冷静に見つめ、それについて感じていることを忌憚なく表現する。そのあと、これまでと異なる視点から問題に取り組み、想像力を自由に働かせる。そして始めに戻り、このセッションで取り組むと決めたことにきちんと取り組めたかどうかを検証する。

この1つのタスクのために、脳を何通りの方法で使っただろうか？　分析的に、感情的に、創造的に使い、プラス面とマイナス面を探り、毎日習慣的に使っているわけではない（この先は使うだろうが）方法で問題に取り組んだはずだ。アインシュタインはあなたを誇りに思うだろう。

▼やってみよう！

あなたがいま、解決したいと思っている問題を思い浮かべよう。「どうしたらあの仕事に就けるか」といったことから、「どうしたら家族ともっとうまくコミュニケーションが取れるか」といったことまで、どんな問題でもいい。その解決したい問題を、〈6つの考える帽子〉のメソッドを使って、さまざまな視点から考えてみよう。

あなたはどの知能で考えるタイプか

さまざまな考え方ができるツールをもっていることは、なぜ重要なのか。その理由は、人間がたいがい1つの支配的な方法でしか頭を使っていないからだ。

ハーバード大学教育学大学院の認知心理学・教育学教授ハワード・ガードナー博士は、知能の大規模な調査を行い、人の知能は次の8つに分類できることを明らかにしている。[2]

1　空間的知能

このタイプの人は主に、自分の周囲の空間に対する見方を思考の道具に使う。航空機のパイロットやチェスの名手は空間的思考に長けていることが多いが、どちらも空間認知のセンスが求められる。画家のクロード・モネもこのタイプの典型で、空間を巧みに使って作品を描いた。

2　身体・運動的知能

この知能が優位な人は、自分の体を表現や問題解決の型として使う。体操選手やドラマーは、身体・運動的知能がとくに優れている。このタイプで最初に思い浮かぶのは、テニス選手のヴィーナス・ウィリアムズだ。テニスコートで全身を使いながら、ごく少数の人にしかできない方法でその類いまれな才能を表現している。

3　音楽的知能

このタイプの人は、「リズムや音程、テンポ、音色、メロディや音の響きに対する感受性[3]」が強い。音楽家は明らかに音楽的知能が優位だが、詩人も言葉をテンポやリズムと同じくらい効果的に使いこなすので、このタイプに入る。僕が考える音楽的知能の代表格は、ヴォルフガング・アマデウス・モーツァルトだ。

4　言語的知能

この知能が優位な人は、辞書の厳密な定義にとどまらず、言葉のあらゆる含意にとりわけ鋭い。作家は言うまでもなく、優れた演説家や弁護士もこの資質を備える。言語的知能の持ち主で僕が最初に思い浮かべるのは、ウィリアム・シェイクスピアだ。

5　論理・数学的知能

このタイプは、「作用や記号の論理的な関係」[4]を見抜くことを得意とする。数学者は、異なる数字同士の関係を見出したり探究したりする作業を苦にしない人たちだ。科学者も同様に、物体間や物体に働く力同士の関係を見つけ出す。僕らの「友人」アルベルト・アインシュタインは、このタイプの代表格としてすぐに思い浮かぶだろう。

6　対人的知能

この知能が優位な人は、人付き合いの才能に生まれつき秀で、相手の感情をどんな状況でも深く理解できる。セラピストや学校の教師には、この知能が高い人が多い。対人的知能で僕が思い出すのは、オプラ・ウィンフリー。どんな対話の相手とも関係を築ける、すばらしい才能の持ち主だ。

7　内省的知能

この知能が優位な人は、自分の内面で起きていることをとりわけ敏感に察知する。内省的知能の高い人々は、「自分の体温を測る」のがうまい。自分の感情に触れてその奥にあるものを知り、対処の仕方を冷静に判断できる。難しい状況でも取り乱さない人がいたら、その人は内省的知能に優れている可能性が高い。マハトマ・ガンジーは、このタイプの才能のお手本だ。

8　博物的知能

このタイプの知能は、自然界をその複雑さのまま見るときに発揮される。博物的知能が優位な人は花畑で、4つの異なる種のチューリップ、数種のラベンダー、またあなたには雑草にしか見えないイネ科の珍しい種を見分ける。動物学者や造園家にも、博物的知能の高い人が目立つ。この資質の持ち主でまず思い出すのは、非凡な霊長類学者のジェーン・グドール。

あなたはどのタイプに当てはまるだろうか？　1つ以上に当てはまる可能性も十分ある。知能の種類が1つだけ、という人はめったにいない。優位なのは1つか2つだが、ほかにもいくつか一定の頻度で使っている場合がある。また皆無ではなくても、たまにしか使わないタイプもきっとあるはずだ。

だが、こうした知能はすべて、この世界をうまく渡っていく方法を見きわめるのに役立ち、なんらかのタスクや問題に直面したときには、そのうちのいずれかが影響している可能性がある。

この8つの知能をすべて意識し、6つの帽子を1つずつかぶって考えよう。思考力のリミットを解き放つのに、すばらしい力を発揮してくれるだろう。

自分の学習スタイルを診断しよう

知能のタイプが人によって違うように、学習の仕方も人それぞれ異なる。「VAKモデル」は、

「吟味のない生は人間にとって生きるに値しないものです」

——ソクラテス

（『ソクラテスの弁明』納富信留訳、光文社古典新訳文庫より引用）

1920年代から使われている学習スタイルの類型だ。新しいことを学ぶときに人が好んで使う感覚を、次の3つに分類している。

Visual（視覚）

このタイプの人は、図、表、映像など、視覚的な媒体を通じて学習することを好む。

Auditory（聴覚）

このタイプの人は、講義、対話、ポッドキャスト、オーディオブックなど、耳から学習することを最も快適に感じる。

Kinesthetic（身体感覚）

このタイプの人は、身体的なやりとりを通じて学習することを好む。見よう見真似による学習が効果を上げやすいのもこのタイプだ。[5]

自分がV、A、Kのどのタイプかを知るには、次の簡単なテストをやってみるといい。

1　何かをよく理解できなかったり覚えられなかったりするとき、あなたはそのことが、

a. ピンとこない、または心に響かない

b. 明確にイメージできない

c. うまくできない、または感覚でつかめない

2　友人に自分の家までの道順を教えようとしている。そういうとき、あなたは、

a. 紙に地図を描く

b. 口頭で説明する

c. 車で迎えに行く

3　レンタカーを借りてホテルに滞在している。これから訪ねる友人の住所がわからないとき、あなたはその友人に、

a. 地図を描いてもらう

b. 口頭で説明してもらう

c. 車で迎えに来てもらう

4　専門的なことを学ぶとき、あなたにとって最も理解しやすいのは、

a．だれかに説明してもらう

b．視覚化して全体像をイメージする

c．やりながら学んで、感覚的に理解する

5　家族の特別なお楽しみとしてデザートを作ろうとしている。そんなとき、あなたは、

a．作り慣れたものを作る

b．料理本を見てアイデアを探す

c．だれかにいいレシピがないか聞いてみる

6　新しいオーディオ機器の購入を検討している。価格以外で、あなたの決断に最も影響を及ぼしそうなのは、

a．友人の意見

b．その機器から受ける全体的な印象

c．見た目の格好良さ

7　新しいゲームの遊び方など、何かのやり方を覚えたときのことを思い出そう（自転車の乗り方のような身体的要素が強いものは避ける）。あなたが最も覚えやすかった方法は、

a. 説明書、イラスト、図形、表などを見る
b. だれかの説明を聞く
c. 実際にやってみる

8 次のボードゲームのうち、あなたが好きなのは、
a. 「ピクショナリー」のような絵を使ったゲーム
b. 「二十の質問」のようなクイズ形式のゲーム
c. 「シャレード」のようなジェスチャーを楽しむゲーム

9 パソコンで新しいプログラムの使い方を学ぼうとしている。そういうとき、あなたはまず、
a. 説明書を読む
b. 友人に電話して、そのプログラムについて質問する
c. プログラムを立ち上げて、実際に試しながら学ぶ

10 次のようなことがあったとき、あなたが最も気になる、または気づきやすいのは、
a. オーディオ機器の音質がおかしい
b. 色や形や柄が調和していない
c. 服の着心地が悪い

11 「separate」と「seperate」のどちらが正しいつづりか思い出せないとき、あなたは、

a. 単語を思い浮かべて、正しそうに見えるほうを選ぶ

b. 発音してみる

c. 両方書いてみる

12 新作映画が公開された。観に行くかどうか決めるとき、あなたが最も影響されるのは、

a. 友人や家族の意見

b. 直感的な印象

c. 予告編を見ること

13 道順を覚えるのに、あなたが最も覚えやすい方法は、

a. 耳で聞いて復唱する

b. 絵でイメージする

c. 行き方を直感的に把握する

14 授業やセミナーを受けるとき、あなたが参考になると思うのは、

a. プリント、フローチャート、表、視覚教材

b. 校外学習、実験、アプリケーション
c. ディスカッション、ゲスト講師、対話

15. 新しい考えを完全に理解したとき、あなたはそのことが、
a. 具体的に感じられる
b. 明確に言葉にできる
c. 心のなかでイメージできる

16 何かを判断するとき、あなたが一番頼りにするのは、
a. 自分の直感
b. 最もはっきりイメージできるもの
c. 最も良さそうに聞こえるもの

17 パーティでとくに興味を引かれるのは、
a. 話が面白くて快活な人
b. 温かく落ち着いた雰囲気の人
c. 外見の魅力的な人

1: a (A) b (V) c (K),	**7**: a (V) b (A) c (K),	**13**: a (A) b (V) c (K),
2: a (V) b (A) c (K),	**8**: a (V) b (A) c (K),	**14**: a (V) b (K) c (A),
3: a (V) b (A) c (K),	**9**: a (V) b (A) c (K),	**15**: a (K) b (A) c (V),
4: a (A) b (V) c (K),	**10**: a (A) b (V) c (K),	**16**: a (K) b (V) c (A),
5: a (K) b (V) c (A),	**11**: a (V) b (A) c (K),	**17**: a (A) b (K) c (V)
6: a (A) b (K) c (V),	**12**: a (A) b (K) c (V),	

答えを書きとめたら、上記の表を使ってＶ、Ａ、Ｋの数をそれぞれ集計し、どの学習スタイルが自分に最もしっくりくるかを確かめよう。

この答えから、自分がどの学習スタイルを好むのかが見えてくる。おそらくは、聴覚（Ａ）、視覚（Ｖ）、身体感覚（Ｋ）がいくらかずつミックスされていただろう。とはいえ、どれか１つは優位にあるはずだし、思考力のリミットを外そうというときには、それが大きな助けとなることがわかっている。ほかの２つも使えるように意識して取り組めるからだ。

思考のショートカット、「メンタルモデル」

メンタルモデルとは、それを使うと自分のまわりの世界が理解しやすくなる心的な枠組みのこと。思考の近道と考えればいい。たとえば、よく知られているものに「需要と供給」という経済のメンタルモデルがある。供給が、市場で手に入るサービス、製品、商品などの量を表したものであることはおなじみだろう。あるモノに「需要」と「供給」の両方があるとき、価値が定まり、そこからそのモノの価格が決められる。つまりこのモデルを使えば、市場の動向をすばやく理解できるわけだ。必ずしも正確ではないし、すべての関連する要素を説明してはいないが、モノの価格や価値を測る手軽な手段として使われている。

メンタルモデルは、頭に考える訓練をさせるのにうってつけだ。人は結局のところ、自分の期待したレベルではなく、訓練したレベルまでしか行けない。だからこそ訓練が重要なのだが、メンタルモデルはその近道の役割を果たしてくれる。アイデアの評価や意思決定や問題解決をするときに、貴重な時間とエネルギーを節約できるのだ。

ここからのページでは、より迅速に的確な意思決定をしたり、創造的に問題解決したりするのに役立つ、僕のお気に入りのメンタルモデルをいくつか紹介しよう。

意思決定のメンタルモデル：40／70ルール

スピーディな意思決定を阻むとりわけ大きな障害は、情報不足への不安だと言われる。どんなに情報を集めても、「正しい」判断を下すには足りないような気がしてしまう。アメリカ元国務長官のコリン・パウエルは、これを独自の「40／70ルール」で解決している。[6] そのルールとは、入手できそうな情報の総量の4割以下で意思決定しないこと、そして7割以上を集めないことだ。パウエルが言うには、4割そろわないと憶測になり、7割を超えると意思決定のスピードが鈍るのだという。また当然ながら、これをするには、自分が間違う可能性に耐えられる必要がある（どんな状況でも必要なことではあるが）。

パウエルはこう語る。「7割ほど情報が集まると、機会を逸するかもしれないので、いずれにせよ判断することになる。私の経験から言えば、集められるだけ情報を集めると、人は直感に、それも十分な情報にもとづいた直感に耳を傾けるようになる。分析好きな頭からは反論を食らうこともあるがね[7]」

生産性のメンタルモデル：「やらないこと」リスト

これは一瞬矛盾しているように見えるかもしれないが、何をやるべきかに劣らず、何をやるべきではないかを知ることも、時と場合によっては重要だ。「やらないこと」リストは、大事なことに注意を向け、さしあたって大事ではないことを回避する手段として最もよく使われる。

プロジェクトを始めるときは往々にして、あるいはただ予定がいっぱいの日にも、何に集中すべきかを決めるのは大変な作業だ。やらないことリストの肝は、「これには絶対に注意を払わない」と最初から決めてしまうことにある。その日のＴｏ－Ｄｏを書き出すとき、通常はそうしたタスクにはプライオリティを与えず、重要マークもつけない。ただし、従来のやることリストには、最も重要で最初に完了させるべきことではなく、その日にやるべきだとわかっていることが一緒くたに書き込まれがちで、そのため重要な項目がえてして埋没してしまうのだ。

とはいえ、「ＳＮＳを見ない」などのタスクで埋め尽くすのが、やらないことリストだと考えるのもまた違う。では、このリストの正しい作り方を、順を追って見てみよう。

・まず、重要ではあるが、外的な事情のためにまだできないタスクを書き出す。メール待ちの案件や、同僚の作業が終わるまで取りかかれない仕事などがあれば、ここに含める。

・次に、やるべきだとは思うが、自分の人生に価値をもたらさないタスクを書き出す。時間ばかりかかる単純作業がそうかもしれない。それを外注するか、人を雇って任せることができないか検討しよう。また、そのタスクが手つかずのままになっていないかどうかのチェックを、自分以外のだれかに頼めないだろうか？　ここで考えたいのは、あなたの時間が、あなたの人生や目標を前進させるためのタスクにきちんと注がれているかどうかだ。

・次に、これ以上注意を払うメリットのない、継続中あるいは実行中のタスクを書き出す。子どもの弁当作りや週明けの短いチームミーティングなど、すでに習慣になっていることがあるかもしれない。こうしたタスクはルーティンの一部なので、日々のやることリストにわざわざ詰め込む必要はない。

・最後に、急ぎのタスク（たいていは他人から与えられたやることリスト）を書き出す。プロジェクトの下調べをする、フォローアップの電話をかける、といったことだ。これらはやるべきかもしれないが、あなたがしなくてもいいことかもしれない。[8]

書き終えたら、それをアンチリスト、つまり**自分の時間を使ってはいけない**タスクのリストとして読む。そうすれば、自分を実際に前進させるものは何か、代わりにやるべきことは何かがたやすく見きわめられるだろう。

▼やってみよう！

少し時間を取って、今日のやらないことリストを作ってみよう。目標に集中して達成するために、今日やるのを避けたいことはなんだろうか？　具体的に書き出し、やらなかったら、その項目に「完了」のチェックを入れよう。

問題解決のメンタルモデル：間違いから学ぶ

自分の犯した間違い、なかでも人生に長く影響を及ぼすような間違いから学ぶ時間を設けると、あらゆる間違いが学びの機会に変わる。次はもっと良い成果を得られるように、このモデルを使って、何が問題だったのかを検証しよう。

・まず、起きたことと起きなかったことを明確にする。因果関係と相関関係を混同しやすいので注意しながら、何が起きたのか、何がミスや間違いにつながったのかを把握する。
・次に、なぜその間違いが起きたのかを考える。出来事の裏側にある要因も掘り下げる。掘る層がなくなるまで、「なぜ」をとことん問うといい。

・次いで、将来同じ間違いをしないためにはどうすれば一番いいかを考える。自分の力の及ばない要因があれば、その要因を回避できる方法も考える。
・最後に、この検証から得た学びをもとに、将来、望む成果を得るための助けとなるような最善の状況をどうすれば作り出せるかを考える。[9]

この戦略を具体的にイメージできるように、次のシナリオを想像してみよう。あなたは子どもの学校のために、寄付金集めのプロジェクトを企画した。ところが集まった金額は、当初の見込みよりずいぶん少ない。さて、この問題をどう解決すべきか。

第一に、何が起きたのかを明らかにする必要がある。みんなをその気にさせられなかったのか、それとも寄付者が現れなかったのか。ここでは、寄付者はそれなりにいたが、期待したほど出してもらえず、まったくの空振りの場合もあった、ということにする。

次に、なぜそうなったのかを考える必要がある。ニーズの伝え方に問題があったのか、寄付金集めの時期が悪かったのか。それとも景気との関連か。答えがさらなる疑問を呼ぶかもしれない。このシナリオでは、自分たちのアピール不足が原因だったようだ、と判断したことにする。その2か月前に別の団体が寄付金集めをしていたので、「またか」と思われないようにしたのだが、控えめすぎて寄付の重要性を伝えきれなかったのだ。

それでは、将来、同じミスを犯さないためにはどうしたらいいのか？　あなたはこう判断する。

「次に寄付金集めをするときは、たとえほかの活動と重なっても、年度のもっと早い時期に始めよう。そうすればプロジェクトの価値や意義を積極的に伝えて、寄付者に財布を開いてもらう必要がある理由をアピールできるから」。このモデルを使ったことで、あなたはメッセージの伝え方を改善する必要があると気づいた。そして来年はもっと万全に準備できるように、寄付金集めのノウハウの講習を受けることにするのだ。

戦略のメンタルモデル：二次的思考

自分の行動の結果について考える人は多いが、行動が人生に及ぼす直接的影響の「二手先」まで考える人はめったにいない。作家のライアン・ホリデイの著書『Conspiracy（謀略）』を例に取ろう。この本には、起業家のピーター・ティールが、当時隆盛を誇った（そしてアンチも多かった）オンラインメディアの「ゴーカー」を計画的に廃業に追い込んだ経緯が書かれている。[10]

ティールがゴーカー潰しを思い立ったのは、自身が同性愛者であることをこのメディアに晒されたのがきっかけだった。しかし、ティールはすぐには動かなかった。彼らはおよそ10年の歳月をかけて、「ゴーカー」を永遠に葬り去るべく練り上げた計画を、1つ、また1つと戦略的に実行したのだ。ティールがやったことの是非はともかく、それが気まぐれな思いつきでなかったことはまちがいない。これが「二次的思考」、すなわち、仮定と検証を重ねながら行動を戦略的にシミュレーションする思考法である。

二次的思考はシンプルだが、実際に行うには少しコツがいる。このモデルを使って未来の行動を検討するには、次のようにするといい。

・「それで（この戦略を実行したとして）、次はどうする？」と必ず自問する。
・時間を織り込んで考える。この戦略は、５日後にはどう見えるだろうか。５か月後には？　また、５年後は？
・ここまでの検証で出した結果を一覧にする。その一覧を見ながら、取りうる一連の行動をシミュレーションする。[11]

一次的思考は手軽だが、時間をかけてより深く吟味できるのは二次的思考だ。なんといっても、ほかの人には見えないものが見えるようになる。

問題の根本原因を見つける

徐々にでも前進していれば、それは進歩している確かな証拠だ。本書のリミットレスを目指す過程で取るステップも、それぞれ正しい方向に進めるものとなっている。だが、もしあなたの能力を、指数関数的に前進させられたらどうだろうか？　普通に30歩進んでも通りのどこかに出るだけだが、指数関数的なステップで前進すれば、30歩で地球を24周以上できる。

この考え方を提唱しているのは、ナヴィーン・ジェイン。アルベルト・アインシュタイン技術勲章の受賞者にして、ムーン・エクスプレス（月面着陸を許可された初の民間企業）、ワールド・イノベーション・インスティチュート、アイノーム、タレントワイズ、インテリアス、インフォスペースほか、世界屈指の革新的企業を次々に興した人物だ。

「指数関数的な思考は、人と違ったマインドセットで物事を見ることから始まる」。ジェインはそう僕に語った。「型にはまらない考え方のようなことではない。まったく違う型で考えるんだ[12]」。ここに、普通の思考力がリミットレスな思考力に近づきだすポイントがある。ジェインによれば、直線的(リニア)な思考(たいていの人がしている考え方)では、人は問題に目を向けて解決策を探す。問題をさまざまな角度から考え、視点を広げて問題に取り組むために異なる帽子をかぶったりする。そしてうまくいけば、問題に効果的に対処して前進できる解決策を見つけ出す。すべて意味のある進歩だ。

しかしその代わりに、問題の根本原因に目を向けて、それを解決できたらどうだろう? 指数関数的な進歩に、世界に変化をもたらす進歩につながるはずだ。ジェインはそのことを、世界各地の水不足を例に引いて説明している。水不足の問題には、多様な観点から対処できる。濾過装置の改良方法を見つけたり、灌漑用の水路を作ったりもできる。

だが、そうしたことの代わりに、水不足のそもそもの原因を見つけたとしたらどうだろうか? 水不足のさまざまな原因のうち、最大の原因は、大量の真水が飲用ではなく農業用に使われていることにあると突き止めるのだ。きっと、まったく違う方法で問題を解決しようとするだろう。さらには空中栽培やアクアポニックスのような、実験段階の技術や開発途上の技術を掛け合わせて、農業用水の需要を大幅に減らせたらどうなるだろうか? 真水の余剰が豊富に生まれるので、本来の問題が一気に解決しやすくなる。これが、指数関数的に考えるということだ。その価値は言うまでもない。

ジェインはウェルネス企業のヴァイオームを立ち上げたとき、慢性疾患の蔓延の打破を目標に掲げた。それが世界的な健康危機の根本にあると見ているのだ。もっとも、人の免疫系には個人差があり、同じものを食べても、体への取り込まれ方はかなり異なる。そこでジェインたちは、個人の腸内細菌叢を分析するツールを開発し、「どんな食べ物がその人の体に合い、腸を十分に機能させると健康状態がどれほど劇的に改善されるのかがひと目でわかる」[13]ようにした。僕がこの文章を書いているあいだも、ヴァイオームは膨大な数のユーザーから情報を集めて分析している。そのデータが、ツールの利用者への説得力あるアドバイスにつながるのだ。

ナヴィーン・ジェインのビジネスのスケールは壮大だ。同じ業界に2つの会社を興したことがない成功した起業家で、その経営理念の1つは、「10億ドルの企業を作る目的は、100億ドルの問題を解決することにある」というものである。それほどのスケールで考えるのは万人にできることではないが、それでも頭を訓練してその人自身の能力を解き放つのに、指数関数的な思考は有効だ。

指数関数的に思考力を高める4つのステップ

では、僕らのような人間が指数関数的に考えるには、どうすればいいのか。あなたの目標は、世界のあらゆる問題を解決したり、新しい技術を発明したり、10億ドル規模の企業を立ち上げたりす

ビジネスのフェーズ

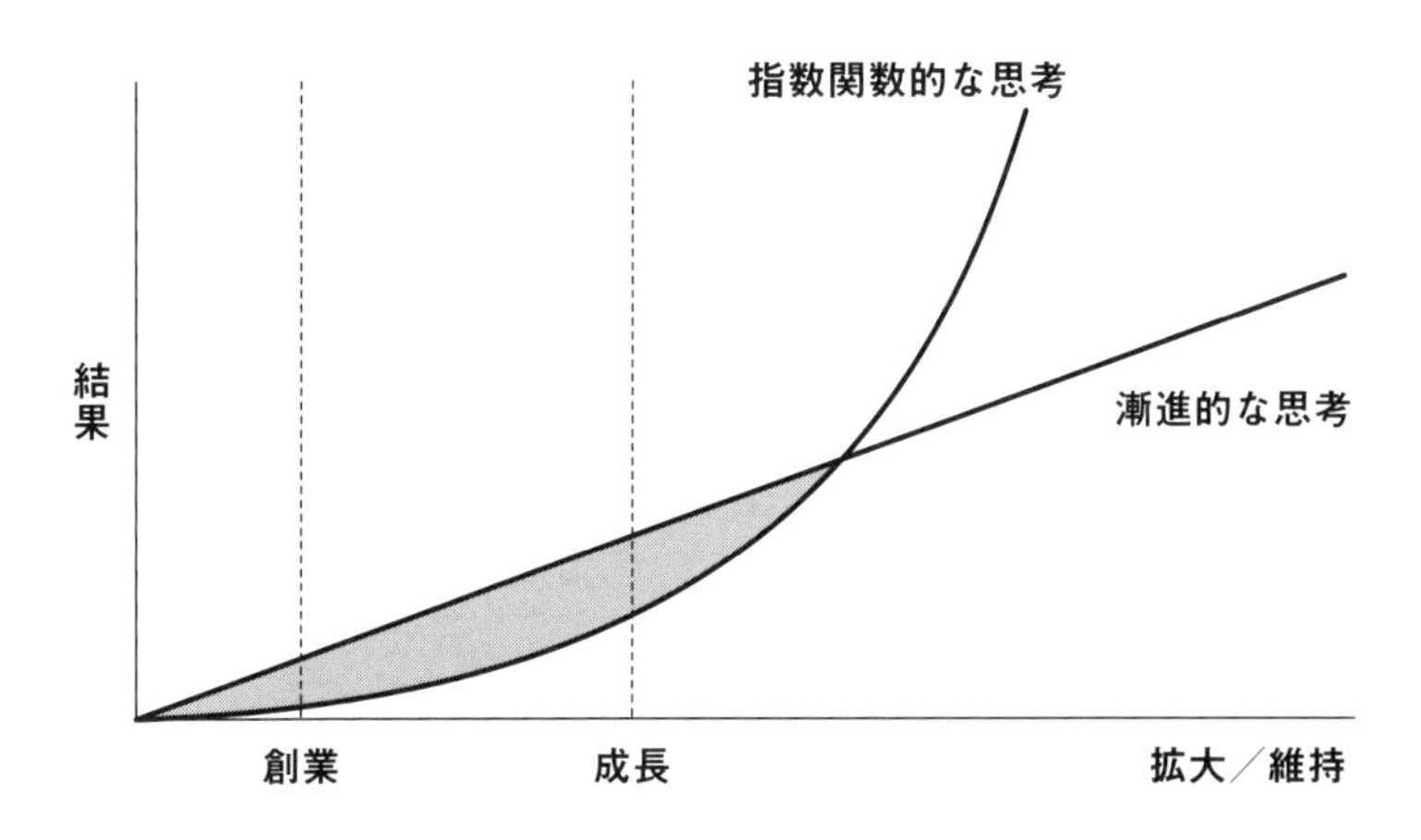

ることではないかもしれない。だとしても、指数関数的な思考を応用すれば、学習や仕事や人間的な成長で大きな違いを生み出せる可能性がある。リニアな思考を減らして指数関数的に考えることは、人生にどのような変化をもたらしてくれるのだろうか？

手始めに、指数関数的なマインドセットとはどういうものかを目で見て理解しよう。『ハーバード・ビジネス・レビュー』誌の記事で、シフト・シンキング社の創業者で最高洞察(エピファニー)責任者のマーク・ボンチェクは、リニアなマインドセットを、時間とともに上昇する右肩上がりの直線としてグラフに描き、そこに上向きのカーブを描く第二の線を重ね合わせている。第二の線は、最初はゆっくり、やがて勢いよく上昇して第一の線を超え、グラフのはるか上まで伸びていく。これがボンチェクの説く「指数関数的マインドセット」だ。

「漸進的マインドセットは、何かをより良くすることに焦点を置いているが、指数関数的マインドセットの焦点は、何かを別物にすることにある」とボンチェクは書いている。「漸進的とは、10％の進歩で満足すること。指数関数的とは、10倍のスケールを狙うことだ」[14]

「漸進的マインドセットは、現在から未来へとまっすぐな線を描く。〝優れた〟漸進的ビジネスプランは、ここから向こうへどう行くのが正解かを教えてくれる。一方、指数関数的なモデルはまっすぐではない。先が見えない道路のカーブのようなもので、ただしこの場合のカーブは上向きに伸びている」

ボンチェクがここで説いているのは、指数関数的な思考のビジネスへの応用の仕方だが、人生のほかの場面を考えるときにも同じように応用できる。たとえばあなたが、週に最低3回、家族そろって夕食をとるにはどうすればいいかを考えているとしよう。リニアなマインドセットでは、家族の仕事や学校や、課外活動や社交のスケジュールを見て、その合間にいくらかの空白をひねり出そうとする。一方、指数関数的なマインドセットでは、そうした家族の慌ただしいスケジュール自体を別のものに変えるアプローチを取る。

そのアプローチでは、「夕食」はゴールにならないかもしれない。それよりも平日に家族全員が同じ場所で、お互いだけに集中できる時間を探すかもしれない。問題はスケジュールではなく、それぞれが意識して家族と過ごす時間を見つけることなのかもしれない。そうやって意識しても、しばらくは進歩らしい進歩が見えない（3か月後も状況がほとんど変わらない）かもしれない。ところがその後、変化がいったん形を取りだすと、家族が一緒にいられる時間が急に何倍も増えるのだ。
このように、指数関数的に考える力を高めたければ――そしてリミットレスな思考力へと大きな一歩を踏み出したければ――次に解決を要する問題やタスクについて考えるとき、この4段階のステップを試してみてほしい。

ステップ1:根本的な問題を突き止める

ナヴィーン・ジェインが世界の水問題で示したように、問題の本質は表面には現れていないことがある。ジェインも言うように、水不足の根本問題は水がないことではなく、あまりに多量の水が農業に使われていることだ。そうした根本的な問題を解決できれば、表面上の問題にもずっと対処しやすくなる。

夕食のシナリオに戻ろう。このシナリオの表面上の問題は、「家族全員が忙しすぎて、夕食を一緒にとれる機会がめったにない」ことにある。では、根本的な問題は何か。あなたのパートナーが長時間働くことに、あなたの娘が一流のスポーツ選手になることに、あなたの息子が合格率3%の大学に入れるように完璧な成績を取ることに、またはあなたが3つの非営利団体の理事会に出ることに熱心すぎるせいで、家族のスケジュールに余裕がないことだろうか。しかし、それさえも真の問題ではないかもしれない。

問題の本当の核心にあるのはおそらく、あなたも含めた家族全員が感じているプレッシャーだ。そしてそのプレッシャーは、それぞれが目標に向かって努力しているがゆえに生じているのではない。むしろ、そうした目標をもたない人が低く見られる地域（コミュニティ）に住んでいることから生まれているのだ。

ステップ2：新たなアプローチを仮定する

指数関数的に考えるには、思考を「〇〇だったらどうするか」という仮定（ホワット・イフ）の言葉で満たすことも重要だ。イギリスの大手企業、ジョン・ルイス・パートナーシップ社のエヴィ・マッキーはこう語る。「仮定の言葉は、想像しにくい状況をイメージに落とし込むのに役立つ。たとえば、『土地の9割が水没した世界に人類が適応して生きねばならなくなったらどうするか』『手で触れるやりとりが禁じられたらどうするか』と仮定してみる。こうすることで、その仮説を立てなければ考えもしなかったであろう、ありとあらゆる可能性を概念化できる。いまとはまったく様相が違うかもしれない、未来の世界を生き抜くのに何が必要かを想像できるのだ[15]」

夕食のたとえで言えば、いま住んでいる地域で主流の価値観が家族の生活を圧迫している根本原因だと気づいたら、こう自問してはどうだろう。「他人の目を気にしなければどうするか」。または、「1日が24時間ではなく18時間しかなかったらどうするか」。あるいは、こうも問えるかもしれない。「どこか別の場所に住んだらどうなるだろうか？」

ステップ3：関連する本を読む

ご存じのように、僕は、できるかぎりたくさんの本を読むことをかなり強力に勧めている。読書は実際、ほかのほぼどんな活動よりも脳を解放してくれる。指数関数的な思考においても、読書はとりわけ重要になる。多角的な視点から物事を捉えられないと、思考を大きく飛躍させることはできない。

だから、ステップ2で仮説をひととおり立てたら、それらの案に関する本や情報を読み込もう。あなたのパートナーは、企業人としての成功と幸福との関連をテーマにした本を何冊も読む。あなたの娘は、一流の選手になれる確率について書いたり、一流アスリートの生活を発信したりしているブロガーやインフルエンサーをフォローしてみる。あなたの息子は、競争の熾烈な大学を卒業することと、その後の職業上の成功や人生の満足度について調べた研究をいくつも読み込む。そしてあなたは、非営利団体の活動意義について書かれた本を読み、そうした意義が自分にとってどれほど意味をもつのか、あらためて考えるといいだろう。

ステップ4：現実的に検討する

あなたはいまや根本的な問題を突き止めた。その問題がない世界を想像できる仮説を立て、関連する情報のリサーチもすませた。今度は、シナリオを実際に検討するときだ。ここで1つやってみよう。あなたたち家族の生活が予定で埋め尽くされているのは、住んでいる地域でのステータスを保つためにそうせざるをえないからだとわかった。そして「別の場所に住んだらどうなるか」を問い、家族全員がその案に惹かれていることを知った。さらに、それぞれ本などを読み、仕事／スポーツ／学校／慈善活動の目標を見直して新しくすれば、みんながもっと幸せになれて満足できることも確かめた。

では、いまの家から100キロ離れた場所に移ったらどうなるのだろうか。国を横断して、あるいは国さえまたいで引っ越したら？　これだけ思いきったことをしても、すぐには進歩した実感をもてないかもしれない。けれども、それはもう学習している。直線とカーブを描く線も見たし、最初はさまざまな調整が必要なので、大きく後退したように感じさえするかもしれないことも知っている。それでもあなたたち4人はシナリオを吟味し、「引っ越しをするのは正しいことだ」と判断する。

それから2年後。一家は生き生きと暮らしている。そして毎晩のように、家族全員で夕食のテーブルを囲んでいるのだ。

第15章のまとめ

これでメソッドの章はおしまいになる。きっとあなたは、学んだことをすべてやってみたくてうずうずしているはずだ。

本書の最後で、それらがあなたにどう役立つのかを示したビジョンと、学んだ内容を実生活に即応用できる13日間のプランを紹介しているので、楽しみにしていてほしい。だが、その前に演習をしておこう。

- ハワード・ガードナーの知能の8つのタイプを見返そう。あなたに最もフィットするのは、どのタイプだろうか？
- 自分の優位な学習スタイルがわかったら、それ以外のスタイルを思考に組み込むにはどうすればいいかを考えてみよう。
- 〈6つの考える帽子〉を試してみよう。比較的簡単なタスクを自分に与えて、エドワード・デ・ボーノ博士のメソッドを使いながら、そのタスクに取り組んでみよう。

PART 5

リミットレス・モメンタム

──「停滞知らず」の勢いを得る

モメンタム【momentum】（名詞）
プロセスや一連の出来事がうまく流れに乗って展開することで得られる勢い、または推進力。

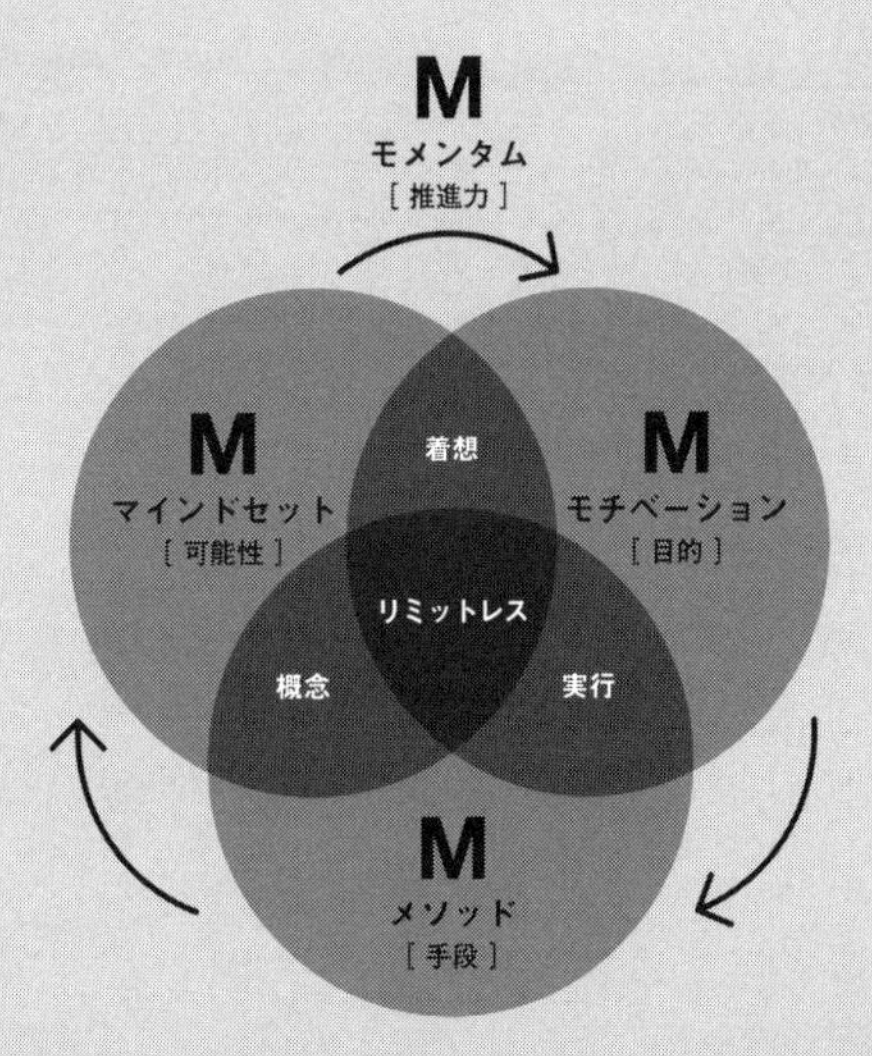

「あれだけ成功すれば、物事はおのずと勢いを得て進んでいきます。そしてある時点まで来ると、自分がその勢いを生み出したのか、その勢いが自分を作っているのかがよくわからなくなるのです」

──アニー・レノックス（「ユーリズミックス」ボーカリスト）

「拡張版のためのまえがき」で述べたとおり、僕がオリジナル版の全15章を書いてから、世の中では多くのことが変わった。この世界ではいま、粘り強さが、つまりは自分自身のリミットを外す努力を一貫して続けられる能力が、前にも増して重要になっている。粘り強さは、僕らが名実ともにリミットレスになるためのカギを握る要素だ。日々粘り強く取り組めば、目標を達成できる。その努力を地道に続ければ、達成したことを維持できる。こうした粘り強さと継続力を得たときに、モメンタムが生まれる。そしてモメンタムを生み出せて初めて、人は停滞知らず（アンストッパブル）になれるのだ。

物理学では、モメンタム（物体の運動量）は質量と速度の積で決まる。個人の生活で言えば、人間が「質量」で、その人が世界を移動する速さが「速度」となる。では、物体がモメンタムを欠いたらどうなるのか？　物体は動きを止める。同じことはあなたにも言える。モメンタムを欠いたら、あなたは止まる――限界（リミット）を受け入れることになる。それは、僕らの望むところではない。

ポストパンデミック時代の最良のツールを届けるべく、この拡張版の構想を練っていたとき、僕は、モメンタムがリミットレス・モデルの3要素――マインドセット、モチベーション、メソッド――の産物であることに思い至った。この3要素を制約から解き放てたら、リミットレスなモメンタムが得られる。そしてリミットレスなモメンタムが得られたら、リミットレス・モデルは無限に維持できるものになると、そう気づいたのだ。

そこでこのセクションでは、読者のマインドセットとモチベーションとメソッドを強化するために重要な追加のツールを提示しようと思う。まずマインドセットについては、僕とチームが数年かけて取り組んできたものを、満を持して紹介したい。それは「ブレイン・アニマル・C.O.D.E.」

という、自分の脳のタイプを診断できるツールだ。このツールを使えば、自分の学び方や情報の受け取り方、また得意なことの傾向を具体的に把握できる。ここで注目してほしいのは、診断の結果を4つの動物に結びつけて説明していることだ。タイプごとに異なる思考パターンを身近な動物のイメージに落とし込むことで、この知識を日々の生活に取り入れやすくしたのだ。自分の脳のタイプを理解できれば、マインドセット強化のはかり知れない助けになる。その人自身に合わせた自己成長や生涯学習(リスキリング、学び直し)の計画を立てられるからだ。

また、本書の前のほうでも述べたとおり、モチベーションはエネルギーのマネジメントと切っても切れない関係にある。エネルギー不足は人の意欲をしぼませることがある。モチベーションは心に燃料を与えてくれるのだ。そしてその燃料の大部分は、人が日々体に取り込むものから作られる。脳の働きを高める食べ物については前にも話したが、体に良質な燃料を与える方法について、もっと幅広い観点から読者に伝えたいと思った。脳の栄養に関するこの章では、リミットレスな頭脳を手に入れるコツや手法やリソースを、ヌートロピックや関連するサプリメントも含めて紹介する。

それから、メソッドについても見ていく。すでに紹介したメソッドに加えて、2020年以降、人々の働き方の変化につれて重要性を増している一連のツールがある。僕らの働く環境は、もっと言うなら仕事のあり方は、ここ数年ですっかり様変わりした。そうした変化は、リミットレスになることを目指す僕ら一人ひとりにとって、どんな意味があるのだろうか? 仕事でリミットレスになることをテーマにした次の章では、そのキーポイントとなる答えをいくつか伝授する。

そして最後に、モメンタムのおそらく最大の生み出し手であり、本書のオリジナル版の刊行時にはそれほど一般的でなかったものを取り上げないわけにはいかないと感じている。それは、AI（人工知能）だ。このAIを、HI（人間の知能）を補強するものとしてうまく利用できれば、まったく新たなスケールでモメンタムを生み出せる可能性がある。

このようにPART5では、読者のマインドセットとモチベーションとメソッドのリミットを外すための新たな方法を紹介する。その方法を実践すれば、モメンタムはかつてないレベルに引き上げられる。それはあなた自身が望み、自分にふさわしいと思う人生や学習へとあなたを導き、停滞知らずになるのを助けてくれるはずだ。

リミットレス・モメンタムに向かうあなたの道は、次のページから始まる。

第16章 新たな仕事の環境で最良の成果を上げる

「何かを知らなくたって萎縮する必要はありません。それがあなたの一番の強みとなって、ほかのだれとも違うことができるかもしれないんですから」

――サラ・ブレイクリー（SPANXの創業者兼CEO）

本章の問い

様変わりした仕事の環境で自分らしく働くには、どうしたらいいのか？
仕事で求められるスキルを完璧にマスターするには、どんなことをすればいいか？
仕事の環境の予期せぬ変化についていくには、ラーニングアジリティをどのように高めたらいいのか？

アリソンは、とあるオンラインマガジンの会社で10年以上働いている。パンデミックが始まる直前には、編集主任への昇格も果たしていた。アリソンはかなりの野心家だ。毎晩7時半まで職場に居残っているタイプで、40歳までに編集長になることを目標に掲げていた。ところが、２０２０年を境に、そんなアリソンの人生が一変する。原因の１つは、彼女と夫に第一子が生まれたことだ。

そしてもう1つは、アリソンの勤める会社が、編集スタッフ全員を完全リモート勤務にすると決めたことだった。

前者の変化は、アリソンに大きな喜びを授けてくれた。それまでも夫とふたりだけの生活には十分満足していたが、わが子の誕生は、アリソン夫婦に想像以上の達成感をもたらしてくれた。後者の変化にも、良い面はいろいろあった。時間のやりくりがずっと楽になり、キャリアアップの野心は維持しながら、子どもと以前より多くの時間を過ごせるようになった。ただし、問題が1つだけあった。アリソンはともすれば昼食をとるのも忘れてしまうほど、作業に没頭しがちだったのだ。仕事で成功するには、そうした集中力が欠かせないとも思っていた。けれどもいま、アリソンの働く日常は、彼女にとって仕事に劣らず重要な、私的な用事でぶつ切りにされている。かつてと同じレベルの集中力を発揮することはもう無理だった。働き方を変える必要があると気づいてはいたが、何をどう変えればいいのかわからなかった。

ローハンは、2018年の終わりに現在の会社で働きはじめた。チームは彼を入れて5人で、勤務中はたいてい同僚のいるオフィスか会議室で過ごし、問題を解決したりアイデアを練ったり、フィードバックを返したりしていた。結束力の強い彼のチームは生産性がとても高く、メンバーの1人が国の反対側で仕事を得てチームを離れても、その結束の強さは変わらなかった。ローハン自身も仲間とアイデアを出し合う時間を大切にしており、コーヒーのポットをいくつも空にしながら議論するのがとくに好きだった。

2020年のロックダウン（都市封鎖）は、この順調そのもののチームの歯車を大きく狂わせた。

パンデミックが始まってから最初の半年で、生産性ががた落ちしたのだ。状況が落ち着いても問題は改善せず、そのため彼の会社は、従業員の出社を週2回にとどめることにした。それから2年以上がたつが、ローハンはいまだに新しい現実にうまくなじめず、以前とすっかり変わった仕事の環境と、対面での活発なやりとりがあってこそ最も生産的に働けるという、自身の変わらぬ信念との折り合いをどうつけるか悩んでいる。

シャニースは、2022年に大学を卒業すると同時に大手求人サイトの運営会社に就職した。シャニースはその仕事が気に入り、成績次第で出世も十分見込めると言われていた。ただしオフィスへの出社は3か月に一度だけで、普段は自宅のソファですべての仕事をこなしていた。

シャニースの働きぶりに問題はない。むしろ与えられた仕事が物足りず、もっとやることが欲しいといつも頼んでいたほどだ。上司の覚えもめでたいらしく、一見するとシャニースのキャリアは順風満帆だった。ただ1つだけ、いまの会社で働き続けるのが自分にとって良いことなのかどうか、シャニースは測りかねていた。同僚に会う機会が年に数回と限られているので、会社への帰属意識をなかなかもてないのだ。

アリソンとローハンとシャニース、この3人は、現在の仕事の環境で働くあまたの人々の代表だ。もちろんパンデミック以前にも、仕事は多くの場所で変化しつつあり、ワークライフバランスが重視されたり、会社と従業員の関係をめぐって新たな考え方が生まれたり、成果や効率を測る評価基準が変わったりしていた。だが、ロックダウン後に仕事が戻ってきたとき、僕らの全員とも言えるほどの人々が、働く環境のかつてないほどの変化に直面した。その一方で、仕事への貢献意識や、自分以上の何かの一員として、より大きな達成やそれに見合った報酬を得ようという気運も高まっている。このように、大きく様変わりした仕事の環境で、僕らはどうやってリミットレスになればいいのだろうか？

▼やってみよう！
過去数年間で、あなたの仕事の環境はどのように変わっただろうか？　2、3分かけて、そのプラス面とマイナス面を書き出してみよう。

ラーニングアジリティを身につける

あなたは現在の仕事に就いてどのくらいになるだろうか？　もうずいぶん前からだと言う人も、その仕事がここ数年で根本的に変わった可能性はかなり高いはずだ。たとえば、新たな場所や複数の拠点で働きはじめたとか。同僚とのやりとりの手段がまったく新しくなったとか。会社という組織に以前ほどの愛着を感じられなくなったとか。パンデミック後に仕事を変えた人や、シャニースのようにパンデミック以降に初めて就職したという人は、なおさら途方に暮れているはずだ。このような状況に置かれたときにとりわけ役立つツールの1つに、「ラーニングアジリティ」がある。

ＥコマースEC企業、ラディアル社のＣＥＯイリアス・シンプソンは、『フォーブス』誌のある記事で、ラーニングアジリティについてこう述べている。「(ラーニングアジリティとは) 自分が過去に学んだり経験したりしたことを、まったく別の、あるいは新しい状況(シナリオ)に応用できる能力です。ラーニングアジリティの高い人は、時代の変化に惑わされず、むしろ自分から変化を求めます。不慣れな経験から学び続け、そこで得られる教訓を応用して、次に直面する課題を解決します。ラーニングアジリティは、何をすべきかわからないときに、自分のなすべきことを知る手がかりとなってくれるのです[1]」

ラーニングアジリティの高い人は、すでに学んだことを元手に、未知の状況でサバイブする方法を見つけ出す。僕らの多くが直面している現在のような状況では、この資産がとりわけ重要になる。もっとも、想定外の変化にさらされる可能性があろうとなかろうと、こうしたツールに習熟することは、この先の仕事人生でリミットレスになるのにまちがいなく役に立つ。シンプソンは、度重なる転職の経験が、彼自身のラーニングアジリティをいかに高めたかについて語っている。「新しい仕事に就くときには、そのつど過去に学んだことを駆使して新たな状況に対応することになります。たとえば、3PL(サードパーティ・ロジスティクス)の業界に入ったときには、〝リーン生産方式〟という、まったく別の業界で学んだ知識を応用しました」

前述のアリソンも、ラーニングアジリティの高さを生かして仕事の状況を大きく改善できた。「キャリアの初期に身につけたスキルを応用したんです」とアリソンは僕に語った。「初めて昇進したころ、私はまだアシスタントの仕事もしていました。記事の執筆依頼やライターへのフィードバックのような編集者らしい仕事と、上司のスケジュール管理や会議の議事録作りといった事務作業の両方をこなす必要があり、頻繁に頭の切り替えを迫られていました。こんなふうに意識がひとつところに定まらない状態では、高い集中力を保つのは難しくなります。そうしたことをしなくてもいいポジションについに移れたときには、本当にうれしかったです。でも、それから仕事の状況が変わって、意識をレーザービームのように一点に集中しながら原稿を書き、息子と昼食をとり、また原稿に戻り、ベビーシッターが帰ったあと家族と何時間か過ごし、赤ん坊が寝たら原稿を依頼したいライターを新たに探す、といった働き方をせざるをえなくなったとき、アシスタント時代に覚えた集中の仕方を思い出したのです」

　人事コンサルタント会社、ロミンガー社のCEOロバート・W・アイヒンガーと、リサーチ部門長マイケル・M・ロンバルドは、ラーニングアジリティは人の潜在能力の最もわかりやすい指標だと語る。ある報告書で、アイヒンガーらは次のように述べている。

「新しい仕事や技術的な知識をただ学ぶことと、人としての新しいふるまい方や、物事や問題に対する見方を身につけることは違います。人は学び、成長し、時とともに変化するものです（そしてその結果として、手持ちのスキルをただ高めるだけではなく、新しいスキルも獲得します）。であれば、将来有望な25歳の力量（コンピテンシー）と、成功した50歳の力量（サクセスプロファイル）を比較したところで意味はないでしょう。将来有望な25歳は、成功した50歳の単なるミニチュア版ではないのです」。同じ報告書のあとのほうで、彼らはこう書いてもいる。「ラーニングアジリティは、IQの数値や（人の性格を5つの因子で説明する）ビッグ・ファイブ理論の数値に比べて、社員のパフォーマンスやプロモータビリティを測るずっと強力な指標となりえます[2]」

それでは、仕事におけるこの重要なスキルを習得して高めるには、どんな方法があるのだろうか？　以下にいくつか挙げよう。

成長型マインドセットを身につける

ラーニングアジリティを高めるには、心理学者のキャロル・ドゥエックが言う「成長型マインドセット」（第6章参照）を、何をおいても身につける必要がある。このマインドは、困難を成長や発展のチャンスと捉え、改善に向けてこつこつ努力する心を育んでくれる。

新しい経験を探す

やったことのない経験や、取り組んだことのない課題を積極的に探そう。仕事の環境の内と外の両方で探すといい。多様な状況に自分をさらすと、スキルや知識の幅が広がり、適応力や問題解決能力を高められる。

経験の棚卸しをする

うまくいったことと、そうでもなかったことを定期的に振り返ろう。それぞれから得た学びを次の状況に生かし、やり方を改善し続け、知識のベースを広げよう。

他者から学ぶ

多様な視野や専門知識をもつ人々と交流する機会を作ろう。オープンで建設的な対話を心がけ、他者の経験や知見から積極的に学ぼう。

好奇心をもつ

職業上の関心や好奇心を大事にしよう。疑問を抱き、新たなアイデアを探求し、自分の専門分野や関連する領域の理解を深める機会を探そう。

実験し、反復する

成功の陰には失敗があることを忘れず、実験するマインドを大切にしよう。気になるアイデアや手法があれば何度もやってみて、そこからの学びや反省をもとに改善を重ね、パフォーマンスに磨きをかけよう。

レジリエンスを高める

挫折や失敗を「成長と発展のチャンス」と捉える練習をして、心のレジリエンスを育てよう。挑戦することを厭わず、逆境にあっても前向きな態度を心がけよう。

適応力を身につける

業界の動向や潮目の変化に敏感になり、最新のスキルや知識を習得して適応力を高めよう。状況次第では、戦略の変更や方向転換も考えたい。

学び続ける

生涯を通じて学ぶ意志を大切にし、見出すべきもの、探求すべきもの、習熟すべきものはまだまだあることを心に刻もう。個人としても仕事のプロとしても、自分を高めることに積極的に取り組み、成長の機会をつねに模索しよう。

限界的練習の絶大なる効果

仕事でリミットレスになるということは、言い換えれば、自分の仕事で求められる最高レベルのスキルを身につけるということでもある。このことは、新たな仕事の環境でとりわけ重視されるようになった。スキルに習熟していると、状況が変わったときに高い流動性が得られるのがその理由だ。たとえば、プレゼンをすることがあなたの重要な仕事の1つだとして、あなたが聞き手を引きつけるさまざまな手法に通じていたら、プレゼンの場がオンラインや、さらには事前収録の動画に変わっても困ることはないだろう。一方、特定のスキル（会議のテーブルに着いている出席者の目を見ながら話すなど）しか学んでいなければ、プレゼンの場がズームに移ったとたんに、そのスキルは効力を失ってしまう。

シカゴ大学のベンジャミン・ブルーム教授は、著書の『Developing Talent in Young People（子どもの才能を伸ばすために大切なこと）』で、さまざまな分野のトッププレイヤーを幅広く調査し、子ども時代の彼らに共通する資質を探った。その結果わかったのは、共通する資質はごくわずかだということだった。それどころか、ある分野だけに見られるいくつかの例外（スポーツ選手における体格など）を除くと、共通点はたった1つしかなかった。それはずばり、練習量の多さだ。

「限界的練習」という言葉を生み出した心理学者のアンダース・エリクソンは、『ハーバード・ビジネス・レビュー』誌の記事でこう書いている。「練習の量と質が、彼らを一流のレベルに引き上げた決定的な要因だった。調査結果が一貫して、また圧倒的な説得力をもって示していたのは、トッププレイヤーはつねに才能ではなく努力によって作られるということだった[3]」。さらに記事の後半で、エリクソンはこう述べている。「意志が弱かったり、短気だったりすると、真の意味で何かに秀でることはできない。本物の一流になるには、苦労や犠牲を厭わないこと、手を抜かないこと、またときには苦しいまでに自分自身と向き合うことが求められる。一流になるための近道はない。少なく見ても10年はかかるうえに、その時間を賢く使って、〝限界的な〟練習を積み重ねていく必要がある。要するに、現在の自分が無理なく快適にできるレベルを超えるタスクに的を絞って練習しなければならないのだ」。エリクソンは、何も冗談でそんな話をしているのではない。そうした厳しい練習を1万時間以上続けて初めて、人は一流を名乗れるようになると言っているのだ。

もちろんこれは、限界的練習を1万時間しなければ成果を得られないという意味ではない。じつのところ、スキル向上を目的とした練習では、それよりずっと早く効果を実感できる。

ローハンについて考えよう。彼は、週5日の出社に戻れる見込みは低そうだと気づいたとき、コミュニケーションの技術を磨くことに集中して取り組みはじめた。そうすれば、コラボレーター［訳注　組織内やプロジェクトの協働を促進する役割］としてもチームリーダーとしても、ずっと有能な存在になれると考えたからだ。ローハンはそのためのコーチを雇い、コミュニケーションのプロになるべく熱心に練習に励んだ。小学2年生を対象とした問題解決のコンテストにも、ボランティアとして参加した。小学2年生とうまくコミュニケーションが取れれば、どんな相手ともスムーズにやりとりできるだろうと考えたのだ。

「良いコラボレーターになるための肝は、やはりコミュニケーションです」とローハンは僕に語った。「自分の意見や要望を明確に表現できたら、チームのメンバーがそのアイデアを実行に移しやすくなります。また、プロジェクトの方向性に関する懸念をうまく伝えられたら、そのプロジェクトが頓挫するリスクも減らせます。昔から大切なことではありましたが、いまのようにメンバーが毎日顔を合わせるわけではない状況では、コミュニケーションはなおのこと重要になります。私もコミュニケーションについてはまだまだ勉強中ですが、それでも確実に進歩していると思いますよ」

前にも言ったとおり、練習すれば進歩できる。より良くなろうと努力すれば、スキルは必ず上達する。限界的練習は、この考えを究極の結論にまで昇華させたものだ。集中力と労力をすべて注いで練習に本気で打ち込めば、あなたもいずれ一流になれる可能性はあるのだ、と。

では、どうすればその域にたどり着けるのだろうか？

学ぶ目標を明確にする

まずは、仕事上のどんなスキルを高めたいのか、あるいは習得したいのかをはっきりさせよう。それから、そのスキルをもう少し扱いやすいパーツに細分化し、パーツごとに明確で達成可能な目標を設定しよう。

練習計画を立てる

前項のパーツそれぞれに焦点を絞った体系的な練習メニューを組もう。練習に専念できる時間を確保し、十分に集中できる邪魔の入らない環境で練習しよう。

外部のリソースを活用する

限界的練習では、想定外のスキルの習得が必要になる場合もよくある。本や講習会、動画、プロのトレーナーなどの力を借りてスキルの幅を広げ、一流になるためにマスターすべきことをしっかり把握しよう。

自分自身に挑む

限界的練習では、現在より高いレベルに自分を押し上げることが求められる。ハードルを徐々に上げて、タスクの難易度を少しずつ高め、自分の能力を広げて進歩を加速させよう。

助言を求める

定期的にフィードバックを得ることは、限界的練習の欠かせない構成要素だ。同僚やメンターまたは指導役にアドバイスを求め、その助言をもとに技術や戦略に磨きをかけよう。

反省し、修正する

練習後に毎回、その日の出来具合を振り返る時間を取ろう。改善できる部分を見つけ、必要な修正を行って、スキルや専門性をさらに伸ばそう。

粘り強く続ける

限界的練習では、真剣に取り組むこと、強い意志でやり遂げること、忍耐強くあることが重要になる。そのプロセスを楽しみ、課題を改善のチャンスと捉える成長型マインドセットをもち続けよう。

▼やってみよう！

あなたが仕事で新たに開拓したいと思っているスキルはなんだろうか？　3つ書き出し、そのための時間をスケジュールに確保して取り組んでみよう。

チームで取り組める「協調学習」

本章でここまでに紹介した2つのテクニックは、おおむね1人で行うことを想定している。もちろん、限界的練習でトレーナーをつける場合もあるだろうが、基本的には自分ひとりでやるものだ。一方、仕事でリミットレスになるのを助けてくれる重要なツールはもう1つあり、そちらは他者と緊密に連携しながら取り組むことができる。

そのツールである「協調学習」(または「協働学習」)は、スキル獲得の手法の一種であり、グループを活用して学習効果を高めることを主な目的としている。協調学習が行われている環境では、グループのメンバー同士が協力して問題解決に当たったり、新たなアイデアを生み出したり、自分ひとりでは思いつかない視点から物事を見たりする。チームで生産的な仕事をしたことがある人なら、この協調学習をなんらかの形で経験しているはずだ。1人の貢献がほかのメンバーのやる気に火をつけたり、2つの異なる案をあれこれ話し合っているうちに、まったく別のさらに良い案が出てきたりしたのを見たことがあるだろう。

協調学習には独自のメリットがいくつかある。まず、協調学習はコミュニケーションのスキルを高めてくれる。先に見たように、コミュニケーションが円滑でないと共同作業はうまくいかないからだ。また、協調学習はチームワークを良くしてくれる。チームワークが向上すると、仕事環境にもポジティブな影響が及ぶことが多い。さらに、協調学習は記憶の定着を高めてくれる。本書の別の場所でも論じたように、人に教えるとその情報を忘れにくくなるからだ。そして、協調学習は、偏見に囚われず他者の視点から学ぶ心を育んでくれる。

もちろん、同僚と週に2日ほどしか顔を合わせられないとか、シャニースのように年に3、4回しか出社しないといった環境では、協調学習をするハードルはどうしても高くなる。この問題について、シャニースは有効な回避策を見つけたと僕に話してくれた。

「会社には優秀な人が大勢いて、その人たちから多くのことを学べるのはわかっています。でも、私はフィラデルフィア、別の人はシカゴ、また別の人はアルバカーキ、また別の人はロサンゼルスとばらばらの場所で働いていたら、コーヒー片手にみんなで集まったりはできません。それで、同じ時期に入社した6人でグループチャットを始めて、進行中のプロジェクトについて話したり、いまやっている仕事に関連する記事をシェアしたり、悩み事を打ち明けてアドバイスをもらったりしているんです。おかげでいろいろなことを学べたし、私自身もささやかながら貢献できたんじゃないかな、と思っています」

あなたの職場も、公式なものではなくても、なんらかの形で協調学習を取り入れている可能性は高い。そうしたプログラムがあれば、できるだけ参加してみよう。それと同時に、次のこともやってみよう。

協調学習ができる方法を探す

職場に参加できるプログラムがなかったとしても、学び合いができそうな人々と働けるポジションに志願するなどして、自分なりに協調学習ができる方法を探ってみよう。

自分から行動する

プロジェクトが立ち上がったら、そのプロジェクトで共同作業ができる方法がないか探してみよう。単独でプロジェクトに取り組んでいるなら、ほかの人のプロジェクトを助ける代わりに、自分のプロジェクトにも手を貸してほしいと「バーター」を申し出てみよう。

会話を始めるチャンスを逃さない

シャニースのチャットグループがうまくいっているのはなぜだろうか？　それは、グループに質問を投げかけたり、互いに関心がありそうな話題の記事を共有したり、思いついたアイデアを話したりと、メンバーが積極的に会話に参加しているからだ。

同僚にフィードバックを求める

あなたが意見を聞きたいと思う人々は、あなたが学びを得られる人々でもある可能性が高い。そうした人々に、プロジェクトについて率直な意見を聞かせてほしいと頼んでみよう。貴重な学習の機会になるのはもちろんのこと、ひょっとしたら、あなたも相手から同じことを頼まれるかもしれない。

振り返りの時間を設ける

プロジェクトや企画が完了したら、振り返りの時間を設けると学習の機会につながり、新たな視点が得られることがある。

仕事の必須ツール、情動的知能を育てる8つの方法

仕事でリミットレスになるのに、情動的知能ほど重要なツールはないだろう。情動的知能とは、研究者のピーター・サロベイとジョン・メイヤーが命名し、心理学者のダニエル・ゴールマンによる同名のベストセラー書籍〔訳注　邦題は『EQ　こころの知能指数』(土屋京子訳、講談社)〕で有名になった言葉で、簡単に言うと、自分の感情を自覚して制御できたり、他者の感情に気づいて理解したり、適切な気配りができたりする能力のことを指す。

仕事の場において、情動的知能(一般には「EQ」の略語が使われる)は、他人と協調して働いたり、自分自身を確実に目標に向かわせたり、リーダーとしてチームをひとつにまとめたりしなければならない状況でとりわけ重要になる。高いEQには、コミュニケーション力や、意思決定能力や、対人的技能の向上をはじめとしたさまざまなメリットがあり、そのすべてが職場での学習とパフォーマンスの強化に役立ってくれる。IQと同様、EQも生涯を通じて研ぎ澄まし、高めていけるものであり、現在の自分のEQを知り、レベルアップに向けて地道に努力することで、従業員、同僚、リーダーとどの立場にある人も、圧倒的な違いを生み出すことができる。

本章の初めに登場した3人の場合も、EQは三者三様の状況で活用され、それぞれが置かれた状況を乗り越えるのに重要な役割を果たしてくれた。

アリソンはもともとEQが高く、自分が主に2つの満たすべきニーズを抱えていることを痛切に感じていた。つまり、仕事でだれよりも高い成果を上げたいというニーズと、息子や夫と過ごす時間を増やしたいというニーズだ。アリソンはそのEQの高さゆえに、日々の生活で一方のニーズが他方の足を引っ張っていることに気づくと、その時々でどちらのニーズを優先すべきか判断し、それに従って行動できるようになった。また、周囲の人々の気持ちにも敏感なので、自分の判断のせいでだれかが落ち込んでいれば、察して慰めることができた。さらにアリソンのEQは、次々に降りかかる難題を彼女自身が乗り越える助けにもなった。自分の思考のどこに苛立ちの原因が潜んでいるのか、見抜くことができたのだ。

一方でローハンは、自分がEQの問題を抱えていると気づいていた。彼が対面の場でコラボレーターとしてあれほどの能力を発揮できるのは、他人のエネルギーをうまく利用してきたからだ。ところがローハンは、文章や電話でのやりとりから感情を汲み取るのが得意ではなく、いまやその問題はオンライン会議にも広がっていた。ローハンが現在の仕事の状況に感じている苛立ちの大半は、チームが物理的に近い距離で働いていたころのような感情を、遠距離での共同作業にもてないことから来ていた。それがローハンの向き合うべき課題だったが、自分の苛立ちの元凶に気づいたことで、その課題にどこから取り組めばいいのかわかったのだ。

シャニースの場合、EQを活用したことで、会社の文化を知る新たな方法を開拓できた。指導役との相談の時間を増やしたり、チャットグループと（ときには協調学習から離れて）互いの指導役や会社全般について話したりするなかで、自分自身や相手の感情への理解を深め、それによって組織全体の姿を以前より具体的に描けるようになったのだ。キャリアの旅が始まってまだ日が浅いシャニースだが、自分が見出したことに心を弾ませている。

それでは、あなたが仕事の場でEQを活用し、いま以上に高めるにはどうしたらいいのだろうか？　次の方法を参考にしてほしい。

1　自己認識を育む

自分の感情や考えや言動を振り返る機会を定期的に設けて、自分自身の心の動きを理解する力を高めよう。このように自己認識がしっかりできていれば、自分がどんな場面で感情的に反応しがちなのかがわかり、職場での学習過程で感情をコントロールしやすくなる。

2　共感力を訓練する

人の話をよく聞き、相手の身になって考えることで、共感する力を育てよう。共感力が高まると、他者とつながりを築く能力が上がり、ポジティブな学習環境を生み出すことができ、もっと協調して働けるようになる。

3　感情的なレジリエンスを高める

失敗から立ち直る方法や、前向きなマインドセットを保つ方法を学んで、感情的なレジリエンスを高めよう。ストレスや困難な状況に振り回されず、集中して学習に取り組めるようになる。

4　ポジティブな感情を利用する

好奇心や喜びや期待感などのポジティブな感情を育てて、学習に最適な環境を作ろう。「有意義な目標を立てる」「達成できたことを喜ぶ」「ユーモアを大事にする」といったことも役に立つ。

5　ネガティブな感情を抑える

ストレスや不安など、職場での学習の妨げになるネガティブな感情を制御できる手だてを見つけよう。マインドフルネス、深呼吸、運動などのテクニックは、感情の浮き沈みを抑えて、学ぶ対象に集中し続ける助けになる。

6　効果的にコミュニケーションする

アクティブリスニング、共感力、アサーティブネス［訳注　自分と相手の双方の主張を尊重する対話のスタイル］などの強力なコミュニケーションの技法を身につけ、チーム内の協働と学習を強化しよう。

7　感情面のサポートを探す

同僚や友人やメンターなど、学習の旅の途上で、励ましや助言や建設的なフィードバックを授けてくれる人々のネットワークを育てよう。感情面での支えがあれば、心が折れそうなときやモチベーションを保てないとき、良い展望を描けないときに踏みとどまることができる。

8　内省し、対応する

自分の感情と、学習へのその影響を定期的に振り返ろう。伸びしろがある部分を見きわめ、どうすれば感情をうまくコントロールできるか考えよう。

働くあなたをリミットレスにする「DRIVE」

本章で紹介したテクニックはいずれも、あなたが仕事の場でリミットレスになるのを助けてくれる。また、言うまでもないことではあるが、本書のほかのパートで論じたことの大部分も、同様にあなたの力になってくれる。それらすべてを合わせて、頭字語でＤＲＩＶＥ（駆動力）と覚えてほしい。

Determination（決意）

決意と規律は、仕事で最高のパフォーマンスを上げ、最大限の能力を発揮するために欠かせない。

決意のレベルが高くなければ、限界的練習のようなことはやろうとしてもまずできない。明確な目標を定めて、その達成に向けた体系的な計画を立てよう。そして、目標達成に緊密に沿ったルーティンと習慣を築こう。それでも停滞してしまうときには、内なる意志の力を利用して自分を鼓舞し続けよう。思い出してほしい、成功は一朝一夕にはなしえないことを。成功とは、地道な努力と集中力と粘り強さの結果として得られるものだ。決意と規律の力を生かして無限の可能性を引き出し、並み外れた成果を達成しよう。

Resilience（再起）

挫折や逆境を跳ね返せるレジリエンスの力を高めよう。失敗を学習や成長のチャンスとして受け入れよう。独創的な解決策を探し、障害を克服する方法を追求することで、さまざまな状況に対処できる能力は磨かれる。また、どんな状況にも適応して生き生きと働ける成長型のマインドセットを育てよう。ストレスや逆境や挫折に対処する手だてを見つけ、起きたことを振り返り、失敗から学ぶことを大事にしよう。問題解決のスキルを鍛えて、新たな解決策を思いついたら対応できた自分をほめよう。覚えておいてほしい。リミットレスな成功への道には障害や課題が山ほどあるが、そうしたハードルを乗り越えて未知の状況に適応できる能力こそが、その人を抜きん出た存在にすることを。レジリエンスと状況対処能力を駆使して秘めた力を解き放ち、圧倒的な成果を上げよう。

Innovation（革新）

創造し、想像する力で、だれにも真似のできないアイデアや解決策を生み出そう。好奇心を大事にし、実験を厭わず、想定内のリスクは受け入れよう。業界のトレンドや進歩にも遅れずについていきたい。創造力を使って絶えず改善を重ね、競合相手の一歩先を行こう。クリエイティブに考えるための時間と空間を自分自身に与えよう。

Vision（展望）

キャリアのビジョンや自己成長のビジョンを明確に描き、自分自身の中核的な価値に沿った行動を取ろう。意思決定のガイドとなり、目標に集中するのを助けてくれる強い目的意識を育てよう。あなた自身が大事にしている価値は何か、その価値をどうすれば職場の価値と一致させられるかを明確にするといい。また、そうしたビジョンや価値を定期的に見直し、いまの自分の思いとずれがないかどうかを確かめることも重要だ。覚えていてほしい。明確なビジョンと力強い価値は、リミットレスな成功の礎となって、並み外れた成果を求める僕らの行動と決断を導いてくれることを。ビジョンと価値の力を借りてありったけの才能を解き放ち、最高に野心的な目標を達成しよう。

Execution（実行）

効率的に計画を実行し、目標を達成するために必要なスキルや戦略を習得しよう。ポモドーロ、マインドマップ、FASTメソッドなどのツールを使って、集中力と生産性と学習能力を高めよう。効率と効果を改善できる方法をつねに模索し、進歩の度合いを測って、目標に向けて前進しているかどうかを確かめよう。タスクを着実にこなすための行動計画を作ってもいい。時間管理のテクニックを取り入れて、効率性をできるかぎり高めよう。そして、日々たゆみなく改善の道を歩み続けよう。忘れないでほしい。自分との約束を着実に果たして目標を実現する能力は、リミットレスな成功に必要不可欠な要素であることを。実行力と効率の力をフル活用して、あなたの可能性を余すところなく発揮し、とてつもないことをやってのけよう。

第16章のまとめ

この数年間、働く環境はこれまでにない挑戦を迎えている。その一方で、あなたが仕事でリミットレスになれる可能性も、これまでにないほど高まっている。

では、次の章に進む前にいくつか演習をしよう。

- **休日の午後などを使って、キャリアの目標を書いてみよう。いまの自分は、その目標までの道のりのどのあたりにいるのか、望む場所にたどり着くためには何を習得し、改善し、強化する必要があるのかを、これ以上できないというほど明確に洗い出そう。**
- **自分の強みであるスキルを、まったく別のスキルに応用してラーニングアジリティを高めよう。たとえば文章でやりとりするのが得意なら、プレゼンのスピーチ原稿を書いて、率直な意見を言ってくれる友人や同僚の前で発表してみよう。**

・既存のスキルの向上や新たなスキルの習得の助けになりそうなチームを見つけて、一緒に働いてみよう。たとえ相手が大陸の反対側などの離れた場所にいても、助け合って学ぶことはできる。

第17章

脳のタイプを診断できる「ブレイン・アニマル・C.O.D.E.」

「人は皆、天才だ。しかし魚の才能を木登りの技術で測ったら、その魚は一生、自分は愚かだと信じて生きることになる」

——アルベルト・アインシュタイン

本章の問い

自分の情報の取り込み方は、他人のやり方とどう違うか?
自分の脳のタイプを知ることは、リミットレスを目指す自分の取り組みにどう役立つだろうか?
脳のタイプが自分と異なる人々とうまく働き、スムーズにやりとりするには、どうすればいいのか?

物事の学び方、情報の取り込み方、得意とすることは人によって異なる。これはずいぶん前から知られている事実であり、マイヤーズ=ブリッグス・タイプ指標やDISC理論といった自己評価ツール、またハワード・ガードナーの多重知能理論を通じて体系化されている。この拡張版のために脳科学を深掘りした際、僕はかなりの時間をかけて二重過程理論について調べてみた。二重過程理論とは、端的に言えば、人間の脳は同時に2つのレベルで働くと仮定するものである。一方のレベルでは、人間は情報を直感的に処理する。たとえば僕らは、歩く、食べる、室内を動き回る、といったほとんどの動作を考えずに行う。人間の脳は、こうした行動をするために必要なあらゆる機能を処理しているが、その処理は意識のバックグラウンドで行われる。もう一方のレベルでは、人間は情報を慎重に、かつ意識的に処理する。たとえば重要な決断をするとき、僕らはいくつかの選択肢を吟味する。長距離を運転するときには、脳内でルートをあれこれ検討する。これはとても意識的で、手間のかかることだ。どちらの処理の仕方にもそれぞれに価値がある。もしも自分の身に危険が迫っていたら、直感をできるかぎり働かせてその場から逃げ出そうとするだろう。だが、結婚や転職をするかどうか決める場合は、よくよく考えた末に結論を出し、それから行動に移したいと思うはずだ。

こうした脳のしくみを調べているうちに、僕はあることに気づいた。つまり、できるだけ多角度から自分自身を見られるような、そんな脳のタイプの診断法を編み出せたら、とてつもなく有益なものになるのではないかと。

それから取り組むこと数年、僕とチームは4つの脳のタイプを考え出し、それぞれにそのタイプを象徴する動物を割り当てた。これらの動物を表しているのが、本章冒頭の頭字語「CODE（暗号）」だ。C、O、D、Eの意味するところについてはすぐに述べるが、その前に、次に挙げた20項目の質問に答えてみてほしい。

念のため付け加えておくと、この質問は、特定の科学的な理論または枠組みを直接の下敷きにしていない。そうではなく、心理学や神経科学や認知科学に関する複数の確立された理論やモデルにヒントを得ている。例を挙げると、ハワード・ガードナーの多重知能理論、視覚、聴覚、身体感覚のような学習スタイルに関わるさまざまなモデル、性格型、ロジャー・W・スペリーの脳の優位性に関わる理論、認知スタイルなどがある。

なお、質問に取り組むときは、答えを書きとめておいてほしい。

問1　問題に直面したとき、あなたはたいてい、

1　複数の視点からその問題について考え、その後どうするかを決める

2　直感に従ってすぐに行動を起こす

3　分析し、戦略を練ってから行動する

4　だれかに相談して解決策を一緒に考える

問2　新しいことを学ぶとき、あなたは、

1　より小さくロジカルな単位に分解してから手をつける

2　まずやってみて、実際に体験しながら学ぶ

3　ほかの人と話し合いながら学ぶ

4　自分がもっている知識とどう結びつけられるか考える

問3　グループでプロジェクトを進めるとき、あなたが重視するのは、

1　全員の意見が共有され、考慮されていること

2　スピーディに効率良くタスクを実行すること

3　創造的なアイデアや解決策を提案すること

4　メンバーそれぞれのスキルに応じた役割が割り振られていること

問4　意思決定をするとき、あなたがよく頼るのは、

1　直感や第六感

2　理屈や根拠

3　個人の価値観や経験則

4　ほかの人の意見やグループの合意

問5　余暇の時間に、あなたが最もよくすることは、

1　読書や知的な探求

2　想像力を使う趣味や関心事

3　友人付き合いやイベントへの参加

4　体を動かすことやスポーツ

問6　あなたのコミュニケーションのスタイルで最も近いのは、

1　相手に共感と理解を示す
2　だれとでも分け隔てなくオープンに接する
3　感情表現が豊か
4　正確で裏表のない話し方を心がける

問7　目標を設定するとき、あなたは、

1　綿密な計画とスケジュールを組む
2　その目標を達成したときの影響力の大きさを想像する
3　スピードを優先する
4　ほかの人の意見も必ず取り入れる

問8　次の役割のうち、あなたにとって最もやりやすいのは、

1　チームワークや共同作業を促す役割
2　タスクや課題をじっくり考えられる役割
3　すばやい判断や対応を求められる役割
4　アイデアを自由に生み出す役割

問9　あなたが最も達成感を覚えるのは、
1　チームで団結して共通の目標を達成したとき
2　効率良くタスクを完遂できたとき
3　斬新なアイデアを思いついたとき
4　複雑な問題を解決できたとき

問10　だれかに意見を伝えるとき、あなたは、
1　相手の気持ちを考えながら、思いやりをもって伝える
2　思ったことを率直に話す
3　オープンな対話や議論を心がける
4　なるべく客観的で建設的な意見を述べる

問11　教室で授業を受けているとして、あなたにとって最も参考になるのは、
1　体験学習など、実際の活動に参加すること
2　段階的で体系的な手法に沿って学ぶこと
3　視覚的な教材や想像力を使うこと
4　グループの議論に参加すること

問12 だれかを説得するとき、あなたは、

1 相手を否定せず、理解を示しながら説得する

2 率直かつ簡潔に、また理性的に説得する

3 身振り手振りを交えながら説得する

4 生き生きとした、相手の心をつかむ言葉で説得する

問13 意見が対立したとき、あなたは通常、

1 状況を分析して合理的な解決策を提案する

2 問題と真正面から向き合い、毅然とした行動を取る

3 創造的な妥協案を探す

4 オープンなやりとりを促し、すべての当事者が納得できるようにする

問14 次の仕事の環境のうち、あなたにとって最も魅力的なのは、

1 互いに支え合える協調的な環境

2 組織立った秩序のある環境

3 ペースが速く、エネルギーに満ちた環境

4 イノベーションやブレスト（アイデアの出し合い）が奨励される環境

問15 次のタスクのうち、あなたが最も楽しいと感じるのは、

1 物理的な課題を解決したり、競争を勝ち抜いたりするタスク
2 新しい製品やコンセプトを考案するタスク
3 チームを率いたり、グループの議論をうまく取りまとめたりするタスク
4 収集したデータを深く掘り下げて分析するタスク

問16 ストレスを感じるとき、あなたがよくするのは、

1 ストレスの原因に対処する計画を立てる
2 信頼している人に打ち明ける
3 体を動かしてストレスを発散する
4 感情を吐き出せる創造的な表現手段を見つける

問17 休暇の計画を立てるとき、あなたの傾向として近いのは、

1 前もってきっちり旅程を組む
2 魅力的なスポットが多い休暇先を選ぶ
3 最低限の計画だけ立てて冒険を楽しむ
4 グループで行き、旅先でも基本的にグループで行動する

問18　あなたの最も好きな映画やテレビ番組のジャンルは、

1　アクションやサスペンス
2　推理ものや犯罪ドラマ
3　ＳＦやファンタジー
4　人間関係が濃密なドラマやコメディ

問19　時間管理について、あなたの考えに最も近いのは、

1　何かの都合でスケジュールが狂うことがあるのはわかっており、そこはあまり気にしない
2　スケジュールをいったん決めたら、できるかぎり守る
3　スケジュールに柔軟性をもたせ、優先順位が変わったらそのつど対応する
4　スケジュールを守る最善の方法は、他人の手を借りること

問20　自己成長について、あなたの取り組み方に最も近いのは、

1　新しい手法や手段をつねに模索する
2　人とのつながりを大切にし、人から学ぶ
3　挑戦することを厭わず、自分の限界を押し広げる
4　自分の強みと弱みを定期的に分析し、改善の余地を探す

1: 1 (D) 2 (C) 3 (O) 4 (E)
2: 1 (O) 2 (C) 3 (E) 4 (D)
3: 1 (E) 2 (C) 3 (D) 4 (O)
4: 1 (C) 2 (O) 3 (D) 4 (E)
5: 1 (O) 2 (D) 3 (E) 4 (C)
6: 1 (D) 2 (E) 3 (C) 4 (O)
7: 1 (O) 2 (D) 3 (C) 4 (E)
8: 1 (E) 2 (O) 3 (C) 4 (D)
9: 1 (E) 2 (C) 3 (D) 4 (O)
10: 1 (D) 2 (C) 3 (E) 4 (O)
11: 1 (C) 2 (O) 3 (D) 4 (E)
12: 1 (E) 2 (O) 3 (C) 4 (D)
13: 1 (O) 2 (C) 3 (D) 4 (E)
14: 1 (E) 2 (O) 3 (C) 4 (D)
15: 1 (C) 2 (D) 3 (E) 4 (O)
16: 1 (O) 2 (E) 3 (C) 4 (D)
17: 1 (O) 2 (D) 3 (C) 4 (E)
18: 1 (C) 2 (O) 3 (D) 4 (E)
19: 1 (D) 2 (O) 3 (C) 4 (E)
20: 1 (D) 2 (E) 3 (C) 4 (O)

すべての質問に答えたら、上の表と照らし合わせて、C、O、D、Eがそれぞれいくつあったか数えてみよう。

Cが最も多かった人は、Cheetah――俊敏な〈**チーター**〉だ。

Oが最も多かった人は、Owl――聡明な〈**フクロウ**〉だ。

Dが最も多かった人は、Dolphin――クリエイティブな〈**イルカ**〉だ。

Eが最も多かった人は、Elephant――共感力の高い〈**ゾウ**〉だ。

「C.O.D.E.」を象徴する4種の動物

僕とチームが選んだ動物から察しはつくだろうが、脳のタイプはそれぞれ特徴が大きく異なる。ここから、1つずつ見ていこう。

俊敏な〈チーター〉

俊敏な〈チーター〉は、頭の回転の速さと、適応力の高さと、勘の鋭さで知られる。プレッシャーが強い状況でもすばやく判断し、高い成果を上げることができる。また、その動物的な本能を生かして、新たな課題や環境にも難なく対応できる。〈チーター〉タイプの有名人には、実業家のリチャード・ブランソン、テニス選手のセリーナ・ウィリアムズ、アップルの創業者スティーブ・ジョブズなどがいる。

このタイプの人は、挑戦があまり苦にならず、コンフォートゾーンの外側にいる状態を楽しめる。といっても、〈チーター〉は単に無謀なわけではない。深く考えることや、戦略的に計画することの重要性も承知している。しかし、仕事の面でも日常的な場面でも、このタイプは状況の急な変化にまったく動じないのだ。あなたが〈チーター〉なら、条件がたびたび変わる環境で力を発揮できるはずだ。その反面、ルールや規則や制度ががっちり決まっている状況では、やる気があまり出ないかもしれない。〈チーター〉に適した職種には、営業・販売や、イベントの企画などがある。スポーツ選手も向いている。

聡明な〈フクロウ〉

聡明な〈フクロウ〉は、分析力に優れ、細部へのこだわりが強く、論理的な思考を得意とする。複雑な概念を理解することや、問題をより扱いやすいサイズに分解することも得意だ。さらには好奇心が底なしに強く、この好奇心を生かして疑問点を掘り下げたり、新たなトピックを探求したりできる。そんな〈フクロウ〉は、問題をじっくり分析したり、さまざまな結果を予測したり、問題のプラス面とマイナス面を挙げたり、意思決定後に想定されるシナリオを考えたりするときに喜びを感じる。また、判断の速い人を高く買う一方で、時間をかけてあらゆる面を吟味してこそ最高の仕事ができることも理解している。アルベルト・アインシュタインやマリ・キュリーは〈フクロウ〉タイプだ。投資家のウォーレン・バフェットも、現代の〈フクロウ〉の1人に入る。

あなたが〈フクロウ〉なら、複雑なパズルを解くことに快感を覚えるだろう。それはたとえば、家族旅行の行き先を決める前に全員の希望をすり合わせたり、他社との合併に関する詳細な分析を盛り込んだレポートを提出したりするようなことだ。ただし、即断即決を日常的に求められるような環境では、〈フクロウ〉は居心地の悪さを感じるかもしれない。〈フクロウ〉に適した職種には、会計、調査科学、ソフトウェア開発などがある。

クリエイティブな〈イルカ〉

クリエイティブな〈イルカ〉は、発想力と、型にはまらない思考と、直感力の高さを売りにしている。独創的なアイデアを思いついたり、複雑な問題に対して周囲をあっと言わせるような解決策を見つけたりできるのもこのタイプだ。また、その発想力を生かして、人と異なる斬新な視点から問題に切り込むこともできる。とはいえ〈イルカ〉は、独創的な考えというのは、現実の枠組みのなかで機能してこそ役立つものであることも理解している。毎週、一から車輪を発明しようとしているわけではない。そうではなく、既存の枠を押し広げられるか、過去に試されたやり方を多少なりとも超える新たな手法を試せる方法を探しているのだ。〈イルカ〉タイプの有名人には、ウォルト・ディズニー、画家のフリーダ・カーロ、レオナルド・ダ・ヴィンチなどがいる。

あなたが〈イルカ〉なら、新しい視点が求められるときに本領を発揮できるはずだ。それは私生活では、火曜の夕食にいつもと違うメニューを用意してマンネリを打破することかもしれない。仕事の場では、発売から時間がたった製品の新たな販促キャンペーンを考案することかもしれない。ただしこのタイプは、前例踏襲が必至の環境では苦労するだろう。〈イルカ〉が活躍できる職業には、物書き、グラフィックデザイナー、建築家などがある。

共感力の高い〈ゾウ〉

共感力の高い〈ゾウ〉は、EQが人一倍高く、他者を深く理解し、強いつながりを築けることで知られる。周囲をサポートして、優れたチームプレイヤーに仕立てるのも得意技だ。〈ゾウ〉タイプの人は、チーム全員のニーズや懸念がきちんと聞き届けられているかどうかを気にする。また、ほかのタイプの価値観をないがしろにせず、その共感力を生かしてオープンな対話を促したり、対立の仲裁をしたり、場の雰囲気を明るく保ったりできる。マザー・テレサ、ネルソン・マンデラ、司会者のオプラ・ウィンフリーは〈ゾウ〉タイプだ。

あなたが〈ゾウ〉なら、チームワークを愛し、人々が多様な視点をもてるようにサポートすることにやりがいを感じるはずだ。たとえば、性格がまったく違うわが子ふたりの仲を取り持ったり、さまざまな考えをもつ人々をまとめて新製品をローンチしたりするようなことだ。このタイプの人は、人事、広報、教育などの分野で活躍できる。

もう気づいているとは思うが、1つの〈動物脳〉のタイプ（本章では、それぞれの動物に象徴される脳の傾向を〈動物脳（アニマル・ブレイン）〉と呼ぶことにする）がほとんど決定的に優位でありながら、別のタイプの要素もいくらか当てはまるということはありえる。ハワード・ガードナーの8つの知能を紹介したときにも話したとおり、人間の脳が使う思考法は1つとは限らないからだ。それは、20の質問への答えの傾向を見ればよくわかるし、ときとして驚かされもする。たとえば、僕の同業の知人に、明らかに〈イルカ〉が優位な人がいる。クリエイティブな仕事で生計を立てており、創造性を生かせる状況に彼自身が満足していることからもそれは納得なのだが、一方で彼には〈フクロウ〉の要素も少なからずあり、自分がデータに没頭したり、ホワイトペーパー［訳注　自社の商品やサービスの特徴や活用法などを分析した資料］を書いたり、システムを設計したりするのも好きなことに気づいたときには一瞬とまどったという。こうした組み合わせからわかるのは、この知人には、創造性と分析力の両方を生かせる役割が最も合っているということだ。広告代理店のクリエイティブディレクターなどがそうだろう。

脳のタイプを知る2つのメリット

この自己評価ツールで僕が最も気に入っている点は、人間の脳のしくみを理解する方法を、その人の個性と情報処理の仕方を掛け合わせた形で、美しく、合理的に、肩肘張らず、また楽しく教えてくれることだ。自分をただの文字の羅列で捉えるよりも、「自分は〈チーター〉だ」と考えるほうが楽しめるし、実際にもしっくりくると思わないだろうか？

とはいえ僕とチームは、この新たなツールを、単に友人とコーヒーを飲むときの雑談ネタとして考案したわけではない。自分の脳のタイプを知ることには、次の2つの面できわめて大きなメリットがある。

メリットその1：自分の脳のタイプがわかると、この世界で自分はどうふるまえばいいのか、自分が本領を発揮できるのはどのような環境なのかがもっとよく理解できる。たとえば、あなたが〈イルカ〉なら、創造性が認められて必要とされる環境に身を置きたいだろうし、反対に、「うちのいつものやり方」で物事を進めなくてはならない状況は避けたいはずだ。脳のタイプを知ると、付き合いたい友人や恋人のタイプから、どんな仕事環境やキャリアが自分には合っているのかといったことまで、あらゆることが明確になる。

メリットその2：自分の脳のタイプがわかると、他人とどうコミュニケーションを取ればいいのかがもっとよく理解できる。あなたが〈チーター〉なら、〈フクロウ〉とプロジェクトを始める前には、深呼吸を二、三度したほうがいいかもしれない。だが〈フクロウ〉の脳の働き方を知っていれば、ケンカ腰にならずにすむ方法を思いつける可能性はずっと高くなる。またもちろん、脳のタイプが

4つあると知っているだけでも、グループ内のさまざまな力学に対処しやすくなる。現実には、出会う人全員の〈動物脳〉のタイプを知っているようなことはまずないが（オンラインゲームの対戦相手全員に、ゲームを始める前に20の質問に答えてもらえるわけではない）、こうしたタイプの違いを頭に入れておくだけでも、相手に対する心構えができるだろう。

自分のタイプに合った成長プランを立てよう

これまで見てきたとおり、リミットを外すというのは、自分のポテンシャルを生かせる可能性を最大限まで高めるということである。その点でも、この評価ツールにははかり知れないメリットがある。自分の〈動物脳〉のタイプがわかれば、自分に合った自己成長や生涯学習の計画を立てやすくなるのだ。そのやり方を順に見てみよう。

1　自分の強みと弱みを振り返る

少し時間を取って、あなたの〈動物脳〉のタイプを分析してみよう。その脳の強みは、あなたが現在得意だと感じている領域と一致しているだろうか？　一致している場合、その強みはどうすればもっと伸ばせるだろうか？　また、自分の脳のタイプと合わないことをしていて、その行為なり作業にもどかしさを感じたことはあるだろうか？　なぜもどかしさを感じたのか、いまなら理解できるだろう。

2　個人的な目標を設定する

前項の振り返りをもとに、あなたの〈動物脳〉のタイプに沿った個人的な目標を、達成可能な範囲で立ててみよう。その目標を何段階かのやりやすいステップに区切り、着実にこなせるように達成期限を設けるといい。

3　参考になる情報やアドバイザーを探す

あなたの〈動物脳〉のタイプに合った本や講座、ポッドキャスト、ワークショップ、相談相手を探してみよう。こうしたリソースは、あなたが個人と仕事の両面でレベルアップするのに必要な技能や知識を身につけるのを助けてくれる。

4　進捗状況をチェックする

２で設定した目標の進捗状況を定期的に確かめ、必要に応じて調整を加えよう。達成できたことを喜び、どんな失敗からも学ぼう。

5　体験を共有する

あなたの〈動物脳〉のタイプを知っている人や、同じように自己成長に励んでいる人たちとつながろう。体験したこと、気づいたこと、学んだことを共有して、互いに支え合い、刺激し合おう。

自分の〈動物脳〉を理解して積極的に生かすことで、頭脳の潜在力をめいっぱい引き出し、日々のパフォーマンスを高めて、より豊かで充実した毎日を送ることができる。本章で紹介した原則を応用すれば、真のリミットレスへとまた一歩近づけるだろう。

異なるタイプの人々とうまく働く方法

同僚とチームで働くのであれ、地域で役員を務めるのであれ、大学時代の仲間との付き合いを維持するのであれ、人間同士のやりとりには脳のタイプが大きく関係している。いまやあなたは、自分の脳のタイプを把握している――そして、4つの〈動物脳〉すべてに関する実践的な知識も手にしている――ので、こうした〈動物脳〉同士が協働するコツを理解するのに、かなり恵まれた立場にある。

〈チーター〉は、〈フクロウ〉の慎重さに苛立たされるときがある。〈フクロウ〉はたいがい、念入りに下調べをしてから判断したがるからだ。しかし、良質な情報の大切さをわかっている〈チーター〉なら、そんな〈フクロウ〉と折り合って働けるはずだ。また〈チーター〉は、〈イルカ〉を気まぐれだと感じることがある。〈イルカ〉がいろいろなアイデアを試したがるためだが、それでも徐々に、〈チーター〉は〈イルカ〉とうまく付き合えるようになる。創造的な良案は行動のスピードアップにつながるからだ。

〈フクロウ〉は最初、〈チーター〉とは働きにくいと感じるかもしれない。〈チーター〉は「論より行動」のタイプで、反対に〈フクロウ〉は理屈を優先するからだ。だが、〈チーター〉の行動の多くが研ぎ澄まされた直感にもとづいていることがわかると、〈フクロウ〉と〈チーター〉は互いの違いを好ましく感じるようになる。同様に、〈フクロウ〉は〈イルカ〉を、非論理的な思考に頼りすぎで事実を軽視していると思いがちだが、〈イルカ〉は〈フクロウ〉には思いもよらない視点から状況を見るのを助けてくれることがあり、そんなときに両者は接点を見出せることが多い。

〈イルカ〉は〈チーター〉といると、即効的な解決策を探すときに創造性を発揮しにくいと感じるかもしれない。だが、オープンマインドな〈イルカ〉なら、そのプレッシャーをむしろ逆手に取って創造性を高められると思うはずだ。他方で〈イルカ〉は、理屈や分析に頼りすぎの〈フクロウ〉に苛立ちを覚えることがある。そんな〈イルカ〉と〈フクロウ〉は、最高に独創的なアイデアは常識の枠を超えた発想から生まれることや、〈フクロウ〉の理屈っぽさが〈イルカ〉の想像力が行きすぎないようブレーキの役目を果たせると気づいたときに手を結べるだろう。

ところでお気づきだろうが、ここまで〈ゾウ〉がどこにも出てきていない。というのも〈ゾウ〉は、もともとチーム作りと仲裁の達人だからだ。どんな状況でもチームをまとめてくれる「接着剤」のような人がいたら、その人は〈ゾウ〉だと思ったらいい。

こうした〈動物脳〉の特徴をチーム運営に生かすコツをいくつか紹介しよう。

多様性を尊重する

〈動物脳〉の各タイプにはそれぞれ独自の強みがあり、問題解決のアプローチもそれぞれ異なることを意識しよう。チームのメンバーにそれぞれの見方や専門知識を積極的に話してもらい、たとえ自分の考え方と違っても、その視点や知識を尊重するようにしよう。

オープンなやりとりを促す

チームのメンバーが意見やアイデアや懸念を気兼ねなく口にできる環境を作ろう。これによってメンバー全員の貢献が尊重され、考慮されるようになる。

補完的なスキルを身につける

チームで学び合い、互いの本来の強みを補えるスキルを身につけよう。そうすることで、多角度から課題に取り組めるバランスの良いチームを作れる。

適切な役割や責任を与える

チームのメンバーに、各自の強みや能力に合ったタスクやプロジェクトを割り振ろう。するとメンバー一人ひとりが専門知識を生かして働けるので、全体として生産性が上がり、成果も出やすくなる。

自己成長をサポートする

チームのメンバーが、人としても仕事の面でも成長できるようにサポートしよう。〈動物脳〉のタイプについて知っていることを伝え、一人ひとりが強みを伸ばして弱みを克服できるように力を貸そう。

ここで、〈動物脳〉のタイプが異なる人々のグループが、互いの強みを生かしながら働くにはどうすればいいかがわかるシナリオを見てみよう。共同作業が必要な環境で、マーク、スーザン、リサ、デイヴィッドの4人は、ある画期的な製品のためのマーケティング戦略を策定するタスクをチームで担うことになった。

俊敏な〈チーター〉であるマークは、ターゲット顧客に届く創造的な案を次々に打ち出し、チームが遭遇するどんな変化や障害にもすばやく対応する。マークの判断の速さと高い適応力は、チームがスピーディに、かつ柔軟にタスクに取り組む助けとなる。

聡明な〈フクロウ〉であるスーザンは、市場の動向やデータを分析して潜在的なチャンスや課題を洗い出す役割を担う。スーザンの確かな分析力と細部への注意力により、マーケティング戦略の柱となる重要なインサイト（顧客の購買行動の動機）がつまびらかになる。スーザンはまた、チームの意思決定がデータにもとづいてなされているかどうかにも目を配り、それがプロジェクトの土台を揺るぎないものにする。

クリエイティブな〈イルカ〉のリサは、彼女ならではの発想と視点を生かして、競合製品とはひと味違う斬新なマーケティング案を提案する。おかげでチームは、従来のマーケティング戦略に囚われずに新たな方法を開拓できる。リサの豊かな創造力は、顧客の注意を引いて製品への興味をかき立てるマーケティング施策をチームが生み出す原動力となる。

共感力の高い〈ゾウ〉であるデイヴィッドは、チームの感情的な錨として、メンバー全員のニーズや懸念が考慮され、対処されているかどうかをチェックする。また、その卓抜した情動的知能によって、チームのオープンなやりとりを促し、メンバー間の対立を収め、人間関係を良好に保つ。デイヴィッドの共感力と理解力は、だれもが自分の価値を実感できる、一体的で協調的な仕事環境を作るのに欠かせないものとなる。

プロジェクトが進むにつれて、チームのメンバーは、互いの持ち味や貢献に気づいて認め合うようになる。スーザン、マーク、リサ、デイヴィッドは、それぞれ異なる頭脳の特性を生かすことを学び、よく練り上げられた秀逸なマーケティング戦略を作り上げる。

スーザンとリサは、データに裏打ちされたインサイトと創意あふれるアイデアを組み合わせ、斬新にして効果的なマーケティング施策になるように協力して取り組む。マークとデイヴィッドは、チームの機動力と柔軟性を維持しながら、同時に感情的なつながりやサポートの体制もしっかり保てるように力を合わせる。

この例からわかるのは、異なる〈動物脳〉同士の相互作用が、調和の取れた仕事環境を育むとともに、プロジェクトの成果を高めてもいることだ。俊敏な〈チーター〉、聡明な〈フクロウ〉、クリエイティブな〈イルカ〉、共感力の高い〈ゾウ〉が、互いの強みを持ち寄ることで、チームはさまざまな角度から課題に取り組み、意思決定を最適化して、好結果につながるマーケティング戦略を生み出しているのだ。

プロジェクトが大詰めを迎えると、チームはマーケティング戦略に磨きをかけ、いよいよ実行の準備に入る。スーザン、マーク、リサ、デイヴィッドは、プロジェクトの成功を確実にするための重要な役割を引き続き担う。

俊敏な〈チーター〉のマークは、別の部署や利害関係者との調整を担い、マーケティング施策が首尾良く行われるように配慮する。また、施策の潜在的な課題を予測し、実行中に起きうるどんな問題にも対処できる危機管理プランを前もって立てる。マークの問題処理能力と対応力のおかげで、チームは順調に施策を実行でき、モメンタムを維持できる。

聡明な〈フクロウ〉のスーザンは、チームの仕事を緻密に精査し、データやインサイトをダブルチェックして、マーケティング戦略が正しい情報に沿っているかどうかを確かめる。さらに、施策の効果を測る詳細なプランを組み、ＫＰＩ（重要業績評価指標）を設定して、進捗状況を追跡する報告システムを作る。

クリエイティブな〈イルカ〉のリサは、デザインチームやコンテンツチームと協力して、マーケティング施策の創造性に関わる部分をてこ入れする。施策のテーマとビジュアルが戦略全体と合致していることを確かめ、ターゲット顧客に確実に響くようにする。リサの想像力豊かなアプローチのおかげで、施策は印象的でインパクトのあるものとなる。

共感力の高い〈ゾウ〉のデイヴィッドは、プレッシャーのかかる実行フェーズのあいだ、前向きで協力的な仕事環境を保てるように心を砕く。メンバーの様子をよく見て、励ましやアドバイスの言葉をかけ、壁に突き当たったメンバーがいれば手助けする。デイヴィッドの共感力と情動的知能のおかげで、チームは高いモチベーションを維持し、プロジェクトに全力を注ぐことができる。

プロジェクトは成功のうちに終わり、認知（思考力）の多様性の力と、各〈動物脳〉タイプの独自の強みを生かすことの重要性が証明される。マーク、スーザン、リサ、デイヴィッドは、目標を見事達成するとともに、チームワークや共同作業について、また互いの脳力の違いを認める大切さについて貴重な学びを得る。

この4人の経験は、〈動物脳〉のタイプの異なる人々が集まったときに、課題を克服し、意思決定力を高めて、画期的な解決策を生み出せることをはっきり示している。チーム内の認知の多様性を理解してその真価を認めることで、4人はリミットレスな能力を解き放ち、並み外れた成果を上げたのだった。

▼やってみよう！

あなたが日頃よくやりとりする人々を思い浮かべよう。脳のタイプについて理解することで、その人たちとのやりとりはどう変わりそうだろうか？

脳のタイプ別、読書力の鍛え方

自分の〈動物脳〉のタイプがわかると、自分自身の強みや脳の傾向に合った戦略を立てやすくなる。ここからは、タイプごとにお勧めの読書力の鍛え方を紹介しよう。

チーター

ざっと読む：〈チーター〉は、手早くざっと読んで、見出しやキーワードを把握するといい。それで要点がつかめるし、じっくり読み込むべき部分はどこかも判断できる。

目標を設定する：〈チーター〉は、具体的で達成可能な読書の目標を立てるといい。たとえば、一定の時間内に何ページ、または何セクション読むと決めることで、集中力やモチベーションを維持しやすくなる。

アクティブリーディングをする：〈チーター〉は、問いを自問したり、内容を予測したり、自分の経験に照らし合わせたりしながら読むと、読解力や記憶の定着を高められる。

フクロウ

概要をまとめる：〈フクロウ〉は、読んでいるテキストの構成や概要を書き出すといい。情報の流れをスムーズに理解でき、重要な点を思い出しやすくなる。

整理されたメモを取る：〈フクロウ〉は、整理された簡潔なメモを取りながら読むと、読解力と情報の保持力を高められる。

内容を分析する：〈フクロウ〉は、内容を批判的に評価したり、一定のパターンを見つけたり、異なる考えにつながりをもたせたりしながら読むと、読書力を高められる。

イルカ

内容を視覚的に捉える：〈イルカ〉は、読んでいるテキストに関連したイメージや光景を頭のなかで思い浮かべるといい。情報をもっと良く理解して記憶できるようになる。

関連づけをする：〈イルカ〉は、テキストの内容をほかの考えや経験に関連づけながら読むといい。別の視点から見られるし、理解も深まる。

色分けやハイライトを活用する：〈イルカ〉は、色分けやハイライトの技法を使って重要なポイントやアイデアを強調すると、復習したり情報をあとで思い出したりするのが楽になる。

ゾウ

内容について話し合う：〈ゾウ〉は、ほかの人とそのテキストについて話し合うと、読解力を高められる。また、それによって新たな気づきを得たり、理解を深めたりもできる。

要約や言い換えをする：〈ゾウ〉は、読んだ内容の要約やパラフレーズ（言い換え）の練習をすると、読解力や情報の保持力を高められる。

読む時間を確保する：〈ゾウ〉は、読んで内容を振り返ることに専念できる時間をスケジュールに組み込んでおくと、集中力を保ちながらテキストに向き合える。

脳のタイプ別、記憶力の鍛え方

自分の〈動物脳〉のタイプがわかると、記憶力のスキルアップにも役立つ。次は、より効果的に情報を記憶できる方法を紹介しよう。

チーター

やりながら覚える：〈チーター〉は、実際の活動に参加したり、新たなスキルを練習したりすると、より確実に記憶できる。経験を通じて学習を強化できるのだ。

視覚化のテクニックを使う：〈チーター〉は、覚えたいことに関連するイメージやシナリオを思い浮かべると、記憶の定着を良くできる。

人に教える：〈チーター〉は、ほかの人に説明すると、そのトピックに関する理解が深まり、記憶を強固にできる。能動的に関わることで学習能力が高まるのだ。

フクロウ

暗記術を使う：〈フクロウ〉は、頭字語や語呂合わせのような暗記術（「ニーモニクス」と言う）を使って覚えるといい。複雑な情報を秩序立てて、体系的に記憶できる。

情報を整理する：〈フクロウ〉は、情報を論理的なグループや階層に分類して体系化すると、その情報を思い出しやすくなる。

間隔反復を活用する：〈フクロウ〉は、一定の間隔を置いてフラッシュカードを見返すなど、間隔反復のテクニックを使うと、記憶力を徐々に鍛えられる。

イルカ

マインドマップを作る：〈イルカ〉は、マインドマップを使って情報を可視化し、異なる考えのあいだにつながりを見出すと、情報を暗記したり思い出したりするのが楽になる。

ストーリー作りのテクニックを使う：〈イルカ〉は、情報をストーリーや物語に組み込むといい。その豊かな発想力と想像力を活用すれば、細部をもっと効果的に記憶できる。

五感を働かせる：〈イルカ〉は、音楽を聴く、絵を描く、アロマオイルを焚くなど、感覚を使いながら学習すると、記憶力を高められる。

ゾウ

グループで学ぶ：〈ゾウ〉は、だれかと一緒に学ぶといい。議論したり情報を共有したりすることは、〈ゾウ〉の記憶力の強化に有効だからだ。

メモリーパレスを活用する：〈ゾウ〉は、「メモリーパレス（記憶の宮殿）」を作る——自宅などのよく知っている環境を想像して、そのなかの特定の場所や物に情報を結びつけながら記憶する——と、細部をもっと楽に思い出せる。

アクティブリコールを実践する：〈ゾウ〉は、記憶した情報を要約する、だれかにその情報を教えるといった、記憶同士のつながりを強固にできるアクティブリコール（想起学習）の練習をすると、記憶力を鍛えられる。

脳のタイプ別、問題解決力と意思決定力の磨き方

自分の〈動物脳〉タイプの強みや傾向に合わせた戦略にフォーカスすると、問題解決力が高まり、もっと効果的に意思決定できるようになる。その方法は以下のとおり。

チーター

直感に従う：〈チーター〉は、直感や本能的なひらめきを頼りに意思決定を導き出せる。とりわけ、迅速な判断が求められる状況や、限られた情報しか手に入らないときにこの方法は役に立つ。

行動し、経験から学ぶ：〈チーター〉は、行動や経験にもとづいて意思決定するといい。可能性がありそうな策をどんどん試して、結果から学び、そのつどやり方を調整しよう。

他者に意見を求める：〈チーター〉は、ほかの人にアドバイスや意見を求めるといい。多様な視点や知見を得ることで、直感的な判断とのバランスが取れる。

フクロウ

問題を分析する：〈フクロウ〉は、問題をまず細分化して、その問題の根本原因や根底にある原理を明らかにするといい。体系的に分析することにより、問題を整理でき、有望な解決策を見つけやすくなる。

選択肢を吟味する：〈フクロウ〉は、その分析スキルを生かして有望な解決策それぞれのメリットとデメリットを吟味すると、十分な情報と客観的な基準にもとづいた判断ができる。

評価と振り返りをする：〈フクロウ〉は、意思決定後にその結果を評価し、意思決定のプロセスを見直すといい。経験から学ぶことで、将来、より良い意思決定ができる。

イルカ

創造的に考える：〈イルカ〉は、その発想力と想像力を頼りに、斬新な問題解決策を編み出せる。型破りなアイデアや手法をのびのびと追求するといい。

パターンや関連性を探す：〈イルカ〉は、一見無関係な雑多な情報のなかに一定のパターンや、傾向や関連性を見出すようにすると、問題解決力を高められる。

全体像を考える：〈イルカ〉は、問題を俯瞰で捉えて、より広い背景事情や判断の長期的な影響に考えをめぐらせると、意思決定力を向上させられる。

ゾウ

助け合い、話し合う：〈ゾウ〉は、その強力なコミュニケーション能力と協調力を利用して、他者を意思決定のプロセスに巻き込むといい。多様な視点や知見が集まると、意思決定の精度も上がる。

合意形成をはかる：〈ゾウ〉は、チームのメンバーや利害関係者の意見をまとめて合意を得るようにすると、より効果的で持続可能な解決策を導き出せる。

共感と客観のバランスを取る：〈ゾウ〉は、その共感力の高さを生かして、意思決定の影響を受ける人々に心を配りつつ、十分な情報に根差した選択をするための客観性も忘れないようにするといい。

脳のタイプは変えられるのか

本章のモデルで使われている〈動物脳〉の各タイプは、あくまで一定の状態にある脳のパターンや傾向を示しているが、一方で人間の脳には、神経可塑性という、変化し適応する驚くべき能力も備わっているので注意したい。

これはどういうことかというと、意識的な努力と訓練によって、人は新たな知的スキルや戦略を実際に身につけられるし、それによって別の〈動物脳〉のタイプに自分を近づけるのも不可能ではない、ということだ。たとえば、共感力の高い〈ゾウ〉が分析のスキルを磨けば、いずれ聡明な〈フクロウ〉ともっと通じ合えるかもしれない。練習と意識的な努力と振り返り、また専門家の指導や生活習慣の変化などを通じて、人は自分を変えられる可能性があるのだ。

とはいえ、自分の〈動物脳〉のタイプを変えることがこのモデルの目標ではないので、その点も心しておきたい。そうではなく、自分の脳のタイプを理解してうまく生かしながら、同時に弱い部分を見つけて改善に取り組むことが目標だ。僕ら一人ひとりが無二の存在として、それぞれに違った方法で貢献できるのは、人間の認知能力が多様であるおかげにほかならないのだから。

第17章のまとめ

本章で紹介した「ブレイン・アニマル・C．O．D．E．」、いかがだっただろうか。いまやあなたは、自分の潜在能力を高めて他者と新たなレベルでやりとりできる、強力なツールを手にしているはずだ。

それでは、次の章に進む前に演習をしよう。

- **自分の〈動物脳〉のタイプがわかったいま、自分のなかで明確になった課題を3つ書き出そう。その観察をもとに、課題解決に向けた行動計画を立ててみよう。**
- **映画の配役を決めるように、4つの〈動物脳〉それぞれにキャラクターを当てはめてみよう。あなたの理想の〈チーター〉や〈ゾウ〉はだれが演じるだろうか？　これは、4つのタイプをはっきりイメージできる、とても効果的な方法だ。**
- **あなた自身と、ほかの〈動物脳〉のタイプの人々との決定的な違いを考えよう。その違いを乗り越えてうまくやっていくには、どうすればいいだろうか？　方法を2つ考えてみよう。**

第18章

食生活を変えて脳のパフォーマンスを最適化する

「あなたのいまの考え方、ふるまい方、食べ方が、30年後から50年後のあなたの人生を決める」

——ディーパック・チョプラ

本章の問い

食べるものや食べるタイミングは、自分のリミットレスな潜在能力にどう影響するのか？脳の健康を最大限に高めるには、食生活をどう変えたらいいのか？どのヌートロピックが、自分の知的パフォーマンスを高めてくれそうだろうか？

アニヤはやる気のかたまりだ。速読、記憶術、勉強術と、僕らのプログラムを桁違いの熱心さでやりきった。新たなプログラムに次々に挑むその情熱と渡り合えるのは、そこから得られるだけのものを得ようとする、彼女自身の貪欲さだけだった。ところが、全力で取り組んでいるにもかかわらず、アニヤはたいがい目標にわずかに届かなかった。あるときには、2週間ほど勉強を休んでみたこともあった。少し「充電」したら回復するかもしれないと期待して。それでも状況は変わらず、アニヤは自分の何がまちがっているのかと、僕らのオフィスに問い合わせてきたのだ。

アニヤは何もまちがっていなかった。ただ1つだけ、彼女のしていたあることが正しくなかった。アニヤは脳に——というか、体のどの部分にも——まともな栄養を与えていなかったのだ。アニヤの食生活は、砂糖と加工食品のオンパレードだった。まるで、フライドチキン・サンドイッチの業界を自分ひとりで支えるつもりだと言わんばかりの偏り方だった。

アニヤは、真のリミットレスになれるマインドセットとモチベーションをもっており、メソッドもプロ並みに習熟していた。だが、脳が生き生きと働くのに必要な栄養をとると決心するまで、リミットレスになるためにできることをすべてやっているとは言えなかったのだ。

▼やってみよう!

1分ほど時間を取って、いまの自分の脳の状態を観察してみよう。エンジン全開といった感じだろうか、それとも、そろそろ「ピットイン」したほうが良さそうだろうか? 次に、ここ数日に食べたものを思い出そう。その食べ物といまの脳の状態とに、何か関連が見つかるだろうか?

脳の栄養にまつわる5つの迷信

以前の章でも見たとおり、脳の栄養学のように日進月歩のデータであふれるトピックは、それに負けないほどたくさんのＬＩＥや迷信を生み出しがちだ。以下に、脳の栄養に関する最もありふれた迷信を５つ、それぞれの真相とともに挙げよう。

迷信その１：脳の健康は遺伝ですべてが決まる。食事はたいして重要ではない

この迷信は、初期の科学的研究から生まれたらしく、脳の健康や認知機能における遺伝の役割をオーバーに考えすぎている。

真相その１：遺伝は脳の健康と確かに関係があるが、食事や生活習慣の選択も、認知機能や脳の健康状態に並々ならぬ影響を及ぼす。実際、脳に良い栄養素を豊富に含む健康的な食事は、認知機能の低下を防ぎ、知的パフォーマンスを高めることが研究で示されている。

迷信その２：脂肪と名のつくものはすべて脳に悪い

この考えは、あらゆる脂肪を有害だとする、より広く受け入れられている迷信が発生源らしく、前世紀後半の低脂肪ダイエットのブームで一気に広まった。

真相その２：健康的な脂肪、なかでも魚やクルミやアマニ油などに含まれるオメガ３系脂肪酸は、脳の健康を守る大事な栄養源であり、脳機能や脳細胞の維持には欠かせない。

迷信その3：食事の量が十分なら、脳に必要な栄養素も十分とれている

この迷信は、栄養の働きに関する誤解がおそらく元にある。「量は質を担保する」という考えは、それ自体がよくある誤解だ。

真相その3：日々口にする食べ物の質は、量に勝るとも劣らないほど大切だ。栄養密度［訳注　一定カロリー当たりに含まれる栄養素の量や種類］の高い食べ物をいろいろ食べてこそ、脳を最適な状態で働かせるのに必要なすべての栄養素を確実に摂取できる。

迷信その4：マルチビタミンをとっていれば、脳に必要な栄養はすべてカバーできる

この迷信は、サプリメント業界のマーケティング努力に端を発していると見られ、「万能」サプリとしてのマルチビタミンの効能を、ともすれば大げさにうたっている。

真相その4：マルチビタミンは、栄養素の不足を補うにはいいが、それだけですべてをまかなえるわけではない。加工されていない自然な食材を多種類取り混ぜたバランスの良い食事が、脳の栄養補給には最良の方法だ。

迷信その5：砂糖は脳の燃料だから、たくさんとるほど良い

この迷信は、単糖類のグルコース（ブドウ糖）が脳の主要な燃料源だという事実がおそらく元になっている。

真相その5：脳は確かにグルコースを燃料にしているが、すべての糖が同じように働くわけではない。精製糖のとりすぎは、代謝障害や炎症、認知機能の障害を引き起こす恐れがある。全粒穀物や野菜などに含まれる複合炭水化物をほどほどにとる食事のほうが、より安定した、健康的なグルコース源を脳に届けられる。

以上のような迷信やＬＩＥを暴くことで、僕らは自分自身に知識という力を与え、健康的な選択をして、脳を良質な栄養で満たすことができるのだ。

適切な栄養補給で頭脳のピークパフォーマンスを引き出す

脳は、複雑でエネルギーを食らう臓器である。体重に占める重量の割合はわずか2％だが、エネルギーは人体に必要な量のなんと2割を消費する。脳への適切な栄養補給は、新しい脳細胞の生成、神経伝達物質の産生、シナプスの形成や維持など、その複雑な機能を支えるために欠かせないことだ。アニヤも気づいたように、脳が最適なレベルで働くには、正しい方法で栄養を補給する必要がある。

栄養十分な脳は性能が高い。新たな情報にすばやく対応し、的確に判断し、複雑な思考を処理する。一方、必要な栄養を欠いた脳は、認知能力が低下し、脳の記憶容量が減り、気分障害や神経変性疾患を発しやすくなる。脳に適切な栄養を与えることで、記憶力や集中力、さらには知的パフォーマンス全般を高められるのだ。

学術誌『ニューロロジー』の2017年の研究で、果物、野菜、全粒穀物、低脂肪のタンパク質をよくとる地中海式食事法を実践している人は、脳全体の萎縮が比較的少ないことが3年間の調査で明らかになった。[1] この研究結果は、栄養豊富な食事が高性能な脳の土台であるという昔からの考えと一致し、またその考えを裏打ちしてもいる。

魚やアマニ油に多く含まれるオメガ3系脂肪酸は、脳の健康や認知機能を支えていることがわかっている。『カレント・クリニカル・ファーマコロジー』誌に掲載された研究によると、オメガ3系脂肪酸の摂取量を増やしたところ、ごく軽度のアルツハイマー病や大うつ病障害で認知機能に改善が見られたという。[2] またオメガ3系脂肪酸は、脳の炎症を鎮めて脳細胞の健康をサポートする働きもあり、食生活におけるオメガ3系脂肪酸の重要性にますます注目が集まっている。

さまざまな果物や野菜に含まれる抗酸化物質は、脳を酸化ストレス——認知機能の低下の原因になりうる有害な作用——から守るうえで重要な役割を果たしている。『米国医師会ジャーナル』掲載の2002年の研究は、ビタミンCとビタミンEの食事からの摂取量を増やすと、アルツハイマー病のリスクを軽減できる可能性があると結論している。[3]

次に、集中力と記憶力、知的パフォーマンスを強化できる食べ物と食事法を見てみよう。例として、ブルーベリーは「ブレインベリー」とも呼ばれるほど、抗酸化物質のフラボノイドを豊富に含んでいる。『アプライド・フィジオロジー・ニュートリション・アンド・メタボリズム』誌に掲載された研究では、ブルーベリーを日常的に食べることで、脳の老化を遅らせられるほか、ワーキングメモリを改善できる可能性もあるとされている。[4]

では、チョコレートはどうだろうか？　注目はやはりダークチョコレートだ。カカオの含有率が高いダークチョコレートには、フラボノイドとカフェインと抗酸化物質が多く含まれている。『アペタイト』誌に発表された研究では、チョコレートの摂取頻度を増やすと、認知能力が有意に向上するとの結果が出ている。[5]

また近年、「間欠的断食」が、その脳への健康効果から科学的に注目されている。間欠的断食とは、一日のサイクルに食事をする時間と食事を抜く時間を周期的に挟む食事法のことだ。『ニューイングランド・ジャーナル・オブ・メディスン』誌に発表された研究で、間欠的断食は認知機能を高め、神経変性疾患を予防し、もしかしたら寿命を延ばす可能性もあることが明らかになった。[6]　この食事法は、代謝のプロセスを最適化し、脳により健康で効率的なエネルギー源を送る助けとなるようだ。

さらにコーヒーの適度な摂取は、そのすばやい活力増強効果のほかにも、脳に明らかなメリットがあることがわかっている。『フロンティアズ・イン・エイジング・ニューロサイエンス』誌掲載の研究によると、コーヒーを長期にわたって飲むことで、アルツハイマー病のリスクを下げられる可能性があるという。[7]

とはいえ、どんなに強力な食べ物でも、それだけで脳の健康と能力を支えることはできない。大事なのは、オーケストラ並みにさまざまな栄養素を供給してくれる、多様でバランスの取れた食事を心がけることだ。そうした栄養素は、その1つひとつが、人の認知という壮大な協奏曲の1パートを奏でている。だからこそ、食事には果物と野菜、そして低脂肪のタンパク質と全粒穀物がバランス良く含まれていなければならないのだ。

このように、脳の健康と栄養との結びつきを理解することはとても大事だが、一方で栄養はパズルの1ピースにすぎないことも忘れないでほしい。運動、睡眠、ストレス管理など、日常生活のそのほかの要素も、脳の機能を最適に保つには欠かせない。人生のどんなこともそうだが、結局はバランスが重要なのだ。

リミットレスを目指す旅では、脳に良い栄養はさながら闇夜に輝く星（ガイディングスター）として、頭脳の最高のパフォーマンスへと続く道を照らし出す。それは脳のエンジンを動かす燃料であり、そのおかげで、人は考え、学び、創造し、世界に有意義な方法で貢献できる。だから、それなくしては脳が死ぬぐらいのつもりで栄養をとろう――現実の脳もまさにそうなのだから。

ところで、栄養と脳との関わりと言えば、神経栄養学という比較的新しい研究分野がある。栄養素が脳の健康や、認知能力や、心の健康に及ぼす影響を調べる分野だが、数多くの研究から、健康的な食事と脳の最適な働きには強い相関があることがわかっている。

例を挙げると、アメリカ国立衛生研究所（ＮＩＨ）の記事で、ノーサンブリア大学ブレイン・パフォーマンス・ニュートリション研究センターのデイヴィッド・Ｏ・ケネディが、ビタミンＢ群についてこう書いている。「ビタミンＢ群は、エネルギーの産生、ＤＮＡ／ＲＮＡの合成／修復、ゲノムまたは非ゲノムのメチル化、多数の神経化学物質やシグナル伝達分子の合成など、脳機能のさまざまな側面に総合的に作用することが広く観察されている」[8]。ビタミンB群は、ホモシステイン——血中濃度が高まると認知機能の低下や認知症を引き起こすとされるアミノ酸の一種——の値を調整する作用があり、葉物野菜、全粒穀物、脂肪の少ない肉類などに豊富に含まれる。

別のNIHの記事で、ボーンマス大学健康・社会科学部のサイモン・C・ダイアルはこう述べる。「オメガ3系多価不飽和脂肪酸（PUFA）には神経保護作用があり、神経変性疾患や神経学的疾患の治療に幅広く利用できる可能性がある」[9]。この重要な脂肪は、脂肪の多い魚や、クルミやアマニ（亜麻の種子）に含まれ、脳細胞の成長を促し、炎症を鎮め、脳細胞間の情報伝達をスムーズにすることが証明されている。また、オメガ3系脂肪酸が豊富な食事は、記憶力や学習能力を高めるとともに、認知能力の低下やうつ病の予防に効果があることも研究で示されている。

ベリー類やダークチョコレートや緑茶に含まれるビタミンC、ビタミンE、フラボノイドなどの抗酸化物質は、認知機能の低下や神経変性疾患を起こす恐れのある酸化ストレスや炎症から、脳細胞を守っていることがわかっている。また、卵や大豆や鶏肉に含まれる必須栄養素のコリンは、記憶と学習のプロセスに不可欠の神経伝達物質アセチルコリンの生成に重要な働きを担っている。

ここで、あなたの現在の食生活が、あなたの脳の健康をどのくらいしっかり支えているかをチェックできる、簡単な「脳の栄養クイズ」をしてみよう。

1　脂肪の多い魚（サケ、サバ、イワシなど）を、どのくらいの頻度で食べるか？

a　ほぼ毎日

b　週に2、3回

c　めったに食べないか、まったく食べない

2　抗酸化物質が豊富な食べ物（ブルーベリー、ダークチョコレート、ナッツ類など）をよく食べるか？

a　イエス、ほぼ毎日

b　ときどき

c　ノー、めったに食べないか、まったく食べない

3　ビタミンB群が豊富な食べ物（葉物野菜、全粒穀物、卵など）を、どのくらいの頻度で食べるか？

a　毎日

b　ときどき

c　めったに食べないか、まったく食べない

4　日光（ビタミンDの生成を助けてくれる）を、どのくらいの頻度で浴びるか？　また、ビタミンDが豊富な食べ物（脂肪の多い魚、チーズ、卵黄など）を、どのくらいの頻度で食べるか？

a　毎日、1日に数回

b　1日に1回、または週に2、3回

c　めったに浴びない／食べないか、まったく浴びない／食べない

5　マルチビタミンなど、脳への健康効果が見込まれるサプリメントを、どのくらいの頻度で摂取するか？

a　毎日

b　ときどき

c　めったにとらないか、まったくとらない

6　コリンが豊富な食べ物（卵、脂肪の少ない肉類、豆腐など）を、どのくらいの頻度で食べるか？

a　ほぼ毎日

b　週に2、3回

c　めったに食べないか、まったく食べない

7　葉物野菜（ほうれん草、ケール、スイスチャードなど）を、どのくらいの頻度で食べるか？

a　毎日

b　ときどき

c　めったに食べないか、まったく食べない

8　プロバイオティクス（ヨーグルト、ザワークラウト、キムチなどの発酵食品）をよく食べるか？

a　イエス、ほぼ毎日

b　ときどき

c　ノー、めったに食べないか、まったく食べない

9　緑茶またはL－テアニンが豊富な飲料（あるいは食品）を、どのくらいの頻度で摂取するか？

a　毎日、1日に数回

b　1日に1回、または週に2、3回

c　めったに飲まない／食べないか、まったく飲まない／食べない

10　クルクミンが豊富な食べ物（ターメリックなど）をよく食べるか？

a　イエス、毎日

b　ときどき

c　ノー、めったに食べないか、まったく食べない

11　マグネシウムが豊富な食べ物（葉物野菜、豆類、ナッツ類、種実類など）を、どのくらいの頻度で食べるか？

a　ほぼ毎日
b　週に2、3回
c　めったに食べないか、まったく食べない

12　脳腸軸を支えるプレバイオティクスが豊富な食べ物（タマネギ、ニンニク、バナナ、オーツ麦など）を、どのくらいの頻度で食べるか？
a　毎日
b　週に2、3回
c　めったに食べないか、まったく食べない

13　神経伝達物質の産生に必要なアミノ酸の供給源であるタンパク質が豊富な食べ物（脂肪の少ない肉類、豆腐、豆類など）を、どのくらいの頻度で食べるか？
a　ほぼ毎日
b　ときどき
c　めったに食べないか、まったく食べない

14　水分の摂取について、1日に推奨される量（コップ8杯）の水を毎日飲んでいるか？
a　イエス、ほぼ毎日

b　週に2、3回

c　めったに飲まないか、まったく飲まない

15　フラボノイドが豊富な食べ物（柑橘類、ベリー類、タマネギ、パセリ、ダークチョコレート）をよく食べるか？

a　イエス、毎日

b　ときどき

c　ノー、めったに食べないか、まったく食べない

採点

aは3点、bは2点、cは1点として、回答の点数を合計する。

結果

・**35点～45点**　お見事！　あなたの食生活は、脳の健康をしっかり支えられているようだ。この調子で新たな食べ物や栄養素を開拓して、脳の働きを最高に高めよう。

・**25点～34点**　なかなかいい調子だが、改善の余地はある。脳を健康に保つ食べ物をもっと食事に加えて、その食生活をできるだけ続けてみよう。

・**16点～24点**　脳の健康をしっかり支えるには、食生活を少し見直したほうがよさそうだ。脳の健

康に役立つ栄養素や食べ物を、日々の食事にもっと組み込む工夫をしよう。

・**15点** あなたのいまの食生活では、脳の健康を十分支えられないかもしれない。これを機に、脳に良い食べ物をもっと取り入れると同時に、脳の働きを支えるサプリメントの摂取も検討してみよう。

断っておくが、このクイズはあくまで一般的なガイドラインであり、専門家の栄養面でのアドバイスに代わるものではない。個別のニーズに応じた食事計画については、健康管理の専門家か、栄養士に必ず相談してほしい。

▼やってみよう！

このクイズを友人や家族にも教えて、互いの結果について話し合ってみよう。

脳により良い栄養を与える簡単5ステップ

アニヤも気づいたように、脳への栄養の与え方に積極的に注意を払うことは、リミットレスな潜在力を引き出すための外せない要素だ。アニヤは、ファストフードからバランスの取れた栄養密度の高い食事に切り替えて間もなく、自分に学べないことなどないような気分になった。栄養と脳機能との関係についてはこのあと詳しく見ていくが、その前に、脳により良い栄養を与えるためにいますぐできることを、5ステップで紹介しよう。

ステップ1　水分をこまめにとる

適切な水分補給は、脳を最適な状態で働かせるためにとても重要だ。水分不足は、短期記憶や注意力を損ない、判断力の低下を招くこともある。毎日、8オンス（約240ミリリットル）のコップに最低8杯の水を飲むことを目標とし、個人の活動レベルやニーズに合わせて調整しよう。

ステップ2　食事の色をカラフルにする

いろいろな色の果物や野菜を食べることで、幅広い植物性栄養素を摂取できる。植物性栄養素には、脳の健康に有効な抗酸化・抗炎症作用をはじめ、数多くの健康効果がある。

ステップ3　加工食品と添加された糖類を控える

加工食品と添加された糖類（食品の調理・加工段階で加えられる糖類）の多い食事を続けていると、認知機能の低下や神経変性疾患のリスク上昇につながることがわかっている。そうした食品の代わりに、脳に必要な栄養素をふんだんに含む未加工の自然な食べ物を選ぼう。

ステップ4　腸の健康に気を配る

最近の研究で、腸の健康と脳機能は深く結びついていることが示されている。本書の別の場所でも論じた「脳腸軸」のことだ。バナナ、葉物野菜、タマネギ、ニンニク、アーティチョークなど、(腸内の有用菌のエサになる) プレバイオティクスを豊富に含む食べ物と、ヨーグルト、ケフィア、ザワークラウトといったプロバイオティクスが豊富な食べ物を日々の食事に取り入れ、健康な腸マイクロバイオームを育てて、脳の機能を最適な状態まで高めよう。

ステップ5　マインドフルに食べる

「マインドフルに食べる」とは、自分が食べるものや食べる行為に神経を集中させ、一口ひとくちを味わいながら、体の出すサイン (もっと食べたい、もう満腹だ、など) に耳を澄ませることを言う。この食べ方を実践すると、体に良い食べ物を自然と選ぶようになり、消化能力が上がり、食事をもっと楽しめる。

栄養素は加工されていない食品からとるのがベストだが、食事に制限があったり、特別な健康状態にあったりする場合、サプリメントが助けになるかもしれない。健康管理の専門家に相談して、サプリメントを摂取しても問題ないかどうか、また自分の脳をケアするのに必要な栄養素はどれかを確認してほしい。

ヌートロピックとサプリメントで脳の働きをサポートする

ここで、近年注目が高まるヌートロピックとサプリメントについて触れておきたい。アメリカ国立衛生研究所の記述では、「ヌートロピックは、〝スマートドラッグ〟とも呼ばれ、その作用によって人の思考力や学習能力や記憶力を、とくにそれらの機能が低下している場合に活性化させるさまざまな薬品の一群[10]」とされている〔訳注　狭義には薬品だが、一般的には、同様の効果をもつ天然または合成由来のサプリメントや健康食品もヌートロピックとして扱われることが多く、本書のリストにもそうしたものが含まれる〕。

次に、ヌートロピックのリストを、その効果と裏づけとなる研究とともに挙げている。ただし、こうした物質は効果が期待できる一方で、ときとして副作用を生じることもあるので気をつけてほしい。ヌートロピックを取り入れる場合は、事前に必ず健康管理の専門家に相談して、自分自身の使用目的に適したものかどうかを確かめ、服用中の薬との飲み合わせや、持病への影響を十分注意しよう。

1　L−テアニン　緑茶に含まれるアミノ酸の一種。脳の鎮静効果があることで知られる。眠気を起こさずリラックス状態を促し、集中力向上とストレス軽減の効能が期待できる優れたサプリメントだ[11]。

2 バコパ・モニエリ 別名ブラーミ（和名：オトメアゼナ）。インドの伝統医学アーユルヴェーダで古くから使われる薬草で、記憶力や集中力、学習能力を高めるとされる。現代の研究では、とりわけ記憶や注意力に関わる領域で、認知機能を改善する可能性があることが裏づけられている。[12]

3 ロディオラ・ロゼア 強壮効果のある薬草（和名：イワベンケイ）。ストレスのかかる状況で心身のパフォーマンスを高められることで知られる。脳のストレス耐性の向上、精神的疲労の緩和、気分の改善といった効果が見込める。[13]

4 ウリジン一リン酸（UMP） ヌクレオチドの一種で、神経細胞膜の合成や神経伝達物質の産生において重要な役割を担う。研究により、とくに学習や記憶に関わる領域で、認知機能の改善が期待できることが示唆されている。[14]

5 アセチル-L-カルニチン アミノ酸誘導体の一種。脳細胞のミトコンドリア内でのエネルギー産生に重要な役割を果たしている。認知機能の改善、精神的疲労の緩和、加齢にともなう脳機能低下の予防などの効果が見込める。[15]

6 ホスファチジルセリン 細胞膜に不可欠な構成物質であるリン脂質の一種。脳細胞に多く存在する。細胞の機能維持に関わり、記憶力、学習能力、認知機能の改善に効果があることが証明されている。[16]

7 N-アセチルシステイン（NAC） アミノ酸誘導体の一種。強力な抗酸化作用があり、脳細胞を酸化ストレスから守る。また、健脳効果がきわめて高い抗酸化物質グルタチオンの体内濃度を上げるのにも役立つ。[17]

8 フペルジンA シダ植物のトウゲシバを原料とする化合物。アセチルコリンエステラーゼという酵素の働きを阻害する作用で知られ、記憶と学習のプロセスに欠かせない神経伝達物質アセチルコリンの値を高めることができる。[18・19]

9 アルファGPC 脳にも存在する、天然由来のコリン化合物。サプリメントとして摂取でき、コリン値を高める効果がある。記憶力や学習能力、また認知機能全般に欠かせない神経伝達物質アセチルコリンの合成に関わる。[20]

10 DMAE 脳内に少量存在する化合物で、アセチルコリンの前駆体として作用すると考えられている。記憶力や集中力や認知機能を改善するサプリメントとして利用されている。[21]

11 スルフォラファン ブロッコリー、芽キャベツ、ケールなど、アブラナ科の野菜に含まれる化合物。強力な抗酸化作用と抗炎症作用があり、酸化ストレスや炎症を抑制することで脳の働きをサポートする。[22]

12 コーヒー果実エキス アラビカコーヒーノキの実をまるごと抽出したもの。コーヒーの果実（豆以外の皮や果肉を含んだ部分）は、コーヒー豆の精製過程での副産物として、以前は使い道がないと思われていた。だがこの果実には強い抗酸化作用があり、いまでは認知機能の改善を中心に、健康上のさまざまなメリットが期待されている。[23・24]

13 ガランガル 別名タイショウガ（和名：ナンキョウ）。ターメリックやショウガと同じショウガ科の植物で、地下茎はアーユルヴェーダや漢方の治療薬として6世紀ごろから広く使われている。覚醒作用、抗菌作用、抗炎症作用があることで知られる。新たに発表された研究では、活力や集中力や注意力の向上にも有効である可能性が示唆されている。[25]

以下に挙げたサプリメントも、脳機能の改善効果が一般に認められている。ヌートロピック同様、使いはじめる前には健康管理の専門家に必ず相談してほしい。

1 ヤマブシタケ 珍しいきのこの一種で、認知機能の改善が期待できることで知られる。研究により、このきのこの成分に、ニューロンの成長や生存や可塑性を支える神経成長因子（NGF）と脳由来神経栄養因子（BDNF）の生成を促す効果があることがわかった。集中力、記憶力、認知機能全般の改善などの効能がある。[26]

2 オメガ3系脂肪酸 前述したとおりの、脳の健康維持に欠かせない栄養素。なかでも、エイコサペンタエン酸（EPA）とドコサヘキサエン酸（DHA）の重要性が高い。神経の機能や、細胞膜の流動性や、情報伝達において重要な役割を果たしており、記憶力や学習能力の向上、認知機能全般の改善、炎症の抑制、認知機能低下の予防などの効果がある。[27・28]

3 イチョウ葉 太古の昔から存在する樹種であり、記憶力や認知機能を高めるとして、古くから伝統薬に用いられてきた。脳の血流を良くする作用や抗酸化作用があると考えられている。[29]

4 クルクミン ターメリックに含まれる活性化合物。強力な抗酸化作用と抗炎症作用がある。炎症と酸化ストレスを抑制することで脳を健康な状態に保ち、それによって認知機能の低下を予防できることが証明されている。[30]

5 L-トレオン酸マグネシウム 血液脳関門を通過するために特別に設計された、生物学的（バイオ）利用能（アベイラビリティ）［訳注　投与された薬がどの程度全身で利用されるのかを測る指標］の高いマグネシウムの一形態。脳内のマグネシウム値を上げ、シナプスの可塑性を支え、認知機能を改善することが証明されている。[31]

6 クレアチン 体内で自然に生成される物質で、肉や魚に多く含まれ、エネルギー代謝に重要な役割を果たしている。認知機能の向上効果があり、とくに短期記憶とすばやい思考を要するタスクで有効であることが数多くの研究からわかっている。[32]

7 コリン 卵や全粒穀物をはじめ、多くの食べ物に含まれる栄養素。『ジ・アメリカン・ジャーナル・オブ・クリニカル・ニュートリション』誌に発表された研究では、「コリンの同時摂取量が多い人は認知機能が高い」ことが指摘されている。[33]

8 ビタミンB群 チアミン（ビタミンB_1）、リボフラビン（ビタミンB_2）、ナイアシンほか、8種類からなるビタミン群。脳機能の改善と多くの面で関連が認められている。[34]

9 アシュワガンダ 強壮作用のある薬草。アーユルヴェーダの伝統医療では、心身の抵抗力を高める目的で長年使われている。ストレスや不安を和らげ、認知機能を高める効果が期待される。[35]

10 5－HTP（5－ヒドロキシトリプトファン） 天然に存在するアミノ酸の一種。神経伝達物質セロトニンの前駆体であり、睡眠の質や食欲の調整で重要な役割を担う。気分の改善やストレス軽減などの効果が見込める。[36]

11 レスベラトロール 赤ワインやブドウやベリー類に含まれるポリフェノールの一種で、その神経保護効果から注目を集めている。抗酸化作用があり、酸化ストレスを抑制するとともに、記憶力や認知機能の向上にも効果があると考えられている。[37]

第18章のまとめ

リミットレスになる力は内側から始まる。だから、頭脳に栄養を与え、体に燃料を補給し、魂を育み続けよう。

では、次の章に進む前に演習をしよう。

- あなたの好きな食べ物をリストアップしよう。そのうちのいくつが、本章で脳の栄養について学んだこと（プロバイオティクスを豊富に含んでいるなど）と合致しているだろうか？
- 普段の食事をもっとカラフルにする方法を3つ考えてみよう。
- 次の1週間で、脳の栄養クイズの点数を上げる方法を2つ考えてみよう（すでに満点の人は、いいぞ、その調子、と自分をほめよう）。

第19章

人工知能（AI）で人間の知能（HI）を強化する

「人工知能は、2029年ごろには人間のレベルに達する。それがさらに進むと、2045年ごろには、われわれの知能は、つまり、現文明における人間の生物学的な機械知能は10億倍になる」

——レイ・カーツワイル

本章の問い

AIをどのように活用すれば、学習の旅をもっと充実させられるか？

AIの力をどのように借りれば、自分の既存のスキルや才能をもっと伸ばせるか？

AIにどのように知識の習得を助けてもらえば、その知識を応用する時間をもっと取れるだろうか？


リズは小説家だ。これまでに4作を上梓し、そのうちの1作は大きな賞の最終候補になった。5作目の執筆も、前作同様に順調なペースで進んでいた——物語中盤の重要なシーンに差しかかるまでは。そこで、リズは思わぬ壁に突き当たる。次のシーンで何を書けばいいかはわかっていたものの、その前の数シーンとその後の筋書きを考えたとき、ストーリーをどのように展開させればいいのかわからなくなってしまったのだ。それまで1日も欠かさず、たとえ数語でもページに書き足すことを誇りにしていた彼女だが、もはやまったく言葉が出てこなかった。過去に効き目のあったさまざまなスランプの脱出法も、1つとして役に立たなかった。この重要なシーンの書き方がわからないという、それだけが原因だったからだ。

壁に突き当たって4日目、リズは、絶対に手を出すまいと誓っていた手段に頼ることにした。最近、リズのまわりで話題になっているAIプログラムだ。それは創作者にとって究極の禁じ手だと思ったからだ。リズ自身は、自分の創造性を機械などに担わせたくないと考えていた。けれども、いまのリズは追い詰められていた。この重大なストーリー上の問題をどうにかしないかぎり、にっちもさっちもいかない。それでリズはしかたなく、その小説の概略や、すでに書いたストーリーや登場人物や、作品の最終的な結末をAIに伝えると、問題のシーンで何が起きる必要があるのかを説明した。それから、おそるおそる、そのシーンを書いてほしいとAIに頼んでみた。

数秒後、あるシーンがリズのパソコンの画面に現れた。それはおかしなところだらけだった。文章は不自然で、リズの文体と似ても似つかず、プロットはあまりに単純で、会話はぎこちなく、ほかにも問題はいろいろあった。その一方で、シーンの冒頭から終わりに至るストーリーの展開の仕方は、リズの想像力をかき立てるものがあった。AIはそのシーンを描くのにリズが使ったことのない手法を使っており、その手法が、自分ひとりで解決策を模索していたときに陥っていたマンネリからリズを救い出してくれたのだ。

結局、リズはＡＩの創作した文章を1文も使わなかった。それでも、まったく新しい視点からストーリーの流れを見たことで、思い込みを解いて別のやり方を試すことができ、おかげで行き詰まりを脱して小説を完成させることができた。それだけではなく、リズは小説のタイトルの候補をＡＩに挙げてもらいさえした。

究極の脳のツール「ＡＩ」

物語の語り手たちは、僕らがいま生きている「未来」を、半世紀以上前から思い描いてきた。アイザック・アシモフは、自意識をもつロボットを生み出した。アーサー・Ｃ・クラークは、ＨＡＬ９０００（人工知能を備えたコンピュータ）を授けてくれた。僕自身のお気に入りは、『アイアンマン』のトニー・スタークが作ったＡＩ、ジャービスだ。トニーが望むものをなんでもお膳立てしてみせるからだ。コンピュータ科学者は、何十年も前から機械に学習の仕方を熱心に教えており、いまではコーヒーメーカーから掃除機に至るまでのあらゆるものを介して、さまざまな形のＡＩが家庭に浸透している。ところが、そうしたＡＩに対する認識は、２０２２年の秋に大規模言語モデル（ＬＬＭ）が初めて一般公開されたのを機に一変した。ＬＬＭはたちまち情報収集や理解のための、またおそらくは学期末レポートの手っ取り早い代筆手段として（この使い方はどんな状況であれ僕は勧めない）、大勢の頼れるツールとなったのである。そして同じくらい間を置かずして、一部の人々が、ＡＩの危険性について警鐘を鳴らしはじめた。識者たちは、『２００１年宇宙の旅』

でＨＡＬ９０００に起きたことを僕らに思い出させ、映画『ターミネーター』シリーズで人類に牙をむいたＡＩのスカイネットの暴走を例に挙げた。

そんなＡＩについて学べば学ぶほど、僕のなかであることが明確になった。つまり、人工知能が飛躍的な発展を遂げた時代においても、人間の脳は僕らの最強の資産であり続けるということだ。僕は、人の脳の潜在能力に限りない信頼を置いている。ＡＩは、ＨＩ（人間の知能）が生み出した最大の資産だと信じている。

ＡＩの可能性について考えるとき、僕の脳裏にはスカイネットではなく、本章の初めに登場したリズが浮かぶ。確かにＡＩは想像を絶する力を秘めたツールで、僕らが知る世界の形を変えようとしている。だが、それは恐れることではないのだとわかってほしい。むしろＡＩをうまく活用して僕らのメソッドに組み込むことで、より速く学べるし、リミットレスにもなれるのだ。

では、ＡＩはあなたのリミットレスな旅をどう助けてくれるのだろうか？　例をいくつか挙げよう。

・**個人に最適化した学習**　あなたの学習スタイルや独自の強みを知っているＡＩ家庭教師が、あなた専用の学習計画を組んでくれるとしたらどうだろう？　それに近いものがすでに手に入る。

・**知識の管理**　現代人は日々、脳が処理しきれないほどの量の情報にさらされている。ＡＩは、この多すぎる情報の管理を助けてくれる。ノイズを排して重要な部分を目立たせ、複雑な情報を要約して、僕らが知識に圧倒されるのではなく、それらを学んで応用することに集中できるようにしてくれる。「このトピックを要約してほしい」とＡＩに頼んだら、ＡＩは膨大な量のデータから、しかるべき情報を探し出して要約を作ってくれる。さらには、「もっと情報が欲しい」とか「このサブトピックをもっと掘り下げてほしい」といったリクエストもいつでも頼めるのだ。

・**記憶力の強化**　ＡＩは、検索練習（情報を思い出す練習）を通じて、記憶力の強化をはかってくれる。人の記憶力のしくみに従って、学んだことを最適なタイミングに復習できるようにリマインドしてくれるのだ。言うなれば、外付けの海馬といったところだろうか？

▼やってみよう！

来週中にやってしまわなければならないタスクを３つ書き出そう。それから、２、３分かけて、そのタスクをやり遂げるのにＡＩがどう役立ってくれそうか考えてみよう。

ＡＩから最大限のメリットを得るには、あなたの代わりに考えさせるためではなく、あなたにすでに備わる優れた脳の力を補うために、ＡＩを使うことが肝心だ。ＡＩはあくまで道具であり、その使い手は自分なのだ、ということを忘れないでほしい。スカイネットのシナリオとは違い、現実のＡＩは、人間を助けるために存在している。ＡＩに自分たちの代わりをやらせることは、僕らの目指すところではない。そうではなく、自分の役割をより良く果たせるようにＡＩの力を借りよう。

これは言ってみれば、電卓を使うようなものだ。電卓があっても数学を理解したいという欲求はなくならないが、電卓があれば、複雑な計算をより速く正確にこなせる。ＡＩは、人の生活の多くの場面で電卓になりうる。それは、人間の能力を補強し、時間や頭脳のリソースを解放できる。ＡＩにルーティンのタスクや情報の整理を任せれば、僕らは創造的で戦略的な、人間主体のタスクに向き合う余裕ができる。

もっと言うなら、「ＡＩ」の頭字語に別の意味をもたせてもいいかもしれない。人工知能（Artificial Intelligence）ではなく、拡張知能（Augmented Intelligence）としてはどうだろう？「拡張」とは、何かの質や価値などを高めることでより良くすることを意味する。そしてそれはまさしく、ＡＩがＨＩ（人間の知能）のためにすることである。ＡＩは、僕らのもって生まれたもの――本書を通じて磨いてきた能力のすべて――を、さらに強力にする方法を授けてくれるのだ。

サムについて考えよう。サムは学ぶ気いっぱいの女性だが、時間との戦いに負けてばかりいた。多くの現代人と同様、サムも日々押し寄せる情報や、自分の専門領域の急激な変化や、もっと学んで成長しなければという絶えずつきまとう焦りに追い立てられて苦労していた。

そんなある日、サムは偶然、ＡＩを活用した学習プラットフォームを見つけた。個人が時間をかけずに効率的に学習できるよう設計されたものだ。半信半疑ながらも、サムは好奇心から試してみることにした。まずは、学習目標をプラットフォーム内で設定した。デジタルマーケティングを習得する、フランス語をもっと話せるようになる、グラフィックデザインの基礎を学ぶ、といった目標だ。

ＡＩはまず、いくつかの適応型テストや双方向の演習を通じて、サムの現段階の知識の水準と学習スタイルを割り出した。そしてＡＩは、サムが言語の学習に関しては視覚優位だが、よりテクニカルなテーマでは、実際に体験できる実践的なプロジェクトを好むことを学習した。また、サムの集中力は午前中がピークで、夕方には弱まることも見出した。

これらの理解をもとに、ＡＩはサムのための学習計画を作り上げた。フランス語の学習用に視覚的な教材を選りすぐり、サムの集中力が最も冴える午前中に学べるようスケジュールを組んだ。デジタルマーケティングとグラフィックデザインのためには、プロジェクト単位で学べる対話型のチュートリアルを用意し、午後に学習時間を確保して、サムの創造性が最も高まる時間帯に実験や演習に取り組めるようにした。

さらにＡＩは、過去の授業を最適な間隔で復習できるようにサムにリマインドを送り、記憶の定着をはかってくれた。また、教材の要旨をまとめて要点をハイライトし、読む時間を短縮してくれた。さらにはマイクロラーニングとして、休憩時間に読める軽めの教材も用意し、サムが大きな負担を感じることなく学び続けられるようにした。

じきにサムは、自分が速く学べているばかりか、その過程をこれまで以上に楽しめてもいることに気づいた。無関係な情報ばかり読まされていらいらすることはもうない。学んだことを思い出す苦労は、確実に思い出せる自信に変わった。何よりうれしかったのは、新たに得た知識やスキルを、現実世界で応用できる時間が増えたことだった。

そうして半年が過ぎ、サムは当初の学習目標に加えて、それを超える目標まで達成した。キャリアアップを遂げ、パリでの休暇中にはフランス語で会話を楽しみ、グラフィックデザイナーとして地元でフリーランスの副業も始めた。それもこれも、サムがＡＩをツールとして、つまりは自身のＨＩを補強するものとして活用できたからだ。

サムのストーリーからは、人間の能力を高めるためにＡＩを使った場合の効果のほどがよくわかる。サムが成功できたのは、単にＡＩのおかげではない。学んで成長したいというサム自身の意欲と、ＡＩの力との相乗効果によるものだ。思い出してほしい、ＡＩは魔法の杖ではなく、強力な道具（ツール）だということを。この道具の使い方次第で、僕らがリミットレスな能力を本当に解き放てるかどうかが決まるのだ。

「知ること」と「考えること」はどう違うのか

ところで、ＡＩのせいで人間が「ばかになる」ということはありえるのだろうか。たぶんないだろう。自分からなろうとしないかぎりは。電卓のアナロジーを思い出そう。スマホの電卓アプリがこれだけ普及したいま、レストランでチップをいくら払うか、庭にまく芝の種は何袋必要かといった計算を、もはや空（そら）でやる必要はない。僕らの前の世代はそうした暗算ができたし、ここ数十年内に生まれた人もたいがいできるだろうが、かといって鼻歌交じりにできるようなことでもない。とはいえ、実際の計算ができることは、あらゆる数学の問題の最も基礎的な部分にすぎない。一番大事なのは、その問題をそもそもどう解けばいいのか知っていることであり、それは電卓にやらせることはできない。電卓にできるのは、あなたが打ち込んだ数字の演算だけだ。

ここからわかるのは、知識と推論は違うということである。知識とはいわば、大量のデータの集積だ。一方、推論はそうしたデータを、創造したり、問題解決したり、大局的な視点から思考したり、あるいは（人間社会の欠かせない構成要素だと僕らが考える）より高いレベルの機能性を発揮したりするのに応用することである。電卓は知識の代わりになりうる。電卓が1台あれば、九九の表を暗記する必要もなければ、3桁の数を2桁の数で割る方法を覚える必要もない。だが、電卓が推論に取って代わることはない。あこがれのギターの購入資金を貯める方法を割り出すには代数が有効だと知らなければ、まずもって電卓に正しい数字は打ち込めない。

同じように、AIは膨大なデータのなかから、こちらが求める情報を瞬時に抽出して示してくれる。しかし、AIにそもそもどう言って情報を抽出させればいいのか、さらには手にした情報をどう扱えばいいのかを知らなければ、その情報は使いものにならない。

ベストセラー書籍『やり抜く力』（神崎朗子訳、ダイヤモンド社）の著者で心理学教授のアンジェラ・ダックワースは、『ロサンゼルス・タイムズ』に掲載されたAIに関する文章でこう述べている。いわく、AIは「知ることと考えることがいかに別物であるかを見事なまでに体現している。〝知ること〟は事実を記憶にとどめることであり、〝考えること〟はそうした事実に合理的な理由を当てはめることである。チャットボット［訳注　AIを利用して自動応答を行うプログラムやシステム］は、インターネット上のあらゆることを知っているが、そのじつ考えることは一切していない。言い換えれば、教育哲学家のジョン・デューイが1世紀以上前に〝反省的思考〟と呼んだこと、すなわち、〝信念や知識の類いだとされるものを、それを支える根拠に照らして能動的に、持続的に、また注意深く考えること〟は、ＡＩにはできないということだ」

「テクノロジーはずいぶん前から、暗記した知識の重要性を軽視している。周期表の14番目の元素を、世界で10番目に長い川を、アインシュタインの誕生日を、検索すればわかる時代になぜ覚えるのかというわけだ。その一方で、考えることの経済的インセンティブは、知ることのそれとは対照的に高まっている。現代の平均的な学生が、1世紀前の学生より思考力では勝るのに、知識は少ないとしても驚くに当たらない」[1]

何年か前のことだが、グラフィックデザイナーである僕の友人が、簡単にデザインができるという触れ込みのコンピュータアプリを批判していた。仮にもデザイナーを名乗るなら、コラージュのような物理的な技能を学んで、上っ面ではないデザインセンスを磨くべきではないのかと言うのだ。ところが、渋々ながらその手のアプリを初めて使ったとき、友人はそのアプリが思ったほど使えないことに気づいた。自分の能力やアイデアを総動員しなければ形にならなかったのだ。アプリがやったのは、ワンクリックかそこらでできるごく単純なタスクが多く、デザインの創造的な部分は、もっぱら彼女がひとりで作り上げた。最適な使い方をしても、拡張知能（ＡＩ）にできるのはそのくらいなのである。人間の高度な技能は、依然としてそのすべてが求められているし、ＡＩが普及した世界で、そうした技能はますます貴重になるだろう。ただし、機械がとりわけ得意とすることでその技能を補強できれば、ＡＩとＨＩの両方の恩恵を受けることができる。

▼やってみよう！

現在利用できるさまざまなチャットボットのどれかを開き、いま取り組んでいるタスクについて、1つ質問をしてみよう。意外な答えが返ってきただろうか？　また、そのタスクについて、何か違う視点が得られただろうか？

今日から使える、人生と学習を充実させるAI活用法

AIの世界の変化はとても速いので、どのツールが半年後、1年後、あるいは3年後に使えるかどうかは、推測するしかない。それでも、いまこの段階で明言できることは1つある。それは、あなたの人生と学習をもっと充実させるために、拡張知能に今日から働いてもらうことは可能だ、ということだ。次に、お勧めの使い方を挙げておこう。

目標を設定してもらう

AIは、あなたの興味や能力にもとづいた、合理的で達成可能な目標を設定してくれる。さらにその目標を、手をつけやすく、かつ負担になりすぎないような小さなタスクに分解してくれる。こうした小さなタスクを設定して着実にこなしていくことで、モメンタムを生むポジティブな循環を

作り出せる。

自分に合った学習計画を作ってもらう

ＡＩは、あなたのニーズや、強みや弱みや、学習ペースにもとづいた、あなただけの学習計画を作ってくれる。こうした個人に最適化した手法のおかげで、より効果的に効率良く学習でき、それが目に見える進歩につながって、学び続ける意欲を高めてくれる。

進捗状況を教えてもらう

ＡＩは、あなたの学習成果に対して、理想的なタイミングで有意義なフィードバックを返してくれる。また、学習の進み具合もその場その場で教えてくれる。自分の成長と進歩を客観的に把握することは、モチベーションアップに大いに役立ち、モメンタムも高く保てる。

学習の伴走者になってもらう

ＡＩは、あなたの主体的な学びを支えるパートナーとして、タスクや締め切りの予定を知らせてくれたり、学習目標に向かって着実に前進できるよう励ましたりしてくれる。こうしたナッジを継続的に受け取ることで、集中力やモメンタムを維持しやすくなる。

多彩で楽しめる教材を提供してもらう

ＡＩは、多種多様なフォーマット（動画、記事、クイズ、対話型モジュール）を取りそろえて、学習が単調にならないようにしてくれる。それによって意欲を高い水準で保つことができ、モメンタムも持続させられる。

学習の習慣化を後押ししてもらう

ＡＩは、あなたの変化する興味や目標に合わせて新たな学習機会を提供し続け、学習が生涯の習慣になるように後押ししてくれる。そのおかげで、個人とキャリアの両面で前進するモメンタムを維持しやすくなる。

学習と休息のバランスを取ってもらう

ＡＩのツールのなかには、ユーザーの作業パターンをモニターして、必要に応じて休憩や緊張をほぐす活動を勧めるなど、学習と休息のバランスに配慮してくれるものがある。こうしたバランスは、燃え尽きを防いで、安定したモメンタムを長く保つためにとても重要だ。

本書で学んだスキルをＡＩでパワーアップする

ＨＩのためにＡＩに働いてもらう方法については、本書で論じたほかのスキルを使う場面を想像すると、最もイメージが湧きやすいだろう。以下は、そのなかでもとくに効果がわかりやすいスキルだ。

積極的に学ぶ(アクティブラーニング)

情報を受け身で吸収しても、高い学習効果はまず得られない。積極的に学ぶ、つまり学習者が教材を積極的に使って理解しようとすることで、理解が深まり、記憶の定着も高まるのだ。AIはこうした実践的な学び方をサポートして、学ぶ人を「傍観者」から「参加者」に変えてくれる。たとえば、多忙なビジネスパーソンのリサは、スペイン語を学びたかったがスケジュールに余裕がまったくなかった。普通の語学教室は通いづらく、リサが求める柔軟性にも欠けていた。そんなとき、リサはAIを活用した語学学習アプリを見つけた。通勤中に練習でき、発音や文法の間違いもすぐに指摘してくれる優れものだ。対話形式で学べるという利点もあり、おかげでリサは1年たたずにスペイン語を流暢に話せるようになった。

集中力

人間の集中力の持続時間は、このデジタル時代にいよいよ包囲網を敷かれている。ポップアップ通知、次々に届くメール、絶え間なく更新されるフィードにより、僕らの集中力は散り散りになっている。だが幸い、AIが助けになる。AIを搭載したアプリが、人の注意を奪うものを管理して集中できる環境を作ってくれる。ハワードは、さまざまな通知機能に頼るあまり、仕事にまともに集中できなくなっていた。そんなときに、一定のあいだ外部の注意散漫を誘う要因をすべてブロックするという、AI搭載の集中力向上アプリを見つけた。2、3日すると、ハワードはいまやっている仕事の外側の世界で何が起きているのかを知りたいという欲求がなくなり、何時間も集中できるようになった。

記憶力

記憶力とは、単に記憶できる容量のことを言うのではない。必要なときに情報を取り出せることも重要だ。AIは、間隔反復やアクティブリコールなどの定評あるテクニックを使って、記憶力の向上を後押ししてくれる。レネーは、フラッシュカードをどのタイミングで復習すれば記憶力と学習能力を最大まで高められるかを見きわめるために、機械学習のアルゴリズムを使ったAIのツールを取り入れたときにそのことを実感した。能動的に思い出す行為を通じて、AIは脳内の神経経路を強化し、記憶の定着を高めてくれる。もっと進んだAIでは、バーチャルなメモリーパレス（記憶の宮殿）も作れる。このテクニックは、大量の情報を覚えるときにとくに有効だ。

勉強力

AIはおそらく、この世で最高の勉強パートナーだ。AIのツールは、学んだことを学習者自身に「試しに使ってもらう」ことで勉強力を強化し、教科書の枠を超えて応用できるようにしてくれる。スコットは、最近はまっているチャットボットへの一連の質問を通じて、ある新しい概念を把握できたときに、自分の理解が飛躍的に深まったことを実感した。チャットボットと交わした「会話」のおかげで、その概念を明確に、それほど苦労せず理解できたのだ。ＡＩはまた、勉強中の教材を元手にマインドマップも作ってくれる。これは情報同士のつながりを可視化できるので、あとで思い出す助けになる。

主体的に学ぶ（アカウンタビリティ）

通知やアラートを設定すれば、ＡＩはノートの復習時間を知らせてくれたり、テストや締め切りが迫っていることを教えてくれたりして、あなたの目標達成をサポートしてくれる。こうしたリマインダーは、記憶を呼び起こす一種のきっかけの役割を果たす。

学習効率を最大化するＡＩプロンプト10選

たとえばあなたが、神経可塑性のようなこみ入った概念をより良く理解するために、本書で学んだリミットレスな学習の原則やプロセスを応用するとしよう。ＡＩをどのように使えば、この概念に関する知識を深められるだろうか？

次に挙げているのは、僕のお気に入りの学習テクニックを使った、神経可塑性の理解を深めるのに役立つＡＩプロンプト（指示文）だ。10パターンあるので参考にしてほしい。

1　簡素化

▼プロンプト：「神経可塑性について、5歳の子にもわかるような簡単な言葉で説明してください」。基礎の基礎まで嚙み砕くことが、深い理解への第一歩となることがある。

2　マインドマップ

▼プロンプト：「神経可塑性のマインドマップを作るとしたら、メインテーマと関連するサブテーマは何になりますか？」。このプロンプトは、神経可塑性の概念とそのさまざまな側面を可視化するのに役立つ。

3　メモリーパレス

▼プロンプト：「神経可塑性の主要素を使ってメモリーパレスを作るとします。それぞれの情報を、よく知っている場所のどこに配置すればいいですか？」

4　視覚的な関連づけ

▼プロンプト：「神経可塑性とその主要素の視覚的な関連づけを作ってください」。情報はイメージと結びつけると、あとで思い出しやすくなる。

5　間隔反復

▼プロンプト：「神経可塑性についての要約を1つ例示してください。それから、2、3日後に別の要約を例示してください」。時間を置いて反復することで、知識を強固にできる。

6 FASTメソッド

▼プロンプト：「FASTメソッド（忘れる／行動する／状態を整える／教える）を神経可塑性に応用するとします。この4ステップをどのように応用すれば、神経可塑性の概念をもっとよく理解して記憶できますか？」

7 アナロジー（類推）

▼プロンプト：「神経可塑性をより良く理解するのに役立つアナロジーを例示してください」。アナロジーを用いることで、複雑な考えがイメージしやすくなる。

8 行動に落とし込む

▼プロンプト：「神経可塑性を生かせる日常の行動や習慣をいくつか例示してください」。行動のなかに原則を見ることで、その概念への理解を深められる。

9 批判的思考

▼プロンプト：「神経可塑性をめぐる議論や論点にはどんなものがありますか？」。批判的に考える

と、そのテーマを主体的に捉えられる。

10　学ぶために教える

▼プロンプト：「神経可塑性を友人に説明するとしたら、どんなふうに説明したらいいですか？」。ほかの人に教えることで、自分自身の理解も深められる。

以上のプロンプトはすべて、神経可塑性への理解を深められると同時に、いくつかの強力な学習テクニックを体験できるようにもなっている。複雑なテーマを探求し、理解し、記憶する人間の潜在能力は本当に天井知らずだ。ＡＩで強化した学習の力を活用すれば、知識の世界がどこまでも広く、しかも十分手の届く範囲にあることを実感できるだろう。

ポストＡＩ時代に一歩先を行くための５つの心がけ

ＡＩは、いまだかつてないやり方で人々の生活をかき乱し、働く環境や教育やコミュニケーションを、さらには人間同士の関わり方も変えている。けれども本章で見たように、ＡＩがとてつもなく強力な電卓に等しいものだということを忘れなければ、このツールを有効に使って、自分自身をリミットレスにすることができる。言い換えれば、ポストＡＩの世界、つまりＡＩが普及した世界で活躍できる人は、次の中核的な考えを心がけられる人だということだ。

・ポストＡＩの世界で活躍できる人は、「ＡＩ耐性」を身につけている。ＡＩは、かつてＨＩの牙城だった多くのタスクや機能を自動化した。組み立てラインや、コールセンターや、多くのマーケティング関連の仕事や、そのほかさまざまなことがＡＩに取って代わられた。そのような状況から、創造性、共感力、批判的思考といった、機械が人間を（いまのところ）上回れないスキルや特性への評価が高まっている。最もシビアな機械学習の専門家でさえ、ＡＩがこの手のスキルを高いレベルで学習するのはずっと先だろうと認めている。ＡＩはそれらの再現を試みるだろうが、予測できる範囲の未来では、ＨＩはまだＡＩをはるかにしのいでいる。〈６つの考える帽子〉のようなツールをマスターする（第15章参照）、脳全体で聞く（第12章参照）、速読の技法を身につける（第14章参照）などして、ＨＩの特性を最大限高める努力をしよう。

・ポストＡＩの世界で活躍できる人は、脳力を高める努力を日々続けている。ＡＩは賢くなり続けている。ということは、その環境で成功したい人も同じことをしなければならない、ということだ。これは本書の中核をなす考えであり、あなたもすでに心がけてくれているとは思うが、記憶力や生産性や注意力を高めるスキルを、いま一度見直して磨きをかけておくに越したことはない。ポモドーロの技法や座の方法など、本書で紹介した脳の力を鍛えるエクササイズの達人になろう。

・ポストＡＩの世界で活躍できる人は、ＥＱ（情動的知能）が並み外れて高い。人間がこの惑星の最も支配的な種であるかぎり（そして思い出してほしいが、本書でＡＩはスカイネット化しない）、人類は無二の存在であり続ける。僕が出会ったテクノロジーの専門家で、近い将来に、機械が人間並みのＥＱをもつと主張する人は１人もいない。つまり、ＥＱに磨きをかけることは、ポストＡＩの世界で成功するために避けては通れない道なのだ。本書の第16章の情動的知能に関するセクションを復習して、ＥＱを高める努力を怠らないようにしよう。

・ポストＡＩの世界で活躍できる人は、普通とは異なる考え方をする。本章の初めに登場したリズを思い出そう。リズが仕事で壁に突き当たったのは、ありきたりの手法で考えていたからだった。ＡＩの助けを借りて問題を新たな視点から眺めたとき、解決につながる道筋が見えたのだ。ポストＡＩの世界では、こうした臨機応変さと適応力が重要になる。だから、脳をできるだけ柔軟に保っておこう。本書の前のほうで見た神経可塑性を思い出して、新たなことを学び、読んで、読んで、読みまくろう。そうしていれば、世界がどう変わろうと足元は揺るがないはずだ。

・ポストＡＩの世界で活躍できる人々は、ＡＩと同盟関係を結んでいる。その心はごく単純だ。創造性や、批判的思考や、情動的知能などの分野でＡＩが人間を上回れないなら、そしてあなたがその分野に秀でていて、さらにはＡＩが得意とすることをすべて活用できるなら、あなたの成功は約束されたようなものだ。本章ではここまで、ＡＩをいかに使いこなすかについて論じてきた。

この点にあらためて目を向けよう。ＡＩは、あなたの手足となって働いてくれる、とても強力なツールだ。その力を余すところなく使って、正真正銘のリミットトレスになろう。

脳を鍛えれば、未来は明るい

脳のトレーニングは、身体のトレーニングにも通じる、認知能力を強化し保護する手段の1つだ。元気で健康でいるために体を鍛えるように、脳をシャープで明敏な状態に保つにはそれなりの努力を要する。といっても、パズルや脳トレをすることだけが脳のトレーニングではない。脳を鍛えるというのは、認知的柔軟性――学んだり、学び直したり、学んだ知識を手放したりできる能力――を維持するということであり、もっと言えば、ＡＩの自動化の海にのまれないためのスキルを磨くということなのだ。

ＡＩの進化につれて労働市場も進化し、人々の関心は、ＡＩが自動化できないスキルへと移りつつある。現在、最もニーズがあるスキルは、批判的思考、創造性、情動的知能、適応能力だが、いずれもよく鍛えられた脳の産物だ。ＡＩは、人間の生活を便利にしてくれるかもしれないが、一方で世界をますます複雑にしてもいる。変わりゆくこの世界で、鍛えられた脳は、ただ「あると助かる」ものではなく、「なくてはならない」ものになっている。

ＡＩは、これからも人々の生活を変え続けるだろう。でも、たとえそうだとしても、あなたの脳が時代遅れの技術になり下がることはない。脳は驚くべきツールであり、今後もずっと磨き続けるべきものだ。あなたの脳は、ＡＩの作る複雑な世界を生き抜くための必需品であり、その脳を鍛えることは、あなたが自分自身にできる最良の投資なのである。

テクノロジーと人間の潜在能力が一体となるこの時代は、生きるのが楽しいエキサイティングな時代だ。だから、脳を置き去りにしないでほしい。そうではなく、僕らの最大の資産を携えて未来へと踏み込もう——十分に鍛え抜かれた、リミットレスな頭脳とともに。

唯一制約があるとしたら、それは人が自分自身に課す制約だろう。けれども脳を鍛えはじめるのに、その秘めた力を引き出すのに、未来へと思いきって飛び込むのに、いまほどいい時代（とき）はない。ＡＩが優勢を誇るこの世界で、僕らをほかのすべてと分かつのは、僕ら自身の人間としての明晰さにほかならない。学び続け、成長し続け、脳に挑み続けよう。リミットレスな頭脳は、どんな未来にも耐えうる頭脳なのだから。

第19章のまとめ

ＡＩの力は、うまく使えばリミットレスな能力を発揮したり、学習の旅でモメンタムを持続させたりする助けになってくれる。ＡＩ、すなわち拡張知能を、スカイネットではなくジャービスだと、スーパーヒーローに仕える有能なアシスタントだと考えよう。そして、この旅の主役はあなたであることをくれぐれも忘れないように。ＡＩを補佐役（コパイロット）にすれば、可能性はまちがいなくリミットレスになる。

それでは、次に進む前に演習をしよう。

- 最近、行き詰まりを感じている課題かタスクについて、ＡＩに対処の仕方を尋ねてみよう。それから、ＡＩが示した解決策を、そのタスクについてすでに知っていることと照らし合わせて、これまでとは違う角度から解決方法を考えてみよう。
- 習得したいのに、その時間がどう考えてもなさそうなスキルか能力を思い浮かべよう。そして、その分野の学習をスピードアップしてくれるＡＩのツールがないかどうか調べてみよう。

＼ やってみよう！ ／

超・超加速学習
13日間プラン

最後までたどり着いておめでとう。あなたに拍手を贈りたい。

本書で取り上げた内容は多岐にわたる。僕としてはすべて実践することを勧めるが、どこから手をつければいいか迷う場合は、この13日間のプランを活用してほしい。リミットレスな旅を始める良い後押しになってくれるだろう。

このプランは、僕が読者のために作った。これを最初から順にやってもいいし、本書のメインパート（マインドセット、モチベーション、メソッド、モメンタム）から、取り入れてみたいテクニックを3つずつ選んでやってもいい。そうすれば、いまの自分に足りないかテコ入れが必要だと思われる領域を集中的に強化できる。

ここまで、あなたのブレインコーチを務めさせてくれてありがとう。進捗状況を聞かせてもらえるのを楽しみにしている。

1日目　学習速度を上げる

初日は、FASTERをやってみよう。

・忘れる（F）

レーザービームのように意識を集中させるコツは、集中を乱すものを取り除くか忘れてしまうことだ。あなたが（少なくとも当面は）忘れたほうがいいことは3つある。

1　すでに知っていること
2　すぐにしなくてもいいこと
3　自分の限界

・行動する（A）
従来型の学校教育は、学習は受け身でするものだと多くの人に刷り込んできた。けれども、学習はスポーツ観戦とはわけが違う。人間の脳は、情報を取り込むときよりも生み出すときにずっと多くを学ぶ。そうとわかったら、もっと積極的に学ぶにはどうすればいいかを自問しよう。ノートを取り、本書の演習をやってみよう。

・状態を整える（S）
あなたの状態は、あなたの現在の感情をそのまま反映している。また、思考（精神状態）や体調（生理状態）からも少なからぬ影響を受けている。状態を整えるには、姿勢を変えたり、深呼吸をしたりしてみるといい。うれしかったり、心が弾んだり、好奇心をかき立てられたりする状態を意識的に選ぶことも大切だ。

・教える（T）
学習効率を一気に上げたいなら、だれかにそのことを教えるつもりで学ぼう。

・書き込む（E）

予定に入っていないことがやり遂げられる確率は高くない。1日に10分でも15分でも、自分に投資する時間を作ってスケジュール帳に書き込もう。

・復習する（R）

時間を置いて何度か見直すことで記憶は定着しやすくなる。その日に学んだことを毎日復習する習慣をつけよう。

FASTERについて詳しくは、88ページからの項を再読のこと。

2日目　ANTを殺す

できないことばかりを気にする心の声を特定しよう。例のANT（ネガティブな自動思考）のことだ。今日から、その声に言い返そう。

しつこいLIE（内心の制限された考え）を減らすことや、BS（信念体系）のチェックも忘れずに。「この手のことはたいがい失敗する」と心の声がしたら、こう言い返そう。「これまでうまくいかなかったからといって、今度もそうとは限らない。その考えはもう忘れよう」

いまの考えに合わせて自分の可能性を縮めるのではなく、可能性のほうに合わせて思考の幅を広げよう。ANTについて詳しくは、201ページからの項を再読のこと。

3日目　正しい問いを問う

支配的な問いの力を思い出そう。もしやあなたは一日じゅう、1つの問いだけを無意識に問い続けてはいないだろうか？　その問いを突き止め、それをどう変えたら自分の行動を変えられるか考えよう。知識自体は力ではなく、それを応用したときに初めて力になる。どうせなら、自分の力になる答えを授けてくれる問いを一日じゅう問おう。正しい問いについて詳しくは、98ページからの項を再読のこと。

4日目　一番欲しいものをイメージする

少し時間を取って、本書で学んだことを実践しなかったら、どんな不利益が生じるか想像してすべて書き出そう。「勉強がなかなか楽にならず、いまの平凡な成績からも抜け出せない」「自分を信じられるようになれない」「大切な人のために最高の力を発揮できない」「良い仕事に就けない」など。

次に、学んだことを実践したら、どんな利益が得られそうか書き出してみよう。「学ぶ必要があることを確実に学習でき、希望する仕事に就け、たくさん稼いで世界に還元できる」「運動して健康になったり、旅行に出かけたり、家族や恋人と一緒に過ごしたりする時間が増える」など。または、こんな単純なことでもいい。「ようやく自由な時間ができて、ひたすらダラダラする！」

具体的に書こう。それを見て、感じて、できると信じよう。そして毎日、そのために努力しよう。シャンパンで祝杯を挙げる瞬間を想像しよう。イメージの力について詳しくは、309ページからの項を再読のこと。

5日目　目的を考える

目的とは、他者とどのようにつながるか、世界と何を分かち合うために自分は存在しているのかを問うものだ。あなたの「WHY（なぜ）」は、あなたを動かしている信念はなんだろうか？

あなたは、だれにリミットレスになることを期待されているだろうか？　家族？　恋人？　友人や同僚？　地域の人？　人生にリミットを設けたら、だれをがっかりさせるだろうか？　具体的に考えよう。では反対に、100％の力を発揮できたら、その人たちの人生にどのような影響を与えられるだろうか？　それがあなたの目的だ。目的について詳しくは、166ページからの項を再読のこと。

６日目　健康的な習慣を始める

小さくシンプルなステップを使って、あなたを成功へ導いてくれる健康的な習慣を１つ作り、朝のルーティンに加えよう。毎日していることを変えようと決意するまで、人生は絶対に変わらない。日々の決断と習慣は、僕らの幸福と成功の度合いに大きな影響を及ぼす。粘り強く努力すれば達成できるし、その努力を地道に続ければ達成したことを維持できる。塵も積もれば山となるのだ。思い出してほしい、どんなプロもかつては初心者だったことを。

新しい習慣を１つ、今日から始めよう。どうしたらそれを、毎日続けられる小さくシンプルなステップにできるだろうか？　習慣の力について詳しくは、２１６ページからの項を再読のこと。

７日目　脳にエネルギーを与える

毎日を最高の状態で過ごすには、エネルギーをうまく使うことも重要だ。ブレインフードを毎日１つ以上食べよう。あなたが好きなのはどのブレインフードで、なぜそれが好きなのだろうか？　食べるものは、とりわけ脳の灰白質にとって大事であることを思い出そう。あなたが日々口にしているものは、あなたをエネルギーで満たしてくれるだろうか？　それともあなたを消耗させるだろうか？　次のブレインフードを使ったレシピをいくつか考えてみよう。

アボカド
ブルーベリー
ブロッコリー
ダークチョコレート
卵

葉物野菜
サーモン
ターメリック
クルミ
水

ブレインフードについて詳しくは、190ページからの項を再読のこと。

8日目　効率良く勉強する

勉強は学生だけの特権ではない。人は皆、一生学び続ける。勉強や学習に最適な状態を作ろう。集中を妨げるものは片づけること。HEAR（中断する、共感する、期待する、振り返る）のテクニックを使って、TEDのまだ見ていない動画を視聴し、聞く技術の練習をしよう。勉強について詳しくは、270ページからの項を再読のこと。

9日目　MOMをいつも思い出す

新しいタスクを始める前は、ＭＯＭ（動機、注意、手段）を必ず確かめておこう。「ＷＨＹ（なぜ）」を問うことも重要だ。その人の名前を覚えたい動機は何か？　何に対して注意を払うのか？　思い出してほしいが、記憶できない原因の大半は、記憶力ではなく注意力にある。関連づけのテクニックを使って、その日に会う全員の名前を覚える練習をしよう。だれかの名前を忘れたら、動機、注意、手段のどれがまずかったのかを考えて書き出そう。それから、別の人でも同じことを試してみよう。

このテクニックは、スーパーで買い物をしているときや、道を歩いているとき、テレビを見ているときなどにも練習できる。目についた人に適当な名前をつけて、何人の名前を覚えられるか試してみるといい。ＭＯＭについて詳しくは、２９９ページからの項を再読のこと。

10日目　読書の力を取り入れる

毎日の読書の目標を決めよう。1日に10分だけでもいい。読書には力があり、その恩恵は時がたつほど大きくなる。目標達成のカギは「継続すること」だ。読んでみたい本を1冊選び、タイマーを10分にセットして、気が散るものを片づけたら、視覚のガイドを使って読む練習をしよう。それから、読む時間を毎日確保しよう。自分との約束としてスケジュールに組み込もう。

リーダーは読書家（リーダー）だ。読書は頭脳の優れたトレーニングになる。覚えていてほしい、たった1冊の本を読むだけで、その著者の数十年ぶんの経験を自分のなかに**ダウンロード**できるのだ。読書について詳しくは、第14章を再読のこと。

11日目 AIを活用して読む力を強化する

読む力を鍛えてくれるテクノロジーの効果を体験しよう。AIのツールには、読む速度や読解力、想起力を高める目的で設計されたものがある。そうしたツールを探して、実際に使ってみよう。ここで重要なのは、AIにただ頼るのではなく、AIを拡張ツールとして使って自分の脳の可能性を広げることだ。活用法をいくつか紹介しよう。

・文章の要約　複雑な文章を簡潔に要約してくれる、AI搭載のアプリケーションを試してみよう。使いこなしのコツは、「○○のトピックについて、8歳の子どもがわかるように説明してください」といった、具体的なリクエストをAIに指示することだ。
・読書計画の作成　読むべきものが大量にある場合は、毎日または毎週の読書計画をAIに作ってもらうことを検討しよう。
・想起力のサポート　読んだ情報にもとづいて定期的に復習を促すプロンプトを通じて、思い出す力を高めてくれるAIのツールを使ってみよう。たとえば、「○○に関するクイズを出してください」とか、「○○（本のタイトルまたは著者名を入力）について質問してください」といったプロンプトを使うといい。

ＡＩは人間の脳に代わるものではなく、脳が新たな高みに達するのを助けてくれるものであることを忘れないでほしい。ＡＩについて詳しくは、第19章を再読のこと。

12日目　ラーニングアジリティを高める——複数の本を並行して読み、記憶する

さらにやる気があれば、本を何冊か同時並行で読むようにすると、学習能力を多角度から鍛えられる。断っておくが、これはマルチタスクではない——あなたの学習の地平を豊かにすることだ。以下にそのコツを挙げておこう。

・テーマの異なる本を選ぶ　脳の異なる領域を刺激するために、また情報の偏りすぎを避けるために、なるべく多様なジャンルの本を選ぶようにしよう。

・読書時間を管理する　本ごとに読む時間を決めよう。1日の読書に充てる時間を振り分けたり（「本Ａは朝15分読む」「本Ｂは寝る前に30分読む」など）、日によって読むものを変えたりしてもいいかもしれない。

・メモの取り方を工夫する　メモの取り方を本ごとに変えてみよう。情報がごっちゃになるのを避けられるし、内容を思い出す助けにもなる。

・要約し、復習する　読書時間の終わりに毎回、簡単な要約を作り、次回はそれを見直すことから

始めよう。記憶力と理解力の向上につながる。

この並行読みの目的は、負荷をかけすぎずに脳のアジリティを鍛えることなので、その点をお忘れなく。

13日目　脳のタイプを知って読書力を最大限高める

「ブレイン・アニマル・C．O．D．E．」で自分の脳の傾向を見きわめ、それに沿った読み方を試してみよう。

・**チーター**　スピードと効率を求める〈チーター〉のあなたは、速読や、時間で区切って読むテクニックを取り入れてみよう。

・**フクロウ**　細かいところによく気がつく〈フクロウ〉のあなたは、深く没入しながら読むことを重視してみよう。また、詳細な読書メモを取ってみよう。

・**イルカ**　直感が鋭く洞察力に優れた〈イルカ〉のあなたは、その特性を生かして、吸収した情報のマインドマップを作ってみよう。

・**ゾウ**　人と何かをするときに抜群の記憶力を発揮する〈ゾウ〉のあなたは、本のオーディオブック版を補助的に聴いたり、グループで感想を話し合ったりすると読解力を高められる。

注意してほしいのは、こうした〈動物脳〉のタイプは制約ではなく、その人自身のガイドになるということだ。それは、学習効率を最大限高めるために、その人ならではの学び方を見つけるということでもある。脳のタイプについて詳しくは、第17章を再読のこと。

おわりに

スーパーヒーローの帰還

「われわれは探求をやめない
すべての探求を終えるのは、出発の地にたどり着き
その地を初めて見出すときだろう」
――T・S・エリオット

あなたが世界の圧倒的多数を占める人々と同じだとしたら、本書を読みはじめたころのあなたは、みずから課していたか、他人から課されていたさまざまな制約に――意識的にせよ、無意識にせよ、その両方にせよ――支配されていた。

新しい能力を身につけたいが、自分にその才能があるのかどうかわからない。昇進のビッグチャンスに一か八か打って出たいが、「お前にはそんな実力などない」と内なる声に言われ続ける。携帯電話を忘れずに外出できたためしがない、次の集まりで会う人全員の名前を覚えられる自信がない、スピーチでメモを読み上げるつまらない男にしかなれない……そう思い込んでいた。だが、もしあなたがそんな人物だったとしても、本書の終わりまで来たいま、その人に別れを告げる準備はできているはずだ。

代わりに、新しくリミットレスなあなたに出会おう。

リミットレスなあなたは、リミットレスなマインドセットをもっている。あなたはもはや、自分

にできないことやなれないものがあるとは思っていない。以前はまだできていないことや、うまくいかないことだらけだったかもしれないが、リミットレスなあなたは、過去と未来がイコールではないと知っている。自分の脳が想像よりはるかに強力なツールであることや、頭脳の状態さえ万全に整えれば、学べないスキルなどまずないことも知っている。

リミットレスなあなたは、リミットレスなモチベーションももっている。かつてはもっと良い人生を送りたいと思っても、現実には行動に移せなかった。だがいまでは、野心をどう習慣に結びつければいいのか知っている。生涯学び続けて自己研鑽すると誓えるし、それを朝、服を着るような感覚で自然にできる。

あなたはまた、脳にどんな食べ物や睡眠や運動で燃料を与えれば、一日を最高の状態で始められるのか知っている。新しく困難な課題に取りかかる準備もいつでもできている。フローに入って、タスクを始めたら完全に没頭する方法も知っている。

そして、おそらく何より重要なことに、リミットレスなあなたは、学び方を学ぶためのメソッドを手にしている。そのことを知ってから、あなたは指数関数的に強力になった。多少の物理的な制約があっても、学べばできるとわかったのだ。いまや自在に使えるツールで、どんなことも速く学べる。そうしたツールに、集中力、記憶力、読書力、思考力のリミットを外して得たスキルを合わせた、究極のスーパーヒーローのツールキットを、いまのあなたは手にしている。

リミットレスなあなたは、圧倒的なモメンタムも実現する。〈動物脳〉のタイプや、人工知能や、ヌートロピックや、ラーニングアジリティの力をやすやすと理解して取り入れ、効果的に使って一段と加速すると、その勢いを維持できる。

スーパーヒーローとは、単にスーパーパワーを見つけて開花させた人のことではない。どんなスーパーヒーローも、いつかは自分の世界に戻って務めを果たさなければならない。旅で得た教訓や知恵を持ち帰らなければならないのだ。パワーを自分のものにするだけでは駄目で、それを人のためにどう使うかを学ぶ必要がある。

映画『マトリックス』の終わりに、戦いに勝って自由になったネオは、マトリックスへの最後の電話でこう言う。「この電話を切ったら、ここの人に、きみたちが見せたくないものを見せる。きみたちのいない世界だ。ルールも支配も、境目も境界線もない世界。どんなことも可能である世界を」。そしてネオはなじみの世界に戻る。人々が目覚めるのを助け、その知能を解き放つというミッションとともに。

僕の願いは、あなたが本書で学んだことを生かして、あなた自身の人生はもちろん、周囲の人々の人生も良くしてくれることだ。その合い言葉は、「学ぶ（Ｌｅａｒｎ）・得る（Ｅａｒｎ）・返す（Ｒｅｔｕｒｎ）」。英雄の旅は、英雄だけを資するものではない。新たに見つけた知識で、あなたの周囲の人々がより良く、より速く学び、リミットレスになるのを助けよう。

映画『ＬＵＣＹ／ルーシー』で、スカーレット・ヨハンソン演じるアメリカ人の学生ルーシーは、脳の潜在能力を１００％解放して超人的な力を手にする。心身の劇的な変化にとまどうルーシーを助けるのは、モーガン・フリーマン演じる神経科学者のノーマン博士だ。新たな能力をどう扱うべきか、ルーシーに問われた博士は、あの独特のモーガン・フリーマン節で次のように答える。

「そうだな……生命の本質について考えてみよう――最初の細胞が2つに割れる始まりの場面を――生命の目的はただ1つ、学んだ知識を伝えることだ。それ以上の目的はない。だから、きみが築きつつあるその知識をどうすべきかと訊くなら、こう言おう……伝えなさい」

あなた自身は、学んだ知識をどうするだろうか。仕事の難題を解決して、あなたと仲間の名前を業界に、ひょっとしたら世界にとどろかせるだろうか？　読書会を始めるだろうか？　サイドテーブルにうずたかく積まれた雑誌の山を少し崩して、そこから学んだことをわが子に教えるだろうか？　もっと精力的に人と交流するだろうか？　ブレインフードのディナーパーティを開くだろうか？　新たな扉を開いてくれそうなクラスに申し込むだろうか？　それとも、学んだことを自分自身で教えるための勉強を始めるだろうか？　どれをあなたは選ぶだろう？

これが、スーパーヒーローのすることだ。リミットレスなあなたにできることだ。

本書を通じて、あなたには新しいスキルをいくつか試してもらった。ここからは本格的なスタートを切ることになる。いよいよ、学んだ知識を統合して使いはじめるときだ。まずは1つ、何かやってみよう。なんでもいい。「自分にこんなことができるのか」と驚くはずだ。そのあなたは、真のあなただ。いまはまだ想像のなかにいる、だがいつか現実になるその人こそ、リミットレスなあなたなのだ。

自分を知ろう。自分を信じよう。自分を愛そう。自分になろう。
そして心に刻もう。あなたが生きる人生は、あなたが伝える教訓そのものなのだと。
リミットレスになろう。

愛と学びを込めて、
ジム

推薦図書

バイオハッキング

- “*Boundless*: Upgrade Your Brain, Optimize Your Body & Defy Aging” by Ben Greenfield（未邦訳）
- “*The DNA Way*: Unlock the Secrets of Your Genes to Reverse Disease, Slow Aging, and Achieve Optimal Wellness” by Kashif Khan（未邦訳）
- “*Smarter Not Harder*: The Biohacker’s Guide to Getting the Body and Mind You Want” by Dave Asprey（未邦訳）
- “*Winter Swimming*: The Nordic Way Towards a Healthier and Happier Life” by Susanna Søberg（未邦訳）

ブレインフード

- “*Brain Food*: The Surprising Science of Eating for Cognitive Power” by Dr. Lisa Mosconi（未邦訳）
- “*Food Can Fix It*: The Superfood Switch to Fight Fat, Defy Aging, and Eat Your Way Healthy” by Dr. Mehmet Oz（未邦訳）
- 『脳が強くなる食事 GENIUS FOODS』マックス・ルガヴェア著、ポール・グレワルアドバイザー、御船由美子訳、かんき出版

・『脳の不調を治す食べ方 THIS IS YOUR BRAIN ON FOOD』ウーマ・ナイド著、長谷川圭訳、KADOKAWA

脳の健康

・『脳は奇跡を起こす』ノーマン・ドイジ著、竹迫仁子訳、講談社インターナショナル

・『愛と憂鬱の生まれる場所「脳科学の最先端」が教える、人間の感情と行動の「処方箋」』ダニエル・G・エイメン著、廣岡結子訳、はまの出版

・“*Healthy Brain, Happy Life*: A Personal Program to Activate Your Brain and Do Everything Better” by Wendy Suzuki, Ph.D. and Billie Fitzpatrick（未邦訳）

・『SUPER BRAIN 脳に使われるな 脳を使いこなせ 最高の人生をあきらめない心のパワー』ディーパック・チョプラ、ルドルフ・E・タンジ著、村上和雄監訳、大西英理子訳、保育社

・“*The UltraMind Solution*: Fix Your Broken Brain by Healing Your Body First” by Dr. Mark Hyman（未邦訳）

・“*The Women's Brain Book*: The Neuroscience of Health, Hormones and Happiness” by Dr. Sarah McKay（未邦訳）

・“*The XX Brain*: The Groundbreaking Science Empowering Women to Maximize Cognitive Health and Prevent Alzheimer's Disease” by Dr. Lisa Mosconi（未邦訳）

ビジネスおよび起業家精神

・“*Belong*: Find Your People, Create Community, and Live a More Connected Life” by Radha Agrawal（未邦訳）

・“*Disrupt-Her*: A Manifesto for the Modern Woman” by Miki Agrawal（未邦訳）
・『シンギュラリティ大学が教えるシリコンバレー式イノベーション・ワークブック』サリム・イスマイル、フランシスコ・パラオ、ミシェル・ラピエール著、山本真麻、日高穂香訳、日経ＢＰ
・『PRINCIPLES 人生と仕事の原則』レイ・ダリオ著、斎藤聖美訳、日本経済新聞出版

創造性

・『新版 ずっとやりたかったことを、やりなさい。』ジュリア・キャメロン著、菅靖彦訳、サンマーク出版
・『BIG MAGIC「夢中になる」ことからはじめよう。』エリザベス・ギルバート著、神奈川夏子訳、ディスカヴァー・トゥエンティワン
・“*The Creative Act*” by Rick Rubin
・『クリエイティブな習慣 右脳を鍛える32のエクササイズ』トワイラ・サープ著、杉田晶子訳、白水社
・“*Imagine It Forward*: Courage, Creativity, and the Power of Change” by Beth Comstock with Tahl Raz（未邦訳）
・“*The War of Art*: Break Through the Blocks and Win Your Inner Creative Battles” by Steven Pressfield（未邦訳）

教育

・『エデュケーション 大学は私の人生を変えた』タラ・ウェストーバー著、村井理子訳、早川書房
・『才能を引き出すエレメントの法則 あなたの「天才」が目覚める！ 能力開発7つの方法』ケン・ロビンソン、ルー・アロニカ著、金森重樹監修、秋岡史訳、祥伝社

・『限界を超える子どもたち　脳・身体・障害への新たなアプローチ』アナット・バニエル著、伊藤夏子、瀬戸典子訳、太郎次郎社エディタス
・『えんぴつの約束　一流コンサルタントだったぼくが、世界に200の学校を建てたわけ』アダム・ブラウン著、関美和訳、飛鳥新社

健康

・"*The Align Method*: 5 Movement Principles for a Stronger Body, Sharper Mind, and Stress-Proof Life" by Aaron Alexander（未邦訳）
・"*Life Force*: How New Breakthroughs in Precision Medicine Can Transform the Quality of Your Life & Those You Love" by Tony Robbins, Peter Diamandis, M.D., and Robert Hariri, M.D., Ph.D.（未邦訳）
・『脳を鍛えるには運動しかない！　最新科学でわかった脳細胞の増やし方』ジョン・J・レイティ、エリック・ヘイガーマン著、野中香方子訳、NHK出版
・"*The TB12 Method*: How to Achieve a Lifetime of Sustained Peak Performance" by Tom Brady（未邦訳）

集中力

・『私たちはなぜスマホを手放せないのか「気が散る」仕組みの心理学・神経科学』アダム・ガザレイ、ラリー・D・ローゼン著、河西哲子監訳、成田啓行訳、福村出版
・『ハーバード集中力革命』エドワード・M・ハロウェル、ジョン・J・レイティ著、小川彩子訳、サンマー

ク出版
・『フリー・トゥ・フォーカス 究極の仕事術 集中力を自在に操り、生産性を上げる』マイケル・ハイアット著、長谷川圭訳、パンローリング
・『最強の集中力 本当にやりたいことに没頭する技術』ニール・イヤール、ジュリー・リー著、野中香方子訳、日経ＢＰ
・"*Peak Mind*" by Amishi Jha, Ph. D.

学習

・"*The 4-Hour Chef*: The Simple Path to Cooking Like a Pro, Learning Anything, and Living the Good Life" by Timothy Ferriss（未邦訳）
・"*Chineasy Everyday*: The World of Chinese Characters" by ShaoLan（未邦訳）
・『数学を嫌いにならないで』（基本のおさらい篇／文章題にいどむ篇）ダニカ・マッケラー著、菅野仁子訳、岩波書店
・『数学と恋に落ちて』（方程式を極める篇／未知数に親しむ篇）ダニカ・マッケラー著、菅野仁子訳、岩波書店
・『マインドマップ超入門（トニー・ブザン天才養成講座）』トニー・ブザン、バリー・ブザン著、近田美季子監訳、ディスカヴァー・トゥエンティワン
・『ごく平凡な記憶力の私が1年で全米記憶力チャンピオンになれた理由』ジョシュア・フォア著、梶浦真美訳、エクスナレッジ

・『デボノ博士の6色ハット発想法』E・デボノ著、松本道弘訳、ダイヤモンド社
・"*UnderstandingUnderstanding*" by Richard Saul Wurman（未邦訳）

意識の力

・『超自然になる どうやって通常を超えた能力を目覚めさせるか』ジョー・ディスペンザ著、東川恭子訳、ナチュラルスピリット
・"*Cleaning Up Your Mental Mess*: 5 Simple, Scientifically Proven Steps to Reduce Anxiety, Stress, and Toxic Thinking" by Dr. Caroline Leaf（未邦訳）
・"*The Code of the Extraordinary Mind*: 10 Unconventional Laws to Redefine Your Life and Succeed on Your Own Terms" by Vishen Lakhiani（未邦訳）
・『新装版 眠りながら成功する 自己暗示と潜在意識の活用』ジョセフ・マーフィー著、大島淳一訳、産業能率大学出版部

マインドフルネス

・『BREATH 呼吸の科学』ジェームズ・ネスター著、近藤隆文訳、早川書房
・『Good Life Project 人生を満たす3つのバケツ』ジョナサン・フィールズ著、くるみハウス訳、KADOKAWA
・"*Stress Less, Accomplish More*: The 15-Minute Meditation Programme for Extraordinary Performance" by Emily Fletcher（未邦訳）

・『タッピング・ソリューション ストレス・フリー1分間の奇跡』ニック・オートナー著、山崎直仁訳、春秋社

・『モンク思考 自分に集中する技術』ジェイ・シェティ著、浦谷計子訳、東洋経済新報社

・『サード・メトリック しなやかにつかみとる持続可能な成功』アリアナ・ハフィントン著、服部真琴訳、CCCメディアハウス

マインドセット

・『ALTER EGO 超・自己成長術「あなたの中の別人格」で最高のパフォーマンスを手に入れる』トッド・ハーマン著、福井久美子訳、ダイヤモンド社

・『2030年 すべてが「加速」する世界に備えよ』ピーター・ディアマンディス、スティーブン・コトラー著、土方奈美訳、ニューズピックス

・"*The Greatness Mindset*: Unlock the Power of Your Mind and Live Your Best Life Today" by Lewis Howes（未邦訳）

・"*The Infinite Game*" by Simon Sinek（未邦訳）

・『夜と霧 新版』ヴィクトール・E・フランクル著、池田香代子訳、みすず書房

・『マインドセット「やればできる！」の研究』キャロル・S・ドゥエック著、今西康子訳、草思社

・"*Miracle Mindset*: A Mother, Her Son, and Life's Hardest Lessons" by JJ Virgin（未邦訳）

モチベーション

・『5秒ルール 直感的に行動するためのシンプルな法則』メル・ロビンズ著、福井久美子訳、東洋館出版社
・『やり抜く力 GRIT 人生のあらゆる成功を決める「究極の能力」を身につける』アンジェラ・ダックワース著、神崎朗子訳、ダイヤモンド社
・『自分を貫く 絶対に目標を達成する9つの方法』ブレンドン・バーチャード著、プレシ南日子訳、フォレスト出版
・"*No Sweat*: How the Simple Science of Motivation Can Bring You a Lifetime of Fitness" by Michelle Segar, Ph.D.（未邦訳）
・『WHYから始めよ! インスパイア型リーダーはここが違う』サイモン・シネック著、栗木さつき訳、日本経済新聞出版

生産性／習慣

・『完訳 7つの習慣 人格主義の回復』スティーブン・R・コヴィー著、フランクリン・コヴィー・ジャパン訳、キングベアー出版
・『ジェームズ・クリアー式 複利で伸びる1つの習慣』ジェームズ・クリアー著、牛原眞弓訳、パンローリング
・"*Deep Work*: Rules for Focused Success in a Distracted World" by Cal Newport（未邦訳）
・『エッセンシャル思考 最少の時間で成果を最大にする』グレッグ・マキューン著、高橋璃子訳、かんき出版
・『フロー体験 喜びの現象学』M・チクセントミハイ著、今村浩明訳、世界思想社

・『仕事を成し遂げる技術 ストレスなく生産性を発揮する方法』デビッド・アレン著、森平慶司訳、はまの出版
・『毎朝の1秒が人生を好転させる！ 魔法のハイタッチ』メル・ロビンズ著、野口孝行訳、KADOKAWA
・『ワン・シング 一点集中がもたらす驚きの効果』ゲアリー・ケラー、ジェイ・パパザン著、門田美鈴訳、SBクリエイティブ
・『最良の効果を得るタイミング 4つの睡眠タイプから最高の自分になれる瞬間を知る』マイケル・ブレウス著、長谷川圭訳、パンローリング
・『習慣超大全 スタンフォード行動デザイン研究所の自分を変える方法』BJ・フォッグ著、須川綾子訳、ダイヤモンド社

睡眠

・『眠るだけダイエット』マイケル・ブルース著、荒井佳子訳、アスコム
・"*Peak Sleep Performance for Athletes*: The Cutting-edge Sleep Science That Will Guarantee a Competitive Advantage" by Shane A. Creado, M.D.（未邦訳）
・"*The Ripple Effect*" by Greg Wells, Ph.D.（未邦訳）
・『スリープ・レボリューション 最高の結果を残すための「睡眠革命」』アリアナ・ハフィントン著、本間徳子訳、日経BP
・『SLEEP 最高の脳と身体をつくる睡眠の技術』ショーン・スティーブンソン著、花塚恵訳、ダイヤモンド社

・『睡眠こそ最強の解決策である』マシュー・ウォーカー著、桜田直美訳、SBクリエイティブ

思考力

・『新訳 原因と結果の法則』ジェームズ・アレン著、山川紘矢、山川亜希子訳、KADOKAWA
・"*Discovering the Power of Positive Thinking*" by Norman Vincent Peale and Ruth Stafford Peale（この版は未邦訳だが、著者ノーマン・V・ピールの代表作に『新訳 積極的考え方の力 成功と幸福を手にする17の原則』〔月沢李歌子訳、ダイヤモンド社〕がある）
・『ダ・ヴィンチ7つの法則』マイケル・J・ゲルブ著、ウィリアム・リード、リード・くみ子訳、中経出版
・『完訳版 大きく考える魔法 人生を成功に導く実践ガイド』デイヴィッド・J・シュワルツ著、井上大剛訳、パンローリング
・『THINK AGAIN 発想を変える、思い込みを手放す』アダム・グラント著、楠木建監訳、三笠書房
・『思考は現実化する（上・下）』ナポレオン・ヒル著、田中孝顕訳、きこ書房
・『ファスト&スロー あなたの意思はどのように決まるか？（上・下）』ダニエル・カーネマン著、村井章子訳、早川書房

LIMITLESS［拡張版］　超・超加速学習
人生を変える「学び方」の授業

2024年8月13日　第1刷発行
2024年9月20日　第2刷発行

著　者――ジム・クウィック
訳　者――三輪美矢子
発行者――田北浩章
発行所――東洋経済新報社
〒103-8345　東京都中央区日本橋本石町 1-2-1
電話＝東洋経済コールセンター　03(6386)1040
https://toyokeizai.net/

装　丁…………橋爪朋世
本文レイアウト……二ノ宮匡（nixinc）
印　刷…………港北メディアサービス
製　本…………大観社
編集担当………齋藤宏軌
Printed in Japan　　　ISBN 978-4-492-80097-3

著者紹介

ジム・クウィック（Jim Kwik）

記憶力向上、脳の最適化、加速学習の分野で広く知られる世界的エキスパート。幼少期に負った脳損傷により学習困難に悩まされたのち、頭脳のパフォーマンスを劇的に高める手法を編み出す。以来、人々の真の能力と脳力を引き出すことに人生を捧げている。ブレインコーチ歴は30年以上。学生、高齢者、起業家、教育者から、ハリウッドスター、プロスポーツ選手、政治的主導者、ビジネス界の重鎮のほか、法人顧客（グーグル、ヴァージン・グループ、ナイキ、ザッポス・ドットコム、スペースX、GE、NBA、20世紀フォックス、クリーブランド・クリニック、ワードプレスなど）、米空軍、国際連合、教育機関（カリフォルニア工科大学、ハーバード大学、シンギュラリティ・ユニバーシティ）まで、コーチングの実績は多岐にわたる。

基調講演を通じて、毎年のべ20万人超に対面でスピーチを行う。オンライン動画の再生回数は数億回にのぼる。『フォーブス』『アントレプレナー・マガジン』『ハフポスト』『ファスト・カンパニー』『インク』等の各種メディアや、「グッド・モーニング・アメリカ」その他のテレビ番組にもたびたび登場。主宰するポッドキャスト「クウィック・ブレイン」は、iTunesの教育ジャンルで常時トップ圏入りし、オンラインコース「クウィック・ラーニング」は、世界195か国の学習者に利用されている。

慈善活動でも、脳の健康と世界の教育支援の擁護者として、アルツハイマー病の研究から、グアテマラやケニアでの学校建設まで数々のプロジェクトに出資し、医療、衛生的な水、子どもの学習機会を提供している。ミッションは「1つの脳も置き去りにしない」。

訳者紹介

三輪 美矢子（ミワ ミヤコ）

英日翻訳者。国際基督教大学教養学部卒業。訳書に『LIMITLESS 超加速学習』『ピック・スリー 完璧なアンバランスのすすめ』『WHITE SPACE ホワイトスペース』（東洋経済新報社）、『STRESS FREE ネガティブな感情を力に変える ケンブリッジ大学の研究者が明かす科学的に正しいシンプルな63のメソッド』（ポプラ社）、『死の前、「意識がはっきりする時間」の謎にせまる』（KADOKAWA）などがある。

原注

［ 第２章 ］

1. "Digital Overload: Your Brain On Gadgets," NPR, www.npr.org/templates/story/story.php?storyId=129384107.［2015年８月24日最終更新］

2. 同上。

3. Ibid. Matt Richtel, "Attached to Technology and Paying a Price," *New York Times*, www.nytimes.com/2010/06/07/technology/07brain.html.［2010年６月７日最終更新］

4. Paul Waddington, "Dying for Information? A Report on the Effects of Information Overload in the UK and Worldwide," Reuters, www.ukoln.ac.uk/services/papers/bl/blri078/content/repor~13.htm.［2019年12月11日確認］

5. "Digital Distraction," American Psychological Association, www.apa.org/news/press/releases/2018/08/digital-distraction.［2018年８月10日最終更新］

6. Daniel J. Levitin, *The Organized Mind: Thinking Straight in the Age of Information Overload* (New York: Dutton, 2016).

7. Sean Coughlan, "Digital Dependence 'Eroding Human Memory,'" *BBC News*, BBC, www.bbc.com/news/education-34454264.［2015年10月７日最終更新］

8. Rony Zarom, "Why Technology Is Affecting Critical Thought in the Workplace and How to Fix It," *Entrepreneur*, September 21, 2015, www.entrepreneur.com/article/248925.

9. Jim Taylor, "How Technology Is Changing the Way Children Think and Focus," *Psychology Today*, December 4, 2012, www.psychologytoday.com/us/blog/the-power-prime/201212/how-technology-is-changing-the-way-children-think-and-focus.

10. Patricia M. Greenfield, "Technology and Informal Education: What Is Taught, What Is Learned," *Science*, January 2, 2009, https://science.sciencemag.org/content/323/5910/69.full.

11. Richard Foreman, "The Pancake People, or, 'The Gods Are Pounding My Head,'" *Edge*, March 8 2005, https://www.edge.org/3rd_culture/foreman05/foreman05_index.html.

［ 第３章 ］

1. Tara Swart, *The Source: Open Your Mind, Change Your Life* (New York: Vermilion, 2019).（『脳メンテナンス　無限の力を引き出す４つの鍵』土方奈美訳、早川書房）

2. Suzana Herculano-Houzel, "The Human Brain in Numbers: a Linearly Scaled-up Primate Brain," *Frontiers in Human Neuroscience*, November 9, 2009, www.ncbi.nlm.nih.gov/pmc/articles/PMC2776484/.

3. Ferris Jabr, "Cache Cab: Taxi Drivers' Brains Grow to Navigate London's Streets," *Scientific American*, December 8, 2011, www.scientificamerican.com/article/london-taxi-memory/.

4. Courtney E. Ackerman, "What Is Neuroplasticity? A Psychologist Explains [+14 Exercises]," PositivePsychology.com, positivepsychology.com/neuroplasticity/.［2019年９月10日最終更新］

5. Catharine Paddock, Ph.D., "Not Only Does Our Gut Have Brain Cells It Can Also Grow New Ones, Study," Medical News Today, https://www.medicalnewstoday.com/articles/159914.php［2009年８月５日最終更新］; Jennifer Wolkin, "Meet Your Second Brain: The Gut," *Mindful*, https://www.mindful.org/meet-your-second-brain-the-gut/.［2015年８月14日最終更新］

6. Emily Underwood, "Your Gut Is Directly Connected to Your Brain, by a Newly Discovered Neuron Circuit," *Science*, https://www.sciencemag.org/news/2018/09/your-gut-directly-connected-your-brain-newly-discovered-neuron-circuit.［2018年９月20日最終更新］

7. Ken Robinson and Lou Aronica, *Creative Schools: The Grassroots Revolution That's Transforming Education* (New York: Penguin Books, 2016), xxvii-xxvii.（『CREATIVE SCHOOLS 創造性が育つ世界最先端の教育』岩木貴子訳、東洋館出版社）

［ 第４章 ］

1. Sonnad, Nikhil. "A Mathematical Model of the 'Forgetting Curve' Proves Learning Is Hard," *Quartz*, February 28, 2018, qz.com/1213768/the-forgetting-curve-explains-why-humans-struggle-to-memorize/.

2. Francesco Cirillo, "The Pomodoro Technique," Cirillo Consulting, francesco cirillo.com/pages/pomodoro-technique.

3. Oliver Wendell Holmes, "The Autocrat of the Breakfast-Table," *Atlantic Monthly* 2, no. 8 (June 1858): 502.

［ 第５章 ］

1. "Kwik Brain with Jim Kwik: Break Through Your Beliefs with Shelly Lefkoe," Jim Kwik, May 2, 2019, https://kwikbrain.libsyn.com/114-break-through-your-beliefs-with-shelly-lefkoe/.

2. Jan Bruce et al., *Mequilibrium: 14 Days to Cooler, Calmer, and Happier* (New York: Harmony Books, 2015), 95.

3. Jennice Vilhauer, "4 Ways to Stop Beating Yourself Up, Once and For All," *Psychology Today*, March 18, 2016, www.psychologytoday.com/us/blog/living-forward/201603/4-ways-stop-beating-yourself-once-and-all.

4. "The Power of Positive Thinking," Johns Hopkins Medicine, www.hopkinsmedicine.org/health/wellness-and-prevention/the-power-of-positive-thinking.

5. Mayo Clinic Staff, "Positive Thinking: Stop Negative Self-Talk to Reduce Stress," Mayo Clinic, www.mayoclinic.org/healthy-lifestyle/stress-management/in-depth/positive-thinking/art-20043950.［2017年２月18日最終更新］

6. James Clear, "How Positive Thinking Builds Your Skills, Boosts Your Health, and Improves Your Work," James Clear, jamesclear.com/positive-thinking.［2019年４月22日確認］

7. 同上。

8. 同上。

9. Barbara L. Fredrickson, "The Broaden-and-Build Theory of Positive Emotions," National Center for Biotechnology Information, www.ncbi.nlm.nih.gov/pmc/articles/PMC1693418/pdf/15347528.pdf.［2004年８月17日最終更新］

［ 第６章 ］

1. Carol S. Dweck, *Mindset: the New Psychology of Success* (New York: Random House, 2006).（『マインドセット「やればできる！」の研究』今西康子訳、草思社）

2. Daphne Martschenko, "The IQ Test Wars: Why Screening for Intelligence Is Still so Controversial," The Conversation, https://theconversation.com/the-iq-test-wars-why-screening-for-intelligence-is-still-so-controversial-81428.［2019年８月16日確認］

3. 同上。

4. 同上。

5. David Shenk, "The Truth About IQ," *The Atlantic*, https://www.theatlantic.com/national/archive/2009/07/the-truth-about-iq/22260/.［2009年８月４日確認］

6. 同上。

7. Brian Roche, "Your IQ May Not Have Changed, But Are You Any Smarter?," *Psychology Today*, July 15, 2014, www.psychologytoday.com/us/blog/iq-boot-camp/201407/your-iq-may-not-have-changed-are-you-any-smarter.

8. David Shenk, *The Genius in All Of Us*（New York: Anchor Books, 2011）117.（『天才を考察する「生まれか育ちか」論の嘘と本当』中島由華訳、早川書房）

9. Gabrielle Torre, "The Life and Times of the 10% Neuromyth," Knowing Neurons, https://knowingneurons.com/2018/02/13/10-neuromyth/.［2018年２月13日最終更新］

10. Eric H. Chudler, "Do We Only Use 10% of Our Brains?," Neuroscience for Kids, https://faculty.washington.edu/chudler/tenper.html.

11. Gabrielle Torre, "The Life and Times of the 10% Neuromyth," Knowing Neurons, https://knowingneurons.com/2018/02/13/10-neuromyth/.［2018年２月13日最終更新］

12. Eric Westervelt, "Sorry, Lucy: The Myth of the Misused Brain Is 100 Percent False," *NPR*, July 27, 2014, https://www.npr.org/2014/07/27/335868132/sorry-lucy-the-myth-of-the-misused-brain-is-100-percent-false.

13. Barry L. Beyerstein, "Whence Cometh the Myth that We Only Use 10% of our Brains?," in *Mind Myths: Exploring Popular Assumptions About the Mind and Brain*, ed. Sergio Della Sala（Wiley, 1999）, 3-24.

14. 同上。

15. Robynne Boyd, "Do People Only Use 10 Percent of Their Brains?," *Scientific American*, https://www.scientificamerican.com/article/do-people-only-use-10-percent-of-their-brains/.［2008年２月７日最終更新］

16. Thomas G. West, *In the Mind's Eye: Creative Visual Thinkers, Gifted Dyslexics, and the Rise of Visual Technologies*（Amherst, NY: Prometheus Books, 2009）.

17. 同上。

18. "Einstein's 23 Biggest Mistakes: A New Book Explores the Mistakes of the Legendary Genius," *Discover*, http://discovermagazine.com/2008/sep/01-einsteins-23-biggest-mistakes.［2008年９月１日最終更新］

19. "About Page," Beth Comstock, https://www.bethcomstock.info/.

20. 99U, "Beth Comstock: Make Heroes Out of the Failures," video, 12:40, September 3, 2015, https://www.youtube.com/watch?v=0GpIlOF-UzA.

21. Thomas Hobbes, *The English Works of Thomas Hobbes of Malmesbury*, ed. William Molesworth（Aalen: Scientia, 1966）.

22. "Carol W. Greider," Wikipedia, https://en.wikipedia.org/wiki/Carol_W._Greider.［2019年７月27日確認］

23. "Carol Greider, Ph.D., Director of Molecular Biology & Genetics at Johns Hopkins University," *Yale Dyslexia*, http://dyslexia.yale.edu/story/carol-greider-ph-d/.

24. Mayo Clinic Staff, "Dyslexia," Mayo Clinic, https://www.mayoclinic.org/diseases-conditions/dyslexia/symptoms-causes/syc-20353552.［2017年７月22日最終更新］

25. Claudia Dreifus, "On Winning a Nobel Prize in Science," *The New York Times*, October 12, 2009, Science section, https://www.nytimes.com/2009/10/13/science/13conv.html.

26. Jim Carrey, commencement address, Maharishi International University, Fairfield, Iowa, May 24, 2014, www.mum.edu/graduation-2014.〔2020年1月5日確認〕

27. Fred C. Kelly, "They Wouldn't Believe the Wrights Had Flown: A Study in Human Incredulity," Wright Brothers Aeroplane Company, http://www.wright-brothers.org/History_Wing/Aviations_Attic/They_Wouldnt_Believe/They_Wouldnt_Believe_the_Wrights_Had_Flown.htm.

28. 同上。

29. "Bruce Lee," Biography.com, www.biography.com/actor/bruce-lee.〔2019年4月16日最終更新〕

30. Mouse AI, "I Am Bruce Lee," directed by Pete McCormack, video, 1:30:13, www.youtube.com/watch?v=2qL-WZ_ATTQ.〔2015年6月13日最終更新〕

31. "I Am Bruce Lee," Leeway Media, 2012, www.youtube.com/watch?v=2qL-WZ_ATTQ.

32. Bruce Lee, Bruce Lee Jeet Kune Do: Bruce Lee's Commentaries on the Martial Way, ed. John Little (Tuttle Publishing, 1997).

33. Daniel Coyle, *The Talent Code: Greatness Isn't Born. It's Grown* (London: Arrow, 2010)(『天才はディープ・プラクティスと1万時間の法則でつくられる』清水由貴子訳、パンローリング); "The Talent Code: Grow Your Own Greatness: Here's How," Daniel Coyle, http://danielcoyle.com/the-talent-code/.

[第7章]

1. "Kind (n.)," Index, www.etymonline.com/word/kind.

2. Christopher J. Bryan et al., "Motivating Voter Turnout by Invoking the Self," PNAS, https://www.pnas.org/content/108/31/12653.〔2011年8月2日最終更新〕

3. Adam Gorlick, "Stanford Researchers Find That a Simple Change in Phrasing Can Increase Voter Turnout," Stanford University, https://news.stanford.edu/news/2011/july/increasing-voter-turnout-071911.html.〔2011年7月19日最終更新〕

[第8章]

1. Eva Selhub, "Nutritional Psychiatry: Your Brain on Food," Harvard Health (blog), Harvard Health Publishing, www.health.harvard.edu/blog/nutritional-psychiatry-your-brain-on-food-201511168626.〔2018年4月5日最終更新〕

2. Jim Kwik, "Kwik Brain with Jim Kwik: Eating for Your Brain with Dr. Lisa Mosconi," Jim Kwik, https://jimkwik.com/kwik-brain-088-eating-for-your-brain-with-dr-lisa-mosconi/.〔2019年1月4日最終更新〕

3. Jim Kwik, "Kwik Brain with Jim Kwik: When to Eat for Optimal Brain Function with Max Lugavere," Jim Kwik, https://jimkwik.com/kwik-brain-066-when-to-eat-for-optimal-brain-function-with-max-lugavere/.〔2018年7月19日最終更新〕

4. "Table 1: Select Nutrients that Affect Cognitive Function," National Institutes of Health, www.ncbi.nlm.nih.gov/pmc/articles/PMC2805706/table/T1/?report=objectonly.〔2019年6月1日確認〕

5. Heidi Godman, "Regular Exercise Changes the Brain to Improve Memory, Thinking Skills," Harvard Health (blog), Harvard Health Publishing, April 5, 2018, www.health.harvard.edu/blog/regular-exercise-changes-brain-improve-memory-thinking-skills-201404097110.

6. Daniel G. Amen, *Change Your Brain, Change Your Life: the Breakthrough Program for Conquering Anxiety, Depression, Obsessiveness, Lack of Focus, Anger, and Memory Problems* (New York: Harmony Books, 2015), 109-110. (『愛と憂鬱の生まれる場所「脳科学の最先端」が教える、人間の感情と行動の「処方箋」』廣岡結子訳、はまの出版)

7. The Lancet Neurology, "Air Pollution and Brain Health: an Emerging Issue," The Lancet 17, no. 2 (February 2018): 103, www.thelancet.com/journals/laneur/article/PIIS1474-4422 (17) 30462-3/fulltext.

8. Tara Parker-Pope, "Teenagers, Friends and Bad Decisions," Well (blog), *The New York Times*, February 3, 2011, well.blogs.nytimes.com/2011/02/03/teenagers-friends-and-bad-decisions/?scp=6&sq=tara%2Bparker%2Bpope&st=cse.

9. "Protect Your Brain from Stress," Harvard Health (blog), Harvard Health Publishing, www.health.harvard.edu/mind-andmood/protect-your-brain-from-stress. [2018年８月最終更新]

10. "Brain Basics: Understanding Sleep," National Institute of Neurological Disorders and Stroke, U.S. Department of Health and Human Services, www.ninds.nih.gov/Disorders/Patient-Caregiver-Education/Understanding-Sleep. [2019年８月13日最終更新]

11. Jean Kim, "The Importance of Sleep: The Brain's Laundry Cycle," *Psychology Today*, June 28, 2017, www.psychologytoday.com/us/blog/culture-shrink/201706/the-importance-sleep-the-brains-laundry-cycle.

12. Jeff Iliff, "Transcript of 'One More Reason to Get a Good Night's Sleep,'" TED, www.ted.com/talks/jeff_iliff_one_more_reason_to_get_a_good_night_s_sleep/transcript. [2014年９月最終更新]

13. 同上。

14. Sandee LaMotte, "One in Four Americans Develop Insomnia Each Year: 75 Percent of Those with Insomnia Recover," Science Daily, June 5, 2018, https://www.sciencedaily.com/releases/2018/06/180605154114.htm.

15. Kathryn J. Reid et al., "Aerobic Exercise Improves Self-Reported Sleep and Quality of Life in Older Adults with Insomnia," Sleep Medicine, U.S. National Library of Medicine, www.ncbi.nlm.nih.gov/pmc/articles/PMC2992829/. [2010年10月最終更新]

16. Michael J. Breus, "Better Sleep Found by Exercising on a Regular Basis," *Psychology Today*, September 6, 2013, www.psychologytoday.com/us/blog/sleep-newzzz/201309/better-sleep-found-exercising-regular-basis-0.

17. Sandee LaMotte, "The Healthiest Way to Improve Your Sleep: Exercise," CNN, www.cnn.com/2017/05/29/health/exercise-sleeptips/index.html. [2017年５月30日最終更新]

18. David S. Black et al., "Mindfulness Meditation in Sleep-Disturbed Adults," *JAMA Internal Medicine* 5 (April 2015): 494-501, jamanetwork.com/journals/jamainternalmedicine/fullarticle/2110998.

19. Karen Kaplan, "A Lot More Americans are Meditating Now than Just Five Years Ago," *Los Angeles Times*, November 8, 2018, www.latimes.com/science/science-now/la-sci-sn-americans-meditating-more-20181108-story.html.

20. Jim Kwik, "Kwik Brain with Jim Kwik: How to Make Meditation Easy with Ariel Garten," Jim Kwik, https://jimkwik.com/kwik-brain-080-your-brain-on-meditation-with-ariel-garten/. [2018年11月８日最終更新]

21. 同上。

[第９章]

1. Sarah Young, "This Bizarre Phenomenon Can Stop You from Procrastinating," The Independent, www.independent.co.uk/life-style/procrastinating-how-to-stop-zeigarnik-effect-

phenomenon-at-work-now-a8247076.html.［2018年３月９日最終更新］

2. Art Markman, "How to Overcome Procrastination Guilt and Turn It Into Motivation," HBR Ascend, January 7, 2019, hbrascend.org/topics/turn-your-procrastination-guilt-into-motivation/.

3. BJ Fogg, "When you learn the Tiny Habits method, you can change your life forever," Tiny Habits, www.tinyhabits.com/.［2019年最終更新］

4. Deepak Agarwal, *Discover the Genius in Your Child*（Delhi: AIETS.com Pvt.Ltd., 2012）, 27-28.

5. Charles Duhigg, *The Power of Habit: Why We Do What We Do in Life and Business*（New York: Random House, 2012）, 20-21.（『習慣の力〔新版〕』渡会圭子訳、早川書房）

6. James Clear, "The Habits Academy," The Habits Academy, habitsacademy.com/.

7. Jim Kwik, "Kwik Brain with Jim Kwik: Understanding Habit Triggers with James Clear," Jim Kwik, October 18, 2018, https://jimkwik.com/kwik-brain-075-understanding-habit-triggers-with-james-clear/.

8. 同上。

9. Phillippa Lally et al., "How Are Habits Formed: Modelling Habit Formation in the Real World," *European Journal of Social Psychology*, vol. 40, no. 6（July 2009）: 998-1009, doi:10.1002/ejsp.674.

10. Alison Nastasi, "How Long Does It Really Take to Break a Habit?," Hopes&Fears, www.hopesandfears.com/hopes/now/question/216479-how-long-does-it-really-take-to-break-a-habit.［2015年11月20日確認］

11. 同上。

12. BJ Fogg, "A Behavior Model for Persuasive Design," Persuasive '09: *Proceedings of the 4th International Conference on Persuasive Technology*, no. 40（April 26, 2009）, doi:10.1145/1541948.1541999.

13. 同上。

14. 同上。

15. 同上。

［ 第10章 ］

1. Mihaly Csikszentmihalyi, *Flow: the Psychology of Optimal Experience*（New York: Harper Row, 2009）.（『フロー体験 喜びの現象学』今村浩明訳、世界思想社）

2. Mike Oppland, "8 Ways To Create Flow According to Mihaly Csikszentmihalyi," PositivePsychology.com, positivepsychologyprogram.com/mihaly-csikszentmihalyi-father-of-flow/.［2019年２月19日確認］

3. Susie Cranston and Scott Keller, "Increasing the 'Meaning Quotient' of Work," *McKinsey Quarterly*, January 2013, www.mckinsey.com/business-functions/organization/our-insights/increasing-the-meaning-quotient-of-work.

4. Entrepreneurs Institute Team, "A Genius Insight: The Four Stages of Flow," Entrepreneurs Institute, entrepreneurs institute.org/updates/a-genius-insight-the-four-stages-of-flow.［2015年２月12日最終更新］

5. Hara Estroff Marano, "Pitfalls of Perfectionism," *Psychology Today*, March 1, 2008, www.psychologytoday.com/us/articles/200803/pitfalls-perfectionism.

6. Travis Bradberry, "Why the Best Leaders Have Conviction," World Economic Forum, www.weforum.org/agenda/2015/12/why-the-best-leaders-have-conviction/.［2015年12月７日最終更新］

[第11章]

1. Jim Kwik, "Kwik Brain with Jim Kwik: How to Concentrate with Dandapani," Jim Kwik, October 8, 2019, https://jimkwik.com/kwik-brain-149-how-to-concentrate-with-dandapani/.

2. 同上。

3. 同上。

4. "A Clean Well-Lighted Place," *BeWell*, https:// bewell.stanford.edu/a-clean-well-lighted-place/. [2020年1月7日確認]

5. Melanie Greenberg, "9 Ways to Calm Your Anxious Mind," *Psychology Today*, June 28, 2015, www.psychologytoday.com/us/blog/the-mindful-self-express/201506/9-ways-calm-your-anxious-mind.

6. Donald Miller, "The Brutal Cost of Overload and How to Reclaim the Rest You Need," *Building a StoryBrand*, buildingastorybrand.com/episode-40/.

7. Markham Heid, "The Brains of Highly Distracted People Look Smaller," VICE, October 12, 2017, tonic.vice.com/en_us/article/wjxmpx/constant-tech-distractions-are-like-feeding-your-brain-junk-food.

8. Kristin Wong, "How Long It Takes to Get Back on Track After a Distraction," *Lifehacker*, July 29, 2015, lifehacker.com/how-long-it-takes-to-get-back-on-track-after-a-distract-1720708353.

9. "4-7-8 Breath Relaxation Exercise," Council of Residency Directors in Emergency Medicine, February 2010, www.cordem.org/globalassets/files/academic-assembly/2017-aa/handouts/day-three/biofeedback-exercises-for-stress-2---fernances-j.pdf.

[第12章]

1. Ralph Heibutzki, "The Effects of Cramming for a Test," *Education*, November 21, 2017, education.seattlepi.com/effects-cramming-test-2719.html.

2. Mark Wheeler, "Cramming for a Test? Don't Do It, Say UCLA Researchers," UCLA Newsroom, August 22, 2012, newsroom.ucla.edu/releases/cramming-for-a-test-don-t-do-it-237733.

3. William R. Klemm, "Strategic Studying: The Value of Forced Recall," *Psychology Today*, October 9, 2016, www.psychologytoday.com/us/blog/memory-medic/201610/strategic-studying-the-value-forced-recall.

4. 同上。

5. James Gupta, "Spaced Repetition: a Hack to Make Your Brain Store Information," *The Guardian*, January 23, 2016, www.theguardian.com/education/2016/jan/23/spaced-repetition-a-hack-to-make-your-brain-store-information.

6. Jordan Gaines Lewis, "Smells Ring Bells: How Smell Triggers Memories and Emotions," *Psychology Today*, January 12, 2015, www.psychologytoday.com/us/blog/brain-babble/201501/smells-ring-bells-how-smell-triggers-memories-and-emotions.

7. Wu-Jing He et al., "Emotional Reactions Mediate the Effect of Music Listening on Creative Thinking: Perspective of the Arousal-and-Mood Hypothesis," *Frontiers in Psychology* 8(September 26, 2017): 1680, www.ncbi.nlm.nih.gov/pmc/articles/PMC5622952/.

8. Claire Kirsch, "If It's Not Baroque Don't Fix It," *The Belltower*, January 25, 2017, http://belltower.mtaloy.edu/2017/01/if-its-not-baroque-dont-fix-it/.

9. Alina-Mihaela Busan, "Learning Styles of Medical Students-Implications in Education," *Current Health Sciences Journal* 40, no. 2 (April-June 2014): 104-110, www.ncbi.nlm.nih.gov/pmc/articles/PMC4340450/.

10. Bob Sullivan and Hugh Thompson, "Now Hear This! Most People Stink at Listening [Excerpt]," *Scientific American*, May 3, 2013, www.scientificamerican.com/article/plateau-effect-digital-gadget-distraction-attention/.

11. 同上。

12. Cindi May, "A Learning Secret: Don't Take Notes with a Laptop," *Scientific American*, June 3, 2014, www.scientificamerican.com/article/a-learning-secret-don-t-take-notes-with-a-laptop/

[第13章]

1. Eve Marder, "The Importance of Remembering," *eLife* 6 (August 14, 2017), https://www.ncbi.nlm.nih.gov/pmc/articles/PMC5577906/.

2. William R. Klemm, "Five Reasons That Memory Matters," *Psychology Today*, January 13, 2013, www.psychologytoday.com/us/blog/memory-medic/201301/five-reasons-memory-matters.

3. Joshua Foer, "How to Train Your Mind to Remember Anything," CNN, 11 June 2012, www.cnn.com/2012/06/10/opinion/foer-ted-memory/index.html.

[第14章]

1. Lauren Duzbow, "Watch This. No. Read It ! " Oprah.com, June 2008, www.oprah.com/health/how-reading-can-improve-your-memory#ixzz2VYPyX3uU.

2. "Keep Reading to Keep Alzheimer's at Bay," Fisher Center for Alzheimer's Research Foundation, www.alzinfo.org/articles/reading-alzheimers-bay/. [2014年11月12日最終更新]

[第15章]

1. "Six Thinking Hats," the De Bono Group, www.debonogroup.com/six_thinking_hats.php.

2. "The Components of MI," MI Oasis, www.multipleintelligencesoasis.org/the-components-of-mi. [2019年4月10日確認]

3. 同上。

4. 同上。

5. The Mind Tools Content Team, "VAK Learning Styles: Understanding How Team Members Learn," Mind Tools, www.mindtools.com/pages/article/vak-learning-styles.htm. [2019年4月10日確認]

6. Matt Callen, "The 40/70 Rule and How It Applies to You," Digital Kickstart, https://digitalkickstart.com/the-4070-rule-and-how-it-applies-to-you/. [2016年5月3日最終更新]

7. 同上。

8. Rimm, Allison, "Taming the Epic To-Do List," *Harvard Business Review*, June 14, 2018, https://hbr.org/2018/03/taming-the-epic-to-do-list.

9. Peter Bevelin, *Seeking Wisdom: from Darwin to Munger* (PCA Publications LLC, 2018).

10. Ryan Holiday, *Conspiracy: The True Story of Power, Sex, and a Billionaire's Secret Plot to Destroy a Media Empire* (New York: Portfolio, 2018).

11. "Second-Order Thinking: What Smart People Use to Outperform," Farnam Street, https://fs.blog/2016/04/second-order-thinking/. [2019年1月22日確認]

12. "Kwik Brain with Jim Kwik: Exponential Thinking with Naveen Jain," Jim Kwik, May 4, 2018, https://jimkwik.com/kwik-brain-059-exponential-thinking-with-naveen-jain/.

13. Viome.com Home Page, Viome, Inc., www.viome.com. [2020年2月5日確認]

14. Mark Bonchek, "How to Create an Exponential Mindset," *Harvard Business Review*, October 4, 2017, hbr.org/2016/07/how-to-create-an-exponential-mindset.

15. Evie Mackie, "Exponential Thinking," Medium, Room Y, medium.com/room-y/exponential-thinking-8d7cbb8aaf8a. [2018年8月30日最終更新]

[第16章]

1. Ilias Simpson, "How Learning Agility Helps Transform Individuals into Leaders," *Forbes*, August 20, 2021, https://www.forbes.com/sites/forbesbusinesscouncil/2021/08/20/how-learning-agility-helps-transform-individuals-into-leaders/?sh=7b0855e76385.

2. Robert Eichinger and Michael Lombardo (2004), "Learning Agility as a Prime Indicator of Potential." HR. Human Resource Planning. 27. 12.

3. K. Anders Ericsson, Michael J. Prietula, and Edward T. Cokely, "The Making of an Expert," *Harvard Business Review*, July-August 2007, https://hbr.org/2007/07/the-making-of-an-expert.

[第18章]

1. Michelle Luciano et al., "Mediterranean-Type Diet and Brain Structural Change from 73 to 76 Years in a Scottish Cohort," *Neurology* 88, no. 5 (January 31, 2017): 449-55, https://doi.org/10.1212/wnl.0000000000003559.

2. Thekkuttuparambil Ananthanarayanan Ajith, "A Recent Update on the Effects of Omega-3 Fatty Acids in Alzheimer' s Disease," *Current Clinical Pharmacology* 13, no. 4 (2018): 252-60, https://doi.org/10.2174/157488471366 6180807145648.

3. Mariam J. Engelhart et al., Dietary intake of antioxidants and risk of Alzheimer disease, *JAMA* 287 no. 24 (June 26,2022): 3223-3229, https://doi.org/10.1001/jama.287.24.3223.

4. Joanna L. Bowtell et al., "Enhanced Task-Related Brain Activation and Resting Perfusion in Healthy Older Adults after Chronic Blueberry Supplementation," *Applied Physiology, Nutrition, and Metabolism* 42, no. 7 (July 2017): 773-79, https://doi.org/10.1139/apnm-2016-0550.

5. Georgina E. Crichton, Merrill F. Elias, and Ala'a Alkerwi, "Chocolate Intake Is Associated with Better Cognitive Function: The Maine-Syracuse Longitudinal Study," *Appetite* 100 (May 1, 2016): 126-32, https://doi.org/10.1016/j.appet.2016.02.010.

6. Rafael de Cabo and Mark P. Mattson, "Effects of Intermittent Fasting on Health, Aging, and Disease," *New England Journal of Medicine* 381, no. 26 (December 26, 2019): 2541-51, https://doi.org/10.1056/nejmra1905136.

7. Samantha L. Gardener et al., "Higher Coffee Consumption Is Associated with Slower Cognitive Decline and Less Cerebral Aβ-Amyloid Accumulation over 126 Months: Data from the Australian Imaging, Biomarkers, and Lifestyle Study," *Frontiers in Aging Neuroscience* 13 (November 19, 2021), https://doi.org/10.3389/fnagi.2021.744872.

8. David Kennedy, "B Vitamins and the Brain: Mechanisms, Dose and Efficacy—a Review," *Nutrients* 8, no. 2 (January 27, 2016): 68, https://doi .org/10.3390/nu8020068.

9. Simon C. Dyall, "Long-Chain Omega-3 Fatty Acids and the Brain: A Review of the Independent and Shared Effects of EPA, DPA and Dha," *Frontiers in Aging Neuroscience* 7 (April 21, 2015): 52, https://doi.org/10.3389/fnagi.2015.00052.

10. Matěj Malík and Pavel Tlustoš, "Nootropics as Cognitive Enhancers: Types, Dosage and Side Effects of Smart Drugs," *Nutrients* 14, no. 16 (August 17, 2022): 3367, https://doi.org/10.3390/nu14163367.

11. David A Camfield et al., "Acute Effects of Tea Constituents L-Theanine, Caffeine, and Epigallocatechin Gallate on Cognitive Function and Mood: A Systematic Review and Meta-Analysis," *Nutrition Reviews* 72, no. 8 (June 19, 2014): 507-22, https://doi.org/10.1111/nure.12120.

12. Eric A. Walker and Mark V. Pellegrini, Bacopa monnieri. In StatPearls. StatPearls Publishing, https://www.ncbi.nlm.nih.gov/books/NBK589635/.

13. Emilija Ivanova Stojcheva and José Carlos Quintela, "The Effectiveness of Rhodiola rosea L. Preparations in Alleviating Various Aspects of Life-Stress Symptoms and Stress-Induced Conditions—Encouraging Clinical Evidence," *Molecules* 27, no. 12 (June 17, 2022): 3902, https://doi.org/10.3390/molecules27123902.

14. Arpad Dobolyi et al., "Uridine Function in the Central Nervous System," *Current Topics in Medicinal Chemistry* 11, no. 8 (2011): 1058-67, https://doi.org/10.2174/156802611795347618.

15. Mariano Malaguarnera, "Carnitine Derivatives: Clinical Usefulness," *Current Opinion in Gastroenterology* 28, no. 2 (March 2012): 166-76, https://doi.org/10.1097/mog.0b013e3283505a3b.

16. Yael Richter et al., "The Effect of Soybean-Derived Phosphatidylserine on Cognitive Performance in Elderly with Subjective Memory Complaints: A Pilot Study," *Clinical Interventions in Aging* 8 (May 21, 2013): 557-63, https://doi.org/10.2147/cia.s40348.

17. Micaely Cristina dos Santos Tenório et al., "N-Acetylcysteine (NAC): Impacts on Human Health," *Antioxidants* 10, no. 6 (June 16, 2021): 967, https://doi.org/10.3390/antiox10060967.

18. Dong Hang Cheng, Hua Ren, and Xi Can Tang, "Huperzine A, a Novel Promising Acetylcholinesterase Inhibitor," *NeuroReport* 8, no. 1 (December 20, 1996): 97-101, https://doi.org/10.1097/00001756-199612200-00020.

19. Guoyan Yang et al., "Huperzine A for Alzheimer's Disease: A Systematic Review and Meta-Analysis of Randomized Clinical Trials," *PLoS ONE* 8, no. 9 (September 23, 2013), https://doi.org/10.1371/journal.pone.0074916.

20. Qinhong Huang et al., "Acetylcholine Bidirectionally Regulates Learning and Memory," *Journal of Neurorestoratology* 10, no. 2 (June 2022): 100002, https://doi.org/10.1016/j.jnrt.2022.100002.

21. W. Dimpfel, W. Wedekind, and I. Keplinger, "Efficacy of Dimethylaminoethanol (DMAE) Containing Vitamin-Mineral Drug Combination on EEG Patterns in the Presence of Different Emotional States," *European Journal of Medical Research* 8, no. 5 (May 30, 2003): 183-191, https://pubmed.ncbi.nlm.nih.gov/12844472/.

22. Yuchuan Ding and EricA Klomparens, "The Neuroprotective Mechanisms and Effects of Sulforaphane," *Brain Circulation* 5, no. 2 (April-June 2019): 74-83, https://doi.org/10.4103/bc.bc_7_19.

23. Jennifer L. Robinson et al., "Neurophysiological Effects of Whole Coffee Cherry Extract in Older Adults with Subjective Cognitive Impairment: A Randomized, Double-Blind, Placebo-Controlled, Cross-over Pilot Study," *Antioxidants* 10, no. 2 (January 20, 2021): 144, https://doi.org/10.3390/antiox10020144.

24. Rachelle A. Reed et al., "Acute Low and Moderate Doses of a Caffeine-Free Polyphenol-Rich Coffeeberry Extract Improve Feelings of Alertness and Fatigue Resulting from the Performance of Fatiguing Cognitive Tasks," *Journal of Cognitive Enhancement* 3, no. 2 (November 7, 2018): 193-206, https://doi.org/10.1007/s41465-018-0118-8.

25. Shalini Srivastava, Mark Mennemeier, and Surekha Pimple, "Effect of Alpinia Galanga on Mental Alertness and Sustained Attention with or without Caffeine: A Randomized Placebo-Controlled Study," *Journal of the American College of Nutrition* 36, no. 8 (2017): 631-39, https://doi.org/10.1080/07315724.2017.1342576.

26. Yuusuke Saitsu et al., "Improvement of Cognitive Functions by Oral Intake of Hericium Erinaceus," *Biomedical Research* 40, no. 4 (August 1, 2019): 125-31, https://doi.org/10.2220/biomedres.40.125.

27. Karin Yurko-Mauro et al., "Beneficial Effects of Docosahexaenoic Acid on Cognition in Age-related Cognitive Decline," *Alzheimer's & Dementia* 6, no. 6 (May 3, 2010): 456-64, https://doi.org/10.1016/j.jalz.2010.01.013.

28. "Omega-3 Fatty Acids," NIH Office of Dietary Supplements, n.d., https://ods.od.nih.gov/factsheets/Omega3FattyAcids-Healthprofessional/.

29. Steven T. DeKosky et al., "Ginkgo Biloba for Prevention of Dementia: A Randomized Controlled Trial," *JAMA* 300, no. 19 (November 19, 2008): 2253-62, https://doi.org/10.1001/jama.2008.683.

30. Katherine H. Cox et al., "Further Evidence of Benefits to Mood and Working Memory from Lipidated Curcumin in Healthy Older People: A 12-Week, Double-Blind, Placebo-Controlled, Partial Replication Study," *Nutrients* 12, no. 6 (June 4 2020): 1678, https://doi.org/10.3390/nu12061678.

31. "Magnesium," NIH Office of Dietary Supplements, n.d., https://ods.od.nih.gov/factsheets/magnesium-healthprofessional.

32. Caroline Rae et al., "Oral Creatine Monohydrate Supplementation Improves Brain Performance: A Double-Blind, Placebo-Controlled, Cross-Over Trial," *Proceedings of the Royal Society of London. Series B: Biological Sciences* 270, no. 1529 (October 22, 2003): 2147-50, https://doi.org/10.1098/rspb.2003.2492.

33. Coreyann Poly et al., "The Relation of Dietary Choline to Cognitive Performance and White-Matter Hyperintensity in the Framingham Offspring Cohort," *The American Journal of Clinical Nutrition* 94, no. 6 (December 2011): 1584-91, https://doi.org/10.3945/ajcn.110.008938.

34. David O. Kennedy, "B Vitamins and the Brain: Mechanisms, Dose and Efficacy—a Review," *Nutrients* 8, no. 2 (January 27, 2016): 68, https://doi.org/10.3390/nu8020068.

35. Dante Xing et al., "Effects of Acute Ashwagandha Ingestion on Cognitive Function," *International Journal of Environmental Research and Public Health* 19, no. 19 (September 20, 2022): 11852, https://doi.org/10.3390/ijerph191911852.

36. Koen Schruers et al., "Acute L-5-Hydroxytryptophan Administration Inhibits Carbon Dioxide-Induced Panic in Panic Disorder Patients," *Psychiatry Research* 113, no. 3 (December 30, 2002): 237-43, https://doi.org/10.1016/s0165-1781(02)00262-7.

37. David O Kennedy et al., "Effects of Resveratrol on Cerebral Blood Flow Variables and Cognitive Performance in Humans: A Double-Blind, Placebo-Controlled, Crossover Investigation," *The American Journal of Clinical Nutrition* 91, no. 6 (June 2010): 1590-97, https://doi.org/10.3945/ajcn.2009.28641.

[第19章]

1. Angela Duckworth and Lyle Ungar, "Op-Ed: Don't Ban Chatbots in Classrooms—Use Them to Change How We Teach," *Los Angeles Times*, January 19, 2023, https://www.latimes.com/opinion/story/2023-01-19/chatgpt-ai-education-testing-teaching-changes.